O português da gente

a língua que estudamos
a língua que falamos

Rodolfo Ilari
Renato Basso

O português da gente
a língua que estudamos
a língua que falamos

Copyright © 2006 Rodolfo Ilari e Renato Basso
Todos os direitos desta edição reservados à
Editora Contexto (Editora Pinsky Ltda.)

Ilustração de capa
Almeida Júnior, "O violeiro", 1899 (Óleo sobre tela)

Montagem de capa
Antonio Kehl

Projeto gráfico e diagramação
Gustavo S. Vilas Boas

Revisão
Lilian Aquino
Ruy Azevedo

Dados Internacionais de Catalogação na Publicação (CIP)
(Câmara Brasileira do Livro, SP, Brasil)

Ilari, Rodolfo
O português da gente : a língua que estudamos a língua que falamos / Rodolfo Ilari, Renato Basso. 2. ed., 6ª reimpressão. – São Paulo : Contexto, 2025.

Bibliografia.
ISBN 978-85-7244-328-9

1. Português – Brasil 2. Português – Estudo e ensino 3. Português – História 4. Português – Uso 5. Português – Variação 6. Sociolinguística I. Basso, Renato. II. Título.

06-2343   CDD-469.798

Índice para catálogo sistemático:
1. Português do Brasil : Uso : Linguística 469.798

2025

EDITORA CONTEXTO
Diretor editorial: *Jaime Pinsky*

Rua Dr. José Elias, 520 – Alto da Lapa
05083-030 – São Paulo – SP
PABX: (11) 3832 5838
contato@editoracontexto.com.br
www.editoracontexto.com.br

Proibida a reprodução total ou parcial.
Os infratores serão processados na forma da lei.

Breve introdução 9

Um pouco de história: origens e expansão do português 13

   As origens latinas do português 15

   O longo caminho entre as origens latinas e o português atual........18

      O português arcaico 21

      O português clássico 28

      A difusão do português através
      das conquistas ultramarinas...37

   O português de Portugal depois do século XVII.................................43

O português na América...**49**

O português no continente sul-americano:
a ampliação das fronteiras..**49**

O português no continente sul-americano:
a ocupação dos espaços...**55**

Quinhentos anos de história linguística: situações.................**60**

O multilinguismo: pano de fundo da criação do PB..................**60**
Multilinguismo no Brasil:
português *versus* línguas indígenas..**62**
Multilinguismo no Brasil: as línguas africanas
e a hipótese de uma origem crioula do PB.................................**70**
"O português são dois" (desde o Brasil-Colônia).....................**76**
A nova situação de bilinguismo
dos séculos XIX e XX: português *versus*
línguas dos imigrantes europeus e asiáticos.............................**80**

O português no continente sul-americano:
as grandes mudanças estruturais do início do século XX.............**84**

O português e outras línguas no Brasil de hoje........................**87**

Algumas características do português brasileiro.................**95**

Fonética/Fonologia...**98**

Morfologia..**100**
As flexões do verbo...**100**
As flexões dos nomes..**102**
A morfologia derivacional...**103**

Classes de palavras..**108**
O substantivo..**109**
O adjetivo..**110**
O verbo..**112**
O pronome..**114**
O advérbio...**117**
A conjunção..**118**
A preposição...**122**

Sintaxe **124**
    A sintaxe da sentença: um sistema de sistemas **124**
    Alguns traços marcantes na sintaxe do português brasileiro ... **129**

O léxico **134**
    Os empréstimos **137**
    As palavras eruditas **144**
    As palavras de formação vernácula **145**
    Campos "marginais" do léxico:
    a antroponímia, a toponímia e os nomes de marcas **146**

Português do Brasil:
a variação que vemos e a variação que esquecemos de ver **151**

Variação diacrônica **152**

Variação diatópica **157**
    Português europeu e português do Brasil **157**
    A variação regional no português do Brasil **160**
    Os atlas linguísticos do português do Brasil **169**

Variação diastrática **175**

Variação diamésica **180**
    O falado e o escrito **180**
    Os gêneros **185**

A variação na variação **189**

O drama de encarar a variação **194**

Linguística do português e ensino **197**

A estandardização da língua **197**
    A fixação da ortografia **199**
    O trabalho dos lexicógrafos **203**
    O trabalho dos gramáticos normativos **205**
    A descrição da língua nas últimas décadas do século xx **211**

A definição de uma norma "brasileira" **213**
    Debates em torno da norma brasileira **213**
        A definição de uma
        norma literária brasileira **214**

      A elaboração de uma norma
      para o português escrito:
      o Código Civil, Rui Barbosa e a *Réplica* **218**
      A busca da pronúncia ideal no século xx **220**

   O peso das várias concepções de norma **223**

Língua e gramática ou Da necessidade de óculos **223**

Algumas palavras sobre gramática, linguística e ensino **229**

   O material de trabalho do professor de língua materna:
   a competência linguística dos alunos **230**
   A gramática e a autoimagem do professor **234**

   Revelar a cidade **237**

Epílogo **239**

Cronologia **245**

Bibliografia **257**

Iconografia **271**

Anexo **272**

Breve introdução

Este livro é sobre a língua portuguesa que falamos no Brasil.

Haveria inúmeras maneiras de tratar de um tema tão vasto: a que adotamos reflete a história deste livro, que começou a tomar forma quando nos foi encomendado um texto de vinte páginas, de caráter didático.

Quais são os aspectos do português do Brasil que interessam a um amplo espectro de leitores, particularmente estudantes e professores? Quais os aspectos com que os bons cursos de formação de professores de língua materna precisariam se preocupar? Quais os preconceitos a combater e as ideias a difundir? Aqui também seriam possíveis muitas respostas. Dada a necessidade de nos fixarmos em algumas, procuramos desenvolver uma reflexão que ajudasse a compreender melhor os problemas e conflitos que surgem no ensino e na visão corrente sobre a língua e chegamos assim a três objetivos que nos pareceram absolutamente prioritários:

- recuperar as principais etapas da história da língua (particularmente depois de sua implantação no continente americano);
- convencer o leitor de que é possível olhar para o português brasileiro sem se prender a representações prontas; e
- mostrar que a variabilidade linguística deve ser aceita como um fato natural.

Pensando nesses objetivos, reunimos neste livro uma série de informações que, juntas, compõem um grande quadro do português brasileiro atual. Para a apresentação dessas informações, elaboramos as cinco exposições temáticas que compõem cada um dos capítulos. Contudo, alguns dados precisavam ser analisados de maneira autônoma, uma necessidade à qual procuramos responder mediante uma série de encartes (os "*boxes*" e as "antologias") que podem ser lidos de maneira até certo ponto independente: alguns desses encartes analisam variedades do português com as quais não nos deparamos a todo instante; outros reproduzem algum depoimento importante sobre a língua; outros ainda descrevem alguma situação linguística, aí incluídos alguns episódios em que a fala teve participação destacada. Também pareceu-nos útil montar uma cronologia de fatos que afetaram o desenvolvimento do português do Brasil; nessa cronologia, não hesitamos em incluir eventos políticos, dados demográficos, inovações tecnológicas e fenômenos culturais cuja repercussão sobre a língua pode não ter sido imediata.

É claro que um livro com essas características não poderia ser nem completo nem inteiramente original; os leitores mais informados logo notarão nele muitas lacunas e perceberão que, ao esbarrar em algumas questões que se tornaram clássicas nos debates acadêmicos sobre o português brasileiro, preferimos formular o problema a defender posições que geram polêmica. Essas decisões devem dar uma ideia do sentido geral do livro, que, em vez de impor respostas, procura propor ao leitor algumas boas perguntas, sobre as quais ele terá sempre tempo para se aprofundar (a bibliografia tem por objetivo deslanchar esse aprofundamento).

Fizemos este livro pensando em pessoas reais e em todos os leitores que o terão em mãos. Num certo sentido, ele é dedicado a todos aqueles que curtem a língua da nossa gente – sejam eles profissionais da linguagem ou "leigos".

Campinas, junho de 2006
R.I.
R.M.B.

P.S. importante:
Este livro é dedicado aos colegas que suportaram os dois autores durante sua elaboração e, particularmente, os colegas de caminhada: o Mário Mendes, o Jaime Szajner, o Nélson Nahas, o Luís Gimeno e o Eduardo Vichi e os colegas de república: o Laudino, o Antônio, o Pablo, o Leandro, o Gustavo, o Célio e a Lou...

Precisamos agradecer a muitas pessoas que, de maneiras diferentes e em proporções diferentes, contribuíram para a elaboração deste livro: entre elas precisam ser citados nominalmente os professores e colegas Ángel Corbera Mori, Anna Christina Bentes, Antonio Barros de Brito Júnior, Célio Figueira Costa Filho, Laudino Roces Rodrigues, Leandro dos Santos Silveira, Flávia Carneiro, Maria Luiza Braga, Pablo Arantes, Roberta Pires de Oliveira, Rogério Budasz, Wilmar Rocha D'Angelis e dois leitores anônimos da Editora Contexto. Agradecemos também a dois órgãos do Instituto de Estudos da Linguagem da Unicamp, o Laboratório de Fonética e Psicolinguística (LAFAPE) e o Centro de Documentação Cultural "Professor Alexandre Eulálio Pimenta" (CEDAE), aos quais devemos, respectivamente, ter-nos abrigado e apoiado durante toda a elaboração deste livro e ter-nos cedido parte do material iconográfico nele incorporado.

Temos uma dívida de natureza especial para com dois leitores cujas observações levaram a modificações profundas do texto original: um deles é o professor Marco Antônio de Oliveira, que viu a primeira versão do trabalho e sugeriu vários acréscimos e correções; outro é nada mais nada menos que o professor Jaime Pinsky, nosso editor, cuja interlocução constante nos ajudou a construir uma imagem mais clara do leitor e do próprio livro, levando assim a um texto menos pedante, mais "focado" e, sobretudo, mais claro.

Ao amigo João Wanderley Geraldi somos gratos por um motivo diferente, mas não menos decisivo: foi ele quem nos "encomendou" o tal texto de vinte páginas, que, por excesso de entusiasmo, acabou por se transformar neste livro.

Um pouco de história: origens e expansão do português

O Brasil é hoje o maior país de língua portuguesa do mundo, com uma população que gira em torno de 200 milhões de habitantes. Mas o português, como todos sabem, não nasceu no Brasil; ele foi implantado no continente sul-americano por efeito da colonização portuguesa, que começa, oficialmente, com o descobrimento da terra de Vera Cruz por Pedro Álvares Cabral, em 22 de abril de 1500. Um dos objetivos deste livro é contar um pouco da história americana do português, mas para isso não basta seguir a linha do tempo desde Cabral até hoje; é indispensável, ao contrário, voltar às origens.

Quando começou a língua portuguesa? Essa pergunta poderia receber respostas muito exatas no século XIX, quando as línguas eram encaradas pelos estudiosos como organismos que nascem, se desenvolvem, se reproduzem e morrem, à semelhança do que acontece com os seres estudados pela biologia. Hoje sabemos que as línguas não morrem (a não ser quando desaparecem as populações que as usam – situação pela qual passaram, infelizmente, algumas centenas de línguas indígenas faladas no Brasil à época do descobrimento); sendo entidades dinâmicas, as línguas estão sempre mudando. Não há ruptura entre a língua que os brasileiros falam hoje e a língua falada em Portugal antes dos descobrimentos, assim como não há ruptura entre o português do tempo dos descobrimentos e o romance português, ou seja, a língua românica falada no norte de Portugal no final do primeiro milênio. O mesmo vale para o conjunto das línguas românicas em relação ao latim. Assim, é com alguma arbitrariedade que situamos as origens do português em torno do ano 1000. Na realidade, o que nasce nesse momento é a nação portuguesa, que a essa altura já se exprime numa língua própria, distinta das demais línguas da península ibérica.

Em suma, não é possível contar a história do português brasileiro desconsiderando o período que vai do início do segundo milênio até 1.500. As razões desse retorno no tempo ficarão claras no desenvolvimento deste primeiro capítulo e podem ser assim resumidas:

- na época dos descobrimentos, o português já tinha características bem definidas, tanto em fonologia e sintaxe, quanto em seu léxico. Tinha encontrado uma solução própria para o problema de fixar uma ortografia, e já era a língua de uma rica literatura. Tudo isso é o resultado de uma história interna e de uma história externa que não poderiam ser ignoradas. Os linguistas falam de "história interna" para referir-se a mudanças ocorridas na própria estrutura da língua (por exemplo, o desenvolvimento em português do tempo conhecido como "futuro do subjuntivo", desconhecido em outras línguas) e de "história externa" para referir-se a fatores não-linguísticos que tiveram peso na evolução da língua (por exemplo, a convivência de vários séculos entre o romance e o árabe, que explica o grande número de palavras árabes presentes no léxico do português);
- olhando para o passado, recuperamos a genealogia do português, a começar por seu antepassado imediato: o latim. Voltar ao latim não é um simples gesto de erudição. A origem latina explica muitas características do português, a começar pela riqueza de suas flexões tanto nominais como verbais; além disso, voltar à língua anterior aos descobrimentos é a única maneira de aquilatar até que ponto o português se enriqueceu, não só no Brasil, mas nas novas terras a que foi levado (seção "A difusão do português através das conquistas ultramarinas");
- por fim, olhar para a língua anterior aos descobrimentos manuelinos é indispensável para avaliar algumas hipóteses que procuram explicar a especificidade do português brasileiro em face das outras variedades geográficas da mesma língua: uma dessas hipóteses afirma que o português do Brasil (doravante PB) é mais arcaico do que o português europeu (doravante PE); outras afirmam que ele traz características próprias da fala desta ou daquela região de Portugal. Não seria possível compreender essas hipóteses sem ter uma ideia das fases pelas quais a língua passou e sem acompanhar, ainda que superficialmente, a expansão territorial do reino de Portugal e a ocupação das terras que ficam ao sul do Tejo.

É por isso que, ao longo deste primeiro capítulo, trataremos da história de Portugal e da península ibérica, com a chegada dos romanos, as invasões germânicas, a ocupação árabe, os movimentos de Reconquista e as consequências que esses eventos tiveram na formação do que chamamos "língua portuguesa". Num segundo momento, nos voltaremos para o Brasil, levando em conta não só o papel do colonizador português, mas também das populações indígenas, dos escravos africanos e do próprio brasileiro nativo, que forjaram o que conhecemos hoje como "português brasileiro".

Não poderíamos deixar de apresentar, ainda que rapidamente, a situação dos outros países lusófonos e daqueles que falam crioulos de base portuguesa, mostrando a diversidade e o alcance dessa língua que surgiu em um pequeno país europeu e, por vicissitudes históricas que já foram descritas em tom épico, é hoje a oitava língua mais falada no mundo.

As origens latinas do português

Todos sabem que o português deriva do latim, a língua da civilização que teve como centro Roma antiga, e floresceu, para usar as datas tradicionais, entre a fundação da própria cidade por Rômulo (753 a.C.) e a deposição do último imperador, Rômulo Augústolo (476 d.C.). A origem latina do português já foi cantada em verso por grandes poetas, como Camões e Olavo Bilac.

Para a maioria das pessoas, a palavra *latim* faz pensar numa das tantas matérias que se estudavam alguns anos atrás na escola média, ou então na língua que foi usada nos cultos pela Igreja Católica até o Concílio Vaticano (1962-1965). Nesses dois contextos, ainda eram estudados, respectivamente, o latim literário e o latim eclesiástico. Mas a variedade de latim que deu origem ao português (e às outras **línguas românicas** – ver o quadro a seguir) não foi nem o latim literário, nem o latim da Igreja, mas sim uma terceira variedade, conhecida como **latim vulgar**. Uma boa maneira de explicar em uma só palavra o que foi o latim vulgar consiste em dizer que ele foi um *vernáculo*.

A palavra *vernáculo* caracteriza um modo de aprender as línguas: o aprendizado que se dá, por assimilação espontânea e inconsciente, no ambiente em que as pessoas são criadas. A vernáculo opõe-se tudo aquilo que é transmitido através da escola. Para exemplificar com fatos conhecidos, basta que o leitor brasileiro pense em formas verbais como *eu farei* e *eu fizera*, ou em construções como *fá-lo-ei, dir-lhe-ia, tu o fizeste* ou *Ninguém lho negaria*. A parte da população brasileira que as conhece chegou a elas pela escola, provavelmente através da leitura de textos literários bastante antigos, pois no Brasil de hoje é quase nula a chance de que essas formas ou construções sejam usadas de maneira espontânea. Ao contrário, qualquer criança assimila formas como *eu vou fazer, eu tinha feito, eu vou fazer isso, eu diria isso para ele, ninguém negaria isso a ele* interagindo com os adultos diretamente, isto é, sem interferência da escola. Podemos resumir tudo isso dizendo que somente as últimas formas são vernáculas, ao passo que as primeiras não são.

As origens remotas do português

Ao dizer que o português deriva do latim, estabelecemos, indiretamente, suas origens linguísticas mais remotas: o latim foi um ramo do itálico, que é por sua vez uma das subdivisões do indo-europeu ocidental. Outras subdivisões do indo-europeu ocidental foram o grego, o celta (do qual derivou o galês), o protogermânico (do qual derivaram o alemão, o inglês) e o balto-eslavo. Além do indo-europeu ocidental, existiu um indo-europeu oriental, que teve como descendentes o sânscrito e o hitita. O quadro abaixo é o que poderíamos chamar de "árvore genealógica" do português. Ele nos permite identificar as principais relações de parentesco que o português mantém com outras línguas (essas relações referem-se às vezes a línguas mortas, isto é, línguas que não têm mais falantes nativos, identificadas pelo símbolo '†'):

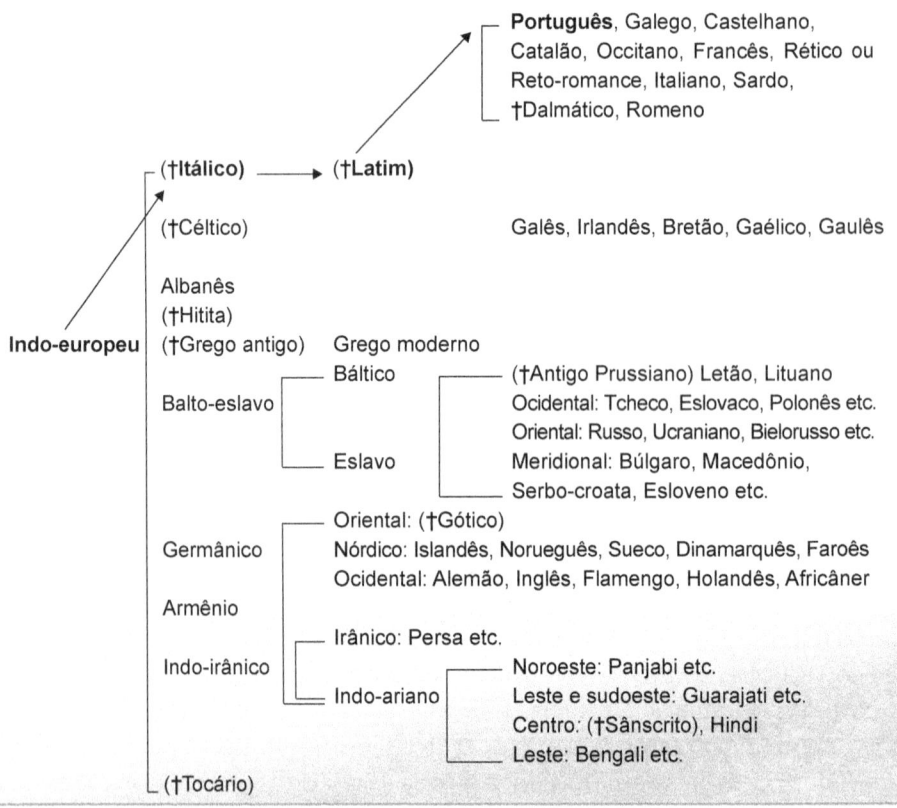

Pois bem: o latim vulgar opõe-se ao latim literário e ao latim eclesiástico por ter sido um vernáculo. Ao passo que o latim literário e, mais tarde, o latim eclesiástico foram ensinados com o apoio da escrita, o latim vulgar foi uma variedade de latim principalmente falada, a mesma que os soldados e comerciantes romanos levaram às regiões conquistadas durante a formação do Império, que foi passando de geração em geração sem ser ensinada formalmente.

Depois das conquistas militares, o Império Romano passou por alguns séculos de estabilidade, durante os quais o latim vulgar foi falado na maioria dos territórios conquistados. Nesse período, acredita-se que o latim vulgar apresentou uma relativa uniformidade em uma grande área geográfica que correspondia a boa parte da Europa ocidental.

Mas à unidade política sucedeu um período de fragmentação provocado pelas grandes invasões "bárbaras" e à uniformidade linguística seguiu um período de diversificação cada vez maior, sob o impulso de inovações locais que já não tinham como circular por todo o território romanizado. Assim, ao final do século x, o que havia sido um único território linguístico (ao qual os estudiosos chamam hoje **Romênia**), tinha-se transformado num mosaico de falares locais, de maior ou menor prestígio. Essa fragmentação do latim vulgar contrasta não só com a relativa uniformidade do próprio latim vulgar durante o período imperial, mas ainda com a uniformidade do latim literário e do latim eclesiástico, que continuaram sendo usados para outros fins, ao lado da fala popular.

Posteriormente, alguns dos falares locais derivados do latim vulgar ganharam prestígio e transformaram-se nas **línguas românicas** que conhecemos hoje: o romeno, o italiano, o sardo, o reto-românico (falado na Suíça e em algumas regiões do norte da Itália), o occitano, o francês, o catalão, o espanhol, o galego e o português.

O latim vulgar e o latim literário eram parcialmente diferentes tanto em sua estrutura gramatical quanto em seu léxico; é por isso que certas características marcantes da frase latina, tais como as declinações, a voz passiva sintética, a construção de acusativo com infinitivo ou o ablativo absoluto não aparecem em todas as línguas românicas; pelo mesmo motivo encontramos no português palavras como *casa*, *boca* ou *espada* em vez de *domus*, *os* ou *gladius*. É por isso também que, embora o português derive do latim, não basta saber português para entender os textos da literatura latina: na verdade, o latim da literatura foi criado pelo esforço consciente de várias gerações de escritores e tinha fins estéticos. Mas esse latim sempre foi uma forte referência cultural; foi objeto de importantes tentativas de recuperação em diferentes momentos da história (por exemplo, no tempo de Carlos Magno e na Renascença) e foi a língua internacional da cultura até ser substituído, nessa função, pelo francês (no século XVIII) e, posteriormente, pelo inglês (no século XX).

O longo caminho entre as origens latinas e o português atual

Como as duas outras grandes línguas da Ibéria, o castelhano e o catalão, o português originou-se de um processo de Reconquista. "Reconquista" é o nome dado aos movimentos político-militares de expansão pelos quais passaram alguns reinos cristãos que, por volta do ano 1000, ocupavam a faixa mais setentrional da Ibéria, correspondente aos montes Cantábricos; pela Reconquista, esses reinos ampliaram progressivamente seu território à custa dos árabes, presentes na península desde o século VIII. Houve, na realidade, várias reconquistas, que resultaram na formação dos reinos de Portugal, Castela e Aragão; o processo completou-se em 1492, quando Castela incorporou o último estado árabe, o reino de Granada. Nessa mesma data, Castela e Aragão uniram-se formando o reino da Espanha.

Moçárabe

Os cristãos e os árabes conviveram na Península Ibérica por mais de sete séculos, antes, durante e depois das reconquistas cristãs. Desse contato prolongado resultaram duas culturas que costumam ser designadas pelos adjetivos *moçárabe* e *mudéjar*. O adjetivo *moçárabe* aplica-se aos cristãos que viveram em territórios dominados pelos árabes, uma situação mais comum antes das reconquistas. De acordo com sua etimologia (ar. *musta' arab* ou *musta' rib*), essa palavra significa "arabizado", "tornado árabe", "que se parece com o árabe".

Mudéjar aplica-se à situação inversa, a do árabe que vive em território cristão – uma situação que foi mais comum do que se poderia pensar, porque os reis cristãos, nos territórios recém-conquistados, precisaram frequentemente dividir o poder com senhores locais de origem árabe.

Um dos efeitos dessa convivência entre árabes e cristãos foi a criação de dois tipos de arquitetura: a arquitetura moçárabe, mais antiga, mais sóbria e mais próxima do românico, e a arquitetura mudéjar, mais recente, mais rica em ornamentos e próxima do mourisco; além disso, a arte mudéjar produziu obras-primas no campo da iluminura. Mas há fortes marcas da influência árabe também nas línguas da Ibéria, pois o português e o espanhol usam até hoje, corriqueiramente, uma enorme quantidade de palavras de origem árabe.

Da convivência das culturas cristã e muçulmana nasceram também alguns gêneros literários, dentre os quais o mais conhecido é a "jarcha", de que o poema a seguir é um exemplo.

Exemplo de jarcha:

Vayse meu corachón de mib:
ya Rab, ¿si me tornarád?
¡Tan mal meu doler li-l-habib!
Enfermo yed, ¿cuánd sanarád?

Tradução

Meu coração se parte de mim:
Oh Deus, acaso vai voltar?
Esta dor pelo meu amado dói tanto!
Está doente, quando há de sarar?

Acima, iluminura mudéjar. À esquerda, exemplo de arquitetura moçárabe: a igreja de San Miguel de La Escalada (noroeste da Espanha, a meio-caminho entre Burgos e Santiago de Compostela).

Entendamos melhor quais foram os efeitos linguísticos dos movimentos de Reconquista: por volta do ano 1000, as línguas românicas mais prestigiosas da península ibérica eram o galego, o leonês, o asturiano, o castelhano e o aragonês, todas faladas ao norte, nos Montes Cantábricos ou nos Pirineus. Essas variedades se impuseram a outras línguas vizinhas, que desapareceram, e, em sua expansão para o sul, acabaram por suplantar também o moçárabe, a língua falada pelos cristãos que lá viviam, no território dominado pelos árabes. Os movimentos de Reconquista também consolidaram as monarquias que os comandaram; um dos efeitos disso foi a formação de estados fortes, cujo centro geográfico foi-se deslocando progressivamente para o sul. No caso específico de Portugal, isso resultou na transferência da capital do Estado português da cidade do Porto para a cidade de Guimarães e depois para Lisboa, e fez com que a base territorial da língua portuguesa se deslocasse do norte para o sul do rio Douro; essa é uma das razões da separação entre o português e o galego: as principais inovações sofridas pelo português, nos séculos seguintes, partiram do sul (Lisboa, Alentejo) e não conseguiram alcançar o extremo norte.

Depois de gozar de relativa autonomia, tornando-se inclusive um reino independente, a região da Galiza, que havia sido o primeiro berço do português, acabou sendo incorporada à Espanha no final do século xv. Hoje, a Galiza é uma região bilíngue, onde o galego convive com o espanhol.

A expansão do Estado português através da Reconquista.

Periodizações do português

Quando se fala em "português arcaico", toca-se indiretamente num tema clássico, que é o da periodização da língua portuguesa.

As periodizações ajudam-nos a organizar nossos conhecimentos de como a língua foi mudando ao longo do tempo e têm um caráter de síntese, pois levam em conta não só as mudanças estruturais (isto é, as mudanças que aconteceram na fonética, na morfologia e na sintaxe), mas ainda as funções sociais que a língua foi assumindo (por exemplo, a capacidade de servir de veículo para novos gêneros, literários ou não) e os graus de estandardização pelos quais passou (por exemplo, na ortografia e no modo de apresentação dos textos).

Muitos estudiosos já propuseram periodizações da língua portuguesa, e entre essas propostas não há uma coincidência perfeita. Há acordo quanto a reconhecer na história da língua uma fase arcaica, uma fase clássica e uma fase moderna ou contemporânea. Todos concordariam em classificar na última a língua de Machado de Assis e de Eça de Queiroz, na primeira as Cantigas dos Trovadores e na fase clássica a língua de *Os Lusíadas*. Mas as divergências começam quando se buscam datas e denominações mais ou menos exatas para os vários períodos. O quadro que segue dá uma ideia dessa divergência.

	Leite de Vasconcelos	Serafim da Silva Neto	Pilar Vásquez Cuesta	Luís-Felipe Lindley-Cintra	Maria Helena Mira-Mateus
antes de 900	P. pré-histórico (até 882)	P. pré-histórico (até 882)	P. pré-literário (até 1216)	P. pré-literário (até 1216)	P. antigo
900-1000	P. proto-histórico (882 até 1214/1216)	P. proto-histórico (até 1214/1216)			
1000-1100					
1100-1200					
1200-1300	P. arcaico (1216 até 1385-1420)	P. trovadoresco (1216 até 1420)	Galego-português (1216 até 1385/1420)	P. antigo (1216 até 1385/1420)	
1300-1400					
1400-1500		P. comum (1420 até 1536/1550)	P. pré-clássico (1420 até 1536/1550)	P. médio (1420 até 1536/1550)	P. médio
1500-1600	P. moderno.	P. moderno	P. clássico (1550 até o séc. XVIII)	P. clássico (1550 até o séc. XVIII)	
1600-1700					P. clássico
1700-1800					
1800-1900			P. moderno.	P. moderno.	P. moderno
1900-2000					

Neste livro, usamos várias vezes as expressões "português arcaico", "português clássico" e "português moderno": as informações dadas por esses rótulos são úteis, mas é importante não esperar deles nenhum tipo de precisão.

O português arcaico

Camões, que viveu no século XVI, narra n'*Os Lusíadas* a história de Portugal até a chegada de Vasco da Gama às Índias (1498). Com justo orgulho, constata que, em poucos séculos, a nação portuguesa (ou seja, a nação dos lusíadas) tornou-se independente e lançou-se à conquista dos oceanos, rivalizando com a Espanha nos descobrimentos e nas grandes navegações.

A história do Estado português começa em 1093, quando a região do Porto (inicialmente um condado conhecido como *Condado Portucalense*) se separou do Reino de Leão e foi doada a Henrique de Borgonha como dote de um casamento real. Os descendentes de Henrique de Borgonha constituíram a primeira dinastia de reis portugueses, que permaneceu no poder até a batalha de Aljubarrota (1385).

A língua falada em 1100 no berço do Estado português era muito parecida com o galego – daí a denominação **galego-português** que é às vezes aplicada à variedade de língua em que se expressou sua manifestação literária mais representativa, a **lírica trovadoresca**. No século XIII, o galego-português foi usado como língua da poesia não só por trovadores portugueses como Dom Dinis (rei a partir de 1290), mas também por trovadores de outras regiões da Ibéria (por exemplo, Afonso x, o Sábio, rei de Castela). Isso mostra que o galego-português gozava de prestígio e era considerado adequado para desempenhar as funções que, em outras regiões da Europa, foram exercidas pelo provençal.

Nesse mesmo período, na região então identificada como Portugal, a situação linguística era, *grosso modo*, a seguinte: os documentos oficiais continuavam sendo escritos num latim que tinha por modelo o latim literário, mas revelava interferências cada vez maiores dos falares vernáculos; ao mesmo tempo, os documentos de caráter prático, destinados a uma parte da sociedade que já não conhecia o latim, iam adotando a fala corrente. É o caso, por exemplo, das escrituras de cartório que tratam de demandas, heranças e doações. Um desses documentos, conhecido como a *Notícia de Torto*, e escrito possivelmente entre 1210 e 1216, foi considerado por muito tempo o mais antigo documento em língua portuguesa. É da mesma época outro importante documento em língua portuguesa, esse com datação certa (1214), o *Testamento de Afonso II*. Recentemente, foi descoberto um documento ainda mais antigo: trata-se da *Notícia de Fiadores*, datada de 1175.

Antologia
As últimas linhas da *Notícia de Torto*

Manuscrito da *Notícia de Torto*.

A palavra *torto* significava em português medieval "prejuízo imposto injustamente, injustiça feita a alguém". A *Notícia de Torto* é o relato de uma desavença entre as famílias de Gonçalo Ramires e de Lourenço Fernandes, que começa com uma quebra de contrato e degenera numa escalada de violências físicas, perpetradas pela gente de Gonçalo Ramires contra os familiares, os empregados e o gado de Lourenço Fernandes. Algumas das peculiaridades da escrita medieval aparecem nas linhas 41-54 desse documento, que constituem o próximo texto de nossa antologia. Sugere-se que o leitor tente identificar essas peculiaridades, comparando o texto medieval e a versão em português moderno que damos em seguida, na qual procuramos dar conta da contribuição de cada palavra do texto antigo:

Manuscrito da *Notícia de Torto*

41 E subre becio e super

42 fiimento, se ar quiserdes ouir As desoras qve ante lhe furũ,

43 ar ouideas: Venerũ a uila e fila[rũ]li o porco ante seus filios e com

44 erũsilo. Venerũ alia uice e filarũ outro ante illes

45 er comerũso. Venerũ ĩ alia uice er filarũ una ansar ante

46 sa filia er comerunsa, In alia uice ar filiarũli o pane ante

47 seus filios. In alia uice ar ue[ne]rũ hic er filarũ ĩde o uino

48 ante illos.

49 Otra uice (?) uenerũli filar ante seus filios qua[n]to qve li agarũ ĩ aquele

50 casal. E furũli a u ueriar e prenderũ ĩde o cõlazo unde mamou o lec

51 te e gacarũno e getarũ in terra polo cecar e le[ua]rũ delle qua[n]to oue

52 Ĩ alia uice ar furu a Feracĩ e pre[n]derũ IIos oméés e gacarũnos e leuarũ

53 deles qua[n]to que ouerũ. Ĩ outra fice ar pre[n]derũ otros IIos a se[u] irmano Pelaglo

54 Fernãdiz. e Iagarũnos

---

41 E sobre ? e sobre

42 ? , se (novamente) quiserdes ouvir as desonras que diante dele houve

43 ouvi-as: vieram à vila e roubaram-lhe o porco diante de seus filhos e com-

44 eram(-se)-o vieram outra vez e roubaram outro diante deles

45 (novamente) comeram(-se)-o. Vieram (em) outra vez comeram(-se)-o roubaram uma pata diante

46 sua filha comeram(-se)-a. Em outra vez mais roubaram-lhe o pão na frente de

47 seus filhos. (Em) outra vez vieram aqui roubaram daqui o vinho

48 diante deles.

49 Outra vez vieram-lhe roubar diante de seus filhos tudo aquilo que dele acharam naquele

50 casal. E foram-lhe a um vergel, e pegaram daí o irmão de leite de onde mamou o lei-

51 te e feriram-no e estenderam-no no chão para cegá-lo e levaram dele tudo aquilo que tinha.

52 (Em) outra vez mais, foram a Feracim e pegaram dois homens e feriram-nos e tiraram

53 deles tudo aquilo que tinham. (Em) outra vez pegaram outros dois de seu irmão Pelágio

54 Fernandes e feriram-nos.

Notem-se ainda:
- as palavras *agar* (isto é, *achar*, do lat. *afflare*), *ansar* (que indica a fêmea do pato, do lat. *anser, anseris*), *colaço*, "irmão de leite" (do lat. *cum+lactius*), *filar / filhar* – agarrar com força, pegar, roubar (provavelmente do lat. *fibulare*), *gacar / jagar*, isto é, ferir, machucar (do lat. *plagare*; a forma moderna é *chagar*), *getar* "jogar, atirar", do (lat. *jactare*);
- partículas *ar, er* que não traduzimos, e que parecem ter sua origem no prefixo *re-* de verbos como *reagir, repugnar*, que passa a *ar-* em *arrenegar* e que, num certo momento, se teria tornado separável.

> **Antologia**
> **Notícia de Fiadores**
>
> **1175**
> Notícia de fiadores discriminando dívidas de Pelagio Romeu.
>
> **linha 1**
> Notícia fecit pelagio romeu de fiadores Stephano pelaiz. xx^j. solidos lecton. xx^j. soldos pelai garcia xx^j. soldos. Gūdisaluo M(enen)dici. xx^j. soldos
>
> **linha 2**
> Egeas anriquici . xxx^{ta}. soldos. petro cōlaco. x. soldos. Gūdisaluo anriquici. xxxx^{ta} s(o)ld(o)s Egeas Moniici. xx^{ti}. soldos i$\dagger$ Iho(a)ne suarici. xxx. ta soldos
>
> **linha 3**
> M(enen)do garcia. xx^{ti} soldos. petro suarici. xx^{ti}. soldos ER(a) Ma.CCaa xiii^{tia} Istos fiadores atan. v. annos que se partia de isto male q(ue) li avem
>
> **LEGENDA**
> [ ] significa conjectura do editor
> ( ) significa desenvolvimento de abreviatura

A língua do período que vai da formação do Estado português até o apogeu das navegações é conhecida como **português arcaico**. Para um leitor de hoje, os textos portugueses do período arcaico são de difícil leitura, não só pelas diferenças propriamente linguísticas, mas ainda pelo fato de que a ortografia, na época, não estava totalmente fixada. A essas dificuldades, somam-se várias outras de ordem cultural, porque nossos conhecimentos, interesses e valores de hoje são muito diferentes dos de nossos antepassados medievais.

Simplificando muito a respeito das características linguísticas do português arcaico, podemos dizer que ele fica a meio caminho entre o latim vulgar e o português atual. Muitos dos traços mais característicos da nossa língua ainda não estavam então completamente definidos. Para ficar no domínio da fonética, no qual é possível dar exemplos mais breves, tome-se a palavra portuguesa moderna *padeiro*. Essa palavra e seus equivalentes em italiano e espanhol (respectivamente, *panettiere* e *panadero*) têm origem comum numa palavra do latim vulgar que deve ter sido **panatarium*,[1] cujo parentesco com *pane(m)* "pão" é bastante transparente. O caminho pelo qual o latim vulgar **panatarium* deu origem ao português *padeiro* compreende uma série de mudanças fonéticas que podem ser resumidas na derivação a seguir:

*panatariu(m) > *panadeiro* > *pãadeiro* > *paadeiro* > *padeiro*

A penúltima dessas mudanças é a queda do *-n-* intervocálico; a última é a fusão dos dois *a*s, que a queda da nasal tornou vizinhos; na derivação do latim para o português, esses dois fenômenos afetaram um grande número de palavras. Outro som que teve uma evolução análoga à do *–n–* de **panatarium* foi o *–l–* intervocálico: ele caiu, dando origem a sequências de vogais que, com o tempo, se transformaram em vogais simples (como em *solum* > *soo* > *só* e *palatium* > *paaço* > *paço*). Os documentos medievais usam sempre as grafias *paaço* e *soo*, prova de que a fusão de sons contíguos idênticos ainda não era um fato consumado.

Quanto à ortografia, é preciso entender o problema com que se defrontaram então os escribas medievais. Já vimos que o português se formou como um vernáculo, ou seja, como uma língua falada. À medida que foi assumindo as funções de uma língua de cultura, houve necessidade de escrevê-la, e uma das primeiras dificuldades enfrentadas foi a de segmentar a fala em palavras. Ainda hoje, a segmentação é, às vezes, motivo para hesitações, e até as pessoas familiarizadas com a escrita "erram", escrevendo <*derrepente*> em vez de <*de repente*>, <*porisso*> em vez de <*por isso*>, ou mesmo <*esta-mos*> em vez de <*estamos*>. A separação de palavras foi uma das grandes aquisições do período medieval, mas os autores medievais e clássicos utilizaram, às vezes, em seus textos, segmentações diferentes das que são consideradas corretas hoje.

Outra dificuldade era a de representar na escrita, através do alfabeto latino, alguns sons que haviam sido criados em português e que o latim desconhecia, entre eles as vogais e os ditongos nasais (como em *vã*, *mão* e *mães*) e as consoantes palatais (como em *ilha*, *unha* e *cheio*). Para todos esses sons (e para outros, dos quais não falaremos), a grafia do português dispõe hoje de representações padronizadas, envolvendo diacríticos (como o til), dígrafos (<ch>, <lh>, <nh>) e outros recursos. Na fase medieval, porém, essa estandardização ainda não tinha acontecido; assim, não é de estranhar se diferentes textos de uma mesma época (ou mesmo partes diferentes de um mesmo texto) utilizam ocasionalmente recursos diferentes para representar um mesmo som.

Lembre-se ainda que, no período medieval, o pergaminho e o papel eram materiais extremamente caros, o que levava os escribas a abusar dos recursos que permitiam poupar espaço e material. Um desses recursos consistia em escrever até nas bordas dos pergaminhos, outro recurso era a abreviação de palavras: para indicar que a palavra estava sendo abreviada, os escribas medievais usaram frequentemente o til, que hoje só se emprega como marca de nasalidade e tonicidade.

Antologia
Algumas observações de um filólogo sobre a escrita da *Notícia de Torto*

Analisando a grafia dos textos medievais e suas incoerências, os estudiosos procuram estabelecer o que foi a língua falada naqueles tempos. Para se ter uma amostra dos problemas envolvidos nessa tentativa de decifração (que é uma das mais tradicionais tarefas da disciplina histórico-linguística conhecida como **Filologia**), recomenda-se a leitura das observações a seguir, feitas pelo filólogo português Ivo Castro, a propósito da *Notícia de Torto*:

Escrita: Uma interessante característica da escrita da *Notícia* é a quantidade de erros que contém e que não foram emendados ou o foram de modo que, mais uma vez, evidencia tratar-se de um rascunho. Em vez de as formas erradas serem riscadas ou mesmo rasuradas, o escriba limita-se a escrever-lhes à frente a correcção, deixando para a passagem a limpo eliminar o erro. Um [...] exemplo, situado na passagem da linha 11 para a 12, torna este mecanismo ainda mais claro: na extremidade da linha 11, lê-se *dū Gocaliz*, que corresponderia a um impossível *Dom Gonçalves*, impossível porque o título *Dom* é sempre do nome próprio e nunca do patronímico, como é *Gonçalves* (além de que o contexto não deixa dúvida de que se trata de Gonçalo Ramires). Como o escriba usava a totalidade do pergaminho, sem deixar qualquer espaço de margem, não teve possibilidade de corrigir o erro imediatamente a seguir, como costumava; por isso a correcção só aparece no início da linha seguinte, consistindo em um simples *o* isolado, destinado a substituir *iz*, assim reconstituindo a forma *dū Gõcalo*.

....

[...] Há que reconhecer que o escriba se divide entre dois códigos gráficos: o latino, que talvez não dominasse com suficiente à vontade, se notarmos que apenas usa grafias latinas ou alatinadas em palavras muito fáceis e recorrentes em documentos legais, *bona* (bens), *suos filios, pater, mater, illos, super, hic, in ipso die*, etc.; e o romance, sendo difícil decidir o seu grau de fidelidade a uma *scripta* determinada. [...] Nos comentários que a seguir faremos, apenas teremos em consideração as grafias romances ou romanceadas, deixando de lado as latinas, por não corresponderem a qualquer tentativa de representação da realidade oral. Assim, consideramos que *Laurēcius*, ou mesmo *Laurēzo* não provam que o ditongo latino [aw] ainda estivesse vivo, tanto mais que coexistem ao lado de *Lourēzo*, cuja grafia <ou> não deixa dúvidas quanto à existência do ditongo [ow], o qual também podemos supor se encontrasse oculto também sob a grafia <au>.[2]

....

[...] o som que o escriba mais claramente tem dificuldades em representar é a africada [tʃ]. Produto exclusivamente galego-português resultante de PL, CL, FL, não dispunha esta africada palatal surda de qualquer grafia latina ou tradicional e o escriba não conhecia as soluções que, na mesma época, eram ensaiadas pelos copistas do Testamento de Afonso II (*Sancho* e *Sancio*). Por isso, limitou-se a tomar emprestadas as grafias que conhecia para a africada sonora correspondente [dʒ], ou seja, <g> e <i>:
    <g> : [linha] 27 *agudas*, 51 *getarū*
    <i> : [linha] 26 *iuizo*, 29 *aiuda*
[...] Temos assim a africada [dʒ] com duas grafias <g> e <i>. São exatamente as mesmas que servem à africada surda [tʃ], e apenas elas [...]:
    <g> : [linha] 29 *agou*, 49 *agari, gacarū*
    <i> : [linha] 54 *iagarū*
Duas conclusões se tiram:
a)   a africada surda [tʃ] não dispõe de grafias próprias, recorrendo o escriba não a uma, mas a todas as grafias da consoante mais próxima, o seu par sonoro [dʒ];
b)   isto prova a existência autónoma da africada sonora na língua da época, ou no dialecto local: de fato, se se confundisse com a fricativa [ʒ], não haveria nenhum motivo para serem as suas grafias escolhidas pelo escriba para representar [tʃ], pois então o som mais próximo deste seria a africada predorsal surda [ts], cujas grafias na *Notícia* são <c> e <z>...[3]

Antologia
A carta dos Juízes de Abrantes sobre a construção de um muro

O próximo texto de nossa antologia foi escrito na segunda metade do século XIII. Trata-se de uma carta comunicando à chancelaria do rei Afonso III a intenção do Concelho (distrito) de Abrantes de refazer e inaugurar um muro, naquele concelho (os documentos de chancelaria, a cujo conjunto pertence o texto, constituem um importante acervo de documentos medievais que se preservaram até nossos dias). Sugere-se que o leitor tente primeiro uma leitura completa, sem deter-se nas dificuldades; ele encontrará em seguida uma "tradução" em português moderno e alguns comentários (os trechos entre parênteses correspondem a abreviações no original).

> Carta dos Juyzes do Concelho de Aurãtes p(er)a faz(er)em e refazerẽ o Muro do dito Castelo de Aurãtes. *Conoscã todos aq(eu)les q(ue) esta uirẽ e ouuirẽ q(ue) nos Juyzes e Concelho de Aurãtes de nossas liures uoontades entendendo a faz(er) nossa p(ro)l de nossos corpos e de nossa t(er)ra e de nossos aueres ficamos e outorgamos que façamos e rofaçamos o Muro do Castelo de Aurãtes cada hu for mester assy enos Andamhos come nas escaadas come nos cubos come nas torres come nas outras cousas u q(ue)r q(ue) mest(er) for. E obligamonos p(er) quãto q(ue) auemos mouil e a cõprir e a fazer todas estas cousas de suso ditas. E nos deuemos a se'e'r aparelhados ata primeyro dia de Março a faz(er) e adubar esse Muro assy como de suso dito deue se'e'r feyto deste sam Miguel q(ue) uem ata hu'u' Ano. da qual cousa en testemoyo fezemos esta carta seelada do seelo do nosso Cõcelho.*[4]

Eis a tradução aproximada para o português moderno:

> *Carta dos Juízes do Concelho de Abrantes para fazerem e refazerem o muro do dito Castelo de Abrantes.* Conheçam todos aqueles que esta virem e ouvirem que nós, Juízes e Concelho de Abrantes, de nossa livre vontade, no intento de fazer o melhor proveito de nossos corpos, de nossas terras e de nossos haveres, estabelecemos e decidimos que façamos e refaçamos o muro do Castelo de Abrantes, em cada um dos lugares onde for necessário, seja nos alicerces como nas escadas, ou nos torreões cúbicos e em todos os demais lugares onde for preciso. E comprometemo-nos, por tudo que temos de disponível, a cumprir e fazer todas as coisas acima ditas. E nos comprometemos a estar prontos até o primeiro dia de março a fazer e inaugurar esse muro assim como acima dito deve ser feito, do dia de São Miguel vindouro até um ano. E em testemunho disso fazemos esta carta, selada com o selo de nosso Concelho.

Quanto à ortografia, notem-se nesta carta do século XIII as seguintes particularidades: a) a letra <u> desempenha a dupla função de indicar os sons [u] e [v] (*uirem, ouuirem* etc.); b) o til, sobreposto à vogal, indica sua nasalidade em palavras nas quais encontraríamos hoje as letras <m> e <n> (*aurãtes, quãto, ouuirẽ*); c) a letra <y> indica ocasionalmente a semivogal [j] (*feyto, primeyro*), ou mesmo a vogal [i] (*juyzes, assy*); d) o uso das letras maiúsculas é mais amplo do que seria atualmente (*Muro, Castelo* e *Concelho*, palavras às quais se quer dar destaque, são grafadas com maiúscula); e) os pronomes clíticos vêm soldados ao verbo (*obligamonos*). f) Como no uso moderno, a letra <h> forma dígrafo com <l> ou com <n> (*concelho*) para indicar um ou outro dos sons palatais que o português desenvolveu a partir do latim vulgar; g) a mesma letra <h> aparece regularmente na grafia adotada para a palavra *um*; em compensação, está ausente nas duas ocorrências do verbo *haver*. h) Há grafias que coincidem à primeira vista com o uso moderno, mas que na realidade indicam pronúncias que hoje desapareceram: é o caso de <ç> que indica não o som [s], mas a africada [ts] (como em *pizza*); i) algumas palavras aparecem regularmente abreviadas, caso de *que*.

O texto emprega formas que caíram em desuso no período clássico, como *ata* (até) e *suso* (lat. *sursum*, acima), e o advérbio *hu* (lat. *ubi*, onde); muitas palavras apresentam uma forma antiga, como *uoontades*, *escaadas*, *seelo* e *seelada*, marcadas pela presença de vogais em hiato que resulta da queda de uma consoante intermediária (*uoontades*, hoje *vontades*, provém de *voluntates*, e o hiato resulta da queda do –*l*–intervocálico). *Fezemos* é a forma derivada do latim *fecimus*, que passará mais tarde a *fizemos*, por analogia com *fiz*. *Conoscã* é aparentemente um latinismo.

Quanto ao sentido, vale notar o uso de *adubar* por "estrear". Esse verbo, que hoje se aplica a uma das tantas operações com que se preparam os campos para o plantio, é a antiga palavra germânica com que se indicava a consagração de um cavaleiro. Na significação medieval desse termo, confundem-se as ideias de preparar para uma cerimônia, enfeitar e começar uma atividade. Note-se também a ocorrência dos verbos *outorgar* e *ficar*: o primeiro evoca a ideia da decisão tomada por uma autoridade; quanto a *ficamos*, poderia ter sido traduzido por "fincamos", com quem tem origem comum.

Apesar de estarmos diante de um texto breve, cuja gramática é bastante simples, é possível notar algumas características estruturais desconhecidas do português moderno. Notem-se em particular *entendendo a fazer* (*entender* é originalmente um verbo de movimento com o sentido de "dirigir-se", "orientar-se para", daí a preposição *a*) e *devemo-nos a seer aparelhados* (*aparelhados*, isto é, "prontos", "preparados", pede o verbo de ligação *ser* e não, como usaríamos hoje, o verbo de ligação *estar*).

O português clássico

As grandes navegações portuguesas culminaram em 1498, quando a chegada de Vasco da Gama à Índia iniciou um novo ciclo comercial sob a liderança de Portugal. Ao período de riqueza que se seguiu aos descobrimentos correspondeu também na cultura e nas artes um período de forte efervescência. Dominado por figuras de grandes poetas, historiadores e dramaturgos, como Sá de Miranda, Camões, Antônio Ferreira e João de Barros, o século XVI costuma ser apontado como o século de ouro da literatura portuguesa.

Comparado com o português dos documentos medievais, o português literário do período clássico nos soa hoje bem mais familiar, e isso se deve, sobretudo, a algumas modificações ocorridas no léxico e na sintaxe, que se completaram no século xv. Com efeito, desapareceram nesse período muitas formas e construções que eram marca registrada do período arcaico. No léxico, desaparecem os advérbios de lugar *ende* e *en* ("daí") e *hi* ("aí"); a conjunção *porém* deixa de ser usada com o sentido explicativo de "por isso" e fixa-se definitivamente como adversativa; também desaparece *pero* explicativa; *pois* é preferida a *ca* (<*quia*) com valor explicativo, e cai em desuso com sentido temporal ("depois"). Na morfologia, desaparecem os particípios em *-udo*, como *temudo*, *cresçudo*, que hoje sobrevivem apenas no substantivo *conteúdo* e, para quem a conhece, na expressão *teúda e manteúda*; nos demonstrativos, desaparecem as formas reforçadas (*aqueste* etc.) e cria-se um sistema ternário (*este : esse : aquele*) que é logo estendido aos dêiticos locativos (*aqui : aí : acolá, lá*). Entre os séculos xiv e xv, o verbo *ser* é substituído por *haver* na formação dos tempos compostos (*o rei era chegado* > *o rei havia chegado*); além disso, *ser*, verbo de ligação, é suplantado por *estar* usado ao lado de adjetivos que indicam propriedades transitórias (*o rei era cansado / o rei estava cansado*). Os pronomes átonos, cuja localização na sentença estava sujeita a regras estritas no período arcaico, passam a ser usados com relativa liberdade de colocação.

Para um leitor do século xxi, a grafia dos documentos do período clássico não é de todo transparente, porque deixa às vezes de registrar algumas das mudanças fonético-fonológicas ocorridas. Uma dessas mudanças é a unificação, numa única terminação, dos finais de palavras resultantes do latim *-ane, -one, -anu, -udine*. No período clássico, as palavras correspondentes às formas latinas *panem, rationem, villanum, gratitudinem* já eram as mesmas de hoje, ou seja, *pão, razão, vilão, gratidão*, mas a grafia continuava a utilizar terminações diferentes. Outra modificação já ocorrida, mas nem sempre atestada pela grafia, é a redução dos hiatos (*soo* > *só, leer* > *ler, vĩo* > *vinho, tea* > *teia*). Outras vezes, a grafia é fiel à fonética, mas a uma fonética diferente da atual. A principal observação a fazer nesse sentido é que, durante todo o período arcaico e boa parte do período clássico, o português manteve em sua fonologia o chamado "sistema de quatro sibilantes", que é constituído pelas africadas 1. /ts/ e 2. /dz/ e pelas constritivas 3. /s/ e 4. /z/ (as grafias correspondentes a essas pronúncias no português clássico são, respectivamente, 1. <c +e,i>, <ç + a,o,u>, 2. <z>, 3. <s-> ou <-ss-> e 4. <-s->). Isso quer dizer que, no início do século xvi, as grafias <ce>/<ci> e <se>/<si> assinalavam ainda uma efetiva diferença de pronúncia. Esse sistema de quatro sibilantes já não existe no português de hoje (as palavras *cesta* e *sexta* têm pronúncia exatamente idêntica), mas a grafia utilizada continua sugerindo uma diferença, e isso cria um problema a mais para os alfabetizadores.

Como se sabe, o século XVI foi marcado pela assimilação de gêneros e atitudes postos em voga na renascença italiana (como o soneto, a ode, o amor platônico) e pela recuperação de modelos latinos (por exemplo, a épica de Virgílio), mas foi também um período de forte preocupação com a língua portuguesa. Escrevendo em português, os intelectuais de quinhentos realizaram simultaneamente duas tarefas cuja importância histórica é inestimável. A primeira consistiu em fixar a língua portuguesa, escolhendo entre as formas e construções legadas pela Idade Média e/ou disponíveis no uso aquelas que, de acordo com sua sensibilidade, mais condiziam com o "gênio da língua". Muitas vezes essa tarefa foi guiada por uma tendência à regularização; foi assim que os escritores de quinhentos simplificaram paradigmas como o dos verbos *crescer*, *parecer*, *arder* e *perder*, substituindo os subjuntivos *paresca*, *nasca* e os indicativos *arço* e *perço* por *pareça*, *nasça*, *ardo* e *perdo* (a forma atual é *perco*); pela mesma tendência de simplificação, nomes como *senhor* e *português*, antes usado para os dois gêneros, passaram a formar o feminino em *–a* (*senhora*, *portuguesa*).

A outra tarefa dos renascentistas consistiu em enriquecer a língua através de uma convivência íntima com o latim clássico, redescoberto no período do humanismo. Nenhum grande escritor português desse período tentou tornar-se famoso escrevendo diretamente em latim – um projeto de vida no qual havia embarcado um século antes uma de suas principais referências literárias, o italiano Francesco Petrarca. Mas os intelectuais portugueses do século XVI foram profundos conhecedores da língua latina. A necessidade de expressar a cultura de seu tempo obrigou-os a criar uma série de termos novos, e esses termos novos acabaram sendo buscados, mais ou menos conscientemente, no latim e no grego clássicos. Foi assim que, no século XVI, entraram no léxico do português latinismos como *lúcido*, *tuba*, *trêmulo*, *flutuar*.

Devido a essa presença na cultura quinhentista, o latim (clássico) exerceu com bastante vigor um papel que já vinha tendo desde a Idade Média: o de ser uma língua "de reserva", à qual era possível recorrer para criar novos termos de caráter científico ou técnico de que se sentia necessidade. Esse papel do latim é às vezes caracterizado pela denominação **adstrato permanente**. O uso do latim como adstrato permanente explica um fato que se observa com certa frequência no léxico do português: a existência, lado a lado, de palavras que nasceram da evolução vernácula do latim vulgar e de palavras criadas por imitação da mesma palavra latina, mas partindo de sua forma literária. É o caso de *olhos* e *óculos*, derivados ambos do latim *oculos*, *oc(u)los*, ou de *chão* e *plano*, derivados ambos do latim *planu*. Ao primeiro processo de formação dá-se o nome **derivação popular**, ao outro, **derivação erudita**. Nos termos dessa distinção, o enriquecimento do léxico promovido pelos escritores dos séculos XV e XVI pode ser caracterizado como um grande momento da derivação erudita. Entre a formação autenticamente popular e a formação autenticamente erudita, aconteceu às vezes uma formação intermediária, **semierudita**, como em *artelho, artigo* e *artículo* (a forma latina clássica era *articulum*), ou em *malha, mancha, mágoa* e *mácula*, que remontam ao latim *macula*.

Ao mesmo tempo, por efeito dos descobrimentos e dos contatos com realidades exóticas, o léxico foi ganhando uma série de palavras originárias dos três continentes que iam sendo explorados. Foi assim que o português europeu incorporou as palavras *zebra* (do etíope), *canja* (do malabar, uma língua falada na Índia e no norte do Sri-Lanka), *chá* (do mandarim), *leque* (derivado do nome chinês das Ilhas Léquias – na origem, falava-se em *abano léquio*).

Das línguas da América, o português europeu recebeu palavras como *condor* e *lhama* (do quéchua), *cacau* (do nauatl), *chocolate* (do azteca), para não falar das vozes de origem tupi *ananás, amendoim, mandioca* e *tapioca*. É claro que a influência das línguas sul-americanas foi maior sobre o português do Brasil.

Muitas palavras que os portugueses levaram para a Europa no período dos descobrimentos passaram em seguida para as outras línguas europeias: é o caso, entre muitas outras, de *manga* (do indonésio), *tapioca* (do tupi) e *sagu* (do malaio). Durante o período clássico, a presença lusitana na Europa fez com que o português transmitisse às outras línguas europeias palavras como *pintada* (nome que indica a galinha-de-angola na maioria das línguas europeias), *feitiço* e *crioulo*. No sentido inverso, algumas línguas europeias transferiram palavras para o português nesse mesmo período, principalmente o italiano (*canalha, capricho, charlatão*) e o espanhol (*bizarro, fanfarrão, camarada, barraca, redondilha, lhano*).

É sempre difícil estabelecer datas exatas para o desenvolvimento de uma língua, mas a passagem para o português moderno pode considerar-se completada na língua d'*Os Lusíadas*, o grande poema épico de Camões, publicado em 1572.

Antologia
O encontro da expedição de Cabral
com os indígenas brasileiros

Para dar ao leitor uma experiência mais direta do português clássico, destacamos para leitura e comentário dois textos quinhentistas. O primeiro foi extraído do documento que muitos brasileiros reconhecem como a certidão de nascimento do Brasil, a *Carta* de abril de 1500 em que Pero Vaz de Caminha, escrivão da armada de Pedro Álvares Cabral, relata o descobrimento da nova terra ao Rei Dom Manuel, o Venturoso. O outro faz parte das *Décadas da Ásia*, obra em cuja redação o historiador João de Barros esteve empenhado entre 1533 e 1568. Os dois textos têm preocupações estilísticas e, para muitos, isso seria um bom motivo para não incluí-los aqui. Preferimos assim mesmo usá-los como exemplos da língua de quinhentos por tratar-se de um período de enormes progressos na elaboração da linguagem literária, e em que se incorporou ao uso da escrita uma preocupação muito aguda com o estilo do autor e o acabamento formal dos textos.[5]

[pola ma]nhãa topamos aves aque chamã fura buchos e neeste dia aoras de bespera ouuemos vjsta de tera .s. premeiramente dhuu[m] gramde monte muy alto. e rredondo e doutras serras mais baixas ao sul dele e de trra chaã com grandes aruoredos. ao qual monte alto ocapitam pos nome omonte pascoal E aatera atera davera cruz. mandou lamçar op rumo acharam xxb braças e ao sol posto obra de bj legoas de tera surgimos amcoras em xix braças amcorajem limpa. aly jouuemos todaaquela nou te. e aaquimta feira pola manhaã fezemos vella e segujmos dirtos aaterra eos naujos pequenos diã te himdo per xbij xbj xb xiiij xiij xij x. e ix braças ataa mea legoa de trra omde todos lancamos amcoras em dirto daboca dhuu[m] rrio e chegariamos aesta amcorajem aas x oras pouco mais ou menos e daly oouemos vista dhomee[n]s q[ue] andauam pela praya obra de bij ou biij seg° os naujos pequenos diseram por chegarem primeiro... / aly lancamos os batees e esquifes fora evieram logo todolos capitaães das naaos aesta naao do capitam moor e aly falaram. e ocapitam man dou no batel em trra njcolaao coelho peraveer aq[ue]le rrio e tamto que ele comecou perala dhir acodirã pela praya homee[n]s quando dous quando tres de maneira que quando obatel chegou aaboca do rrio heram aly xbiij ou xx homee[n]s pardos todos nuus sem nhuu[m]a cousa que lhes cobrisse suas vergonhas. traziam arcos nas maãs esuas see tas. vijnham todos rrijos perao batel e nicolaao co elho lhes fez sinal que posesem os arcos. e eles os poseram. aly nom pode deles auer fala ne[m] ente[n] dimento que aproueitasse polo mar quebrar na costa. soomente deulhes huu[m] barete vermelho e huu[m]a carapuça de linho que leuaua na cabeça e huu[m] sombreiro preto. E huu[m] deles lhe deu huu

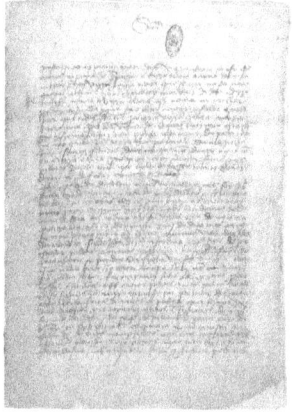

huu[m] sombreiro de penas daues compridas cõ huu[m]a copezinha pequena de penas vermelhas epardas coma de papagayo e outro lhe deu huu[m] rramal grande de comtinhas brancas meudas que querem pareçer daljaueira as quaaes peças creo queo capitam manda avossa alteza e com jsto se voluec aas naaos por seer tarde e nom poder deles auer mais fala por *aazo do mar.* /
anoute segujmte ventou tamto sueste cõ chuuaçeiros que fez caçar as naaos e especialmente acapita na. Eaa sesta pola manhaã as biij oras pouco mais ou menos per conselho dos pilotos mandou oca pitam leuamtar amcoras e fazer vela e fomos de lomgo dacosta com os batees e esquifes amarados perpopa comtra onorte peraveer se achauamos al guu[m]a abrigada e boo pouso omde jouuesemos pera tomar agoa e lenha, nom por nos ja mjnguar mas por nos acertarmos aquy e quamdo fezemos vela seriam ja na praya asentados jumto cõ orrio, obrra de lx ou lxx homee[n]s que se jumtaram aly poucos epoucos / fomos de lomgo e mandou ocapitam aos nauios pequenos que fosem mais chegados aatrra e que se achasem pouso seguro peraas naaos que amaynassem. Eseendo nos pela costa obra de x legoas domde nos leuamtamos acharam os ditos nauios peq[ue]nos huu[m] arrecife com huu[m] porto dentro muito boo e muito seguro com huu[m]a muy larga entrada e meteramse dentro e amaynaram. e as naaos arribaram sobreles. e huu[m] pouco amte sol posto amaynarom obra dhuu[m]a legoa do arrecife e ancoraramse em xj braças. / Eseendo aº lopez nosso piloto em huu[m] daqueles nauios pequenos per mandado do capitam por seer home[m] vyuo e dee stro pera jsso meteose loguo no esquife asomdar oporto demtro e tomou em huu[m]a almaadia dous daqueles homee[n]s da trra mançebos e de boos cor pos. e huu[m] deles trazia huu[m] arco e bj ou bij seetas

Da *Carta* de Pero Vaz de Caminha foi destacado aqui o trecho em que se narra o primeiro encontro dos marinheiros portugueses com os indígenas, depois do descobrimento. Se pensarmos na data em que foi escrita, não causa surpresa que a *Carta* comporte ainda muitas características do português arcaico e, sobretudo, continue adotando muitas convenções ortográficas próprias daquele período.

Podemos citar como exemplos: 1) o uso de <m> e <~> depois de vogal, para indicar nasalidade (*comtinhas, acodirã, traziam*), 2) o uso de <u> por <v> (*aproueitasse*), que de resto também aparece (*aver*). 3) Um traço medieval dessa ortografia é a ausência da letra <h> antes das formas do verbo *(h)aver*: esse <h>, que de todo modo não era pronunciado, tem uma motivação etimológica, e se tornará obrigatório algumas décadas mais tarde. Note-se, contudo, que Caminha grafa com <h> inicial <homens>. Como nos textos arcaicos, encontramos <h> diante de <um> e num certo número de dígrafos (*vermelho, copezinha, chegamos*). 4) Há no texto muitas vogais repetidas; em alguns casos trata-se simplesmente de uma grafia que parou no tempo e não acompanhou a redução do hiato; em outros casos, grafar duas vezes a mesma vogal pode ser uma forma de indicar que ela é "grande", isto é, "longa", ou, mais exatamente, tônica (*naaos*, isto é, *naus*; *capitaães*, isto é, *capitães* e também *vijnham* e *Rijjos* – o primeiro jota é aqui uma mera variante gráfica do i). Notem-se as grafias <*posessem*> e <*fezemos*>: elas podem indicar que, já nesse período, a distinção entre as vogais átonas *e* e *i*, *o* e *u* era precária, à diferença do que acontecia (e acontece até hoje) com as vogais tônicas.

Quando superamos as dificuldades de notação, como as abreviações e a grafia dos números (*xbij* é a notação para o número 17, ou seja, *xvii*, XVII em algarismos romanos), tornam-se mais visíveis verdadeiras diferenças de língua que separam o texto da *Carta* de Pero Vaz de Caminha do português atual. Elas não são nem numerosas nem muito profundas. No trecho aqui transcrito, vale notar a construção *segundo os navios pequenos disseram, por chegarem primeiro*: hoje diríamos *por terem chegado primeiro*, ou seja, o uso de formas compostas é bem mais amplo hoje; note-se ainda *eram ali 18 ou 20 homens pardos:* hoje diríamos mais provavelmente *havia ali 18 ou 20 homens pardos*, ou *ali estavam 18 ou 20 homens pardos*: na língua de Caminha, o verbo que localiza pessoas no espaço ainda é *ser*. Por fim, observe-se *nom pode deles auer fala nem antëdimento que aproueitasse polo mar quebrar na costa* ("não conseguiu com eles nenhuma fala ou entendimento aproveitável, pelo fato de o mar quebrar na costa"): Caminha contrai a preposição *por* com o artigo inicial do sujeito da subordinada *o mar quebrar na costa*, uma grafia parecida com a que as gramáticas de hoje condenam em *depois dele chegar*.

Haveria mais a comentar, se quiséssemos falar mais longamente da *Carta* de Pero Vaz de Caminha. Uma análise mais completa reforçaria a conclusão de que a língua portuguesa de 1500 combinava características medievais e características substancialmente modernas. É uma observação que tem sido feita também a propósito de Gil Vicente, cujo teatro contrapõe o moderno e o tradicional através da fala de diferentes personagens.

Antologia
A história de João Machado, degredado português

Este João Machado era da cidade de Braga, homem de boa linhagem; e sendo mancebo, estava em casa de um abade, seu tio, onde se veo namorar dũa sobrinha deste abade doutra parte, sem ele ser parente dela. E porque o caso chegou a ela emprenhar, temendo João Machado a indinação do tio, fogiu com ela ũa noite, alongando-se da abadia quanto puderam, té que a moça, por não ser costumada andar a pé, não podia dar um passo.

Chegando ambos com este trabalho a um casal era o lavrador tam caridoso que nem os quis agasalhar nem alugar ũa besta. João Machado, andando em um alpendre que o lavrador tinha ante a porta, apalpando onde se agasalharia com a moça, por ser de noite, foi dar com ũa albarda e todo o seu aviamento, per os quais sinais sentindo que andaria a besta fora, a pacer, caladamente a foi buscar, e, tanto que a achou, veo pela albarda e partiram ambos.

O lavrador, quando veo a menhã, sendo já alto dia, que não achou a besta, andou de ũa a outra porta, té que pola albarda, que não viu, entendeu o caso, e meteu-se em caminho, jornada por jornada, té que veo dar com João Machado à entrada da cidade de Coimbra. O qual pagando-lhe mui bem o aluguer de sua besta e dias que pos no caminho e mais a entrega dela, pedindo-lhe perdão, porque a necessidade [o] obrigara a fazer o que fez, per outra parte foi-se à justiça e fez prender a João Machado, que estava com sua amiga em ũa estalagem. Finalmente ele foi acusado de ladrão, por razão da besta, e de forçador, por causa da moça; e, a lhe valerem ordens, foi degredado pera Sam Tomé pera sempre.

No qual tempo, el-rei D. Manuel mandando Pedr'Alvares Cabral per a Índia, lhe deu este e outros degredados pera os lançar nas terras per que fosse, pera descobridores, e aconteceu a sorte a João Machado ficar em Melinde, como escrevemos; e porque não achou entrada pera ir pelo sertão ao reino do Preste João, andou per toda aquela costa, té que se foi em ũa nau a Cambaia, sendo já a este tempo morto outro seu companheiro que houvera d'entrar com ele às terras do Preste João, rei da Abexia. No qual reino de Cambaia esteve um tempo, depois passou-se ao reino Decan, por ouvir dizer que por lá poderia mais facilmente chegar a nossas armadas, que andavam naquela costa; e que, em quanto isto não pudesse fazer, andaria ganhando soldo com aqueles senhores do reino Decan, onde andava muita gente das partes da cristandade. No qual tempo que ele andou nas guerras que o Sabaio, senhor de Goa, tinha com seus vezinhos, ganhou tanto crédito, que o fez capitão dalgũa gente; e com este crédito o Hidalcão, morto seu pai, o tratou; e por isso, como homem que lhe podia muito servir ao que vinha Roztomocan, o enviou a ele.

E posto que a tenção de João Machado sempre foi vir-se pera nós, parece que permetiu Deus que não fosse senão neste tempo, pera mostrar duas cousas: que ele mesmo Deus o mandava, em tal estado como a cidade estava, por anjo de salvação e custódia, e a outra que nisso se mostraria a fé e virtude dele, João Machado, que se vinha pera nós não em tempo de nossa prosperidade, mas quando multos,

> desesperados por razão das cousas que lhe iriam contar, se saíam dela; as quais seriam muito piores na sua boca do que se passava em verdade, a fim de abonarem a maldade que cometeram. Finalmente ele veo ao outro dia, que era sexta-feira de Endoenças com alguns portugueses que pode provocar, salvando-se a unha de cavalo, por os mouros virem trás dele. Com a vinda do qual foram presos alguns daqueles que eram na consulta de Pero Bacias, lançando o capitão fama ser por outra cousa, por não alvoroçar a cidade com número de tantas e tais pessoas como entravam nesta maldade. [6]

Comparando a língua desse texto com a de nossos dias, encontraremos em seu vocabulário algumas palavras que caíram em desuso e algumas outras que subsistem com outro sentido, como *emprenhar* por *engravidar*, *alongar-se* por *afastar-se*, *albarda* por *sela*, *forçador* por *estuprador* etc.

Como seria de esperar, há problemas com algumas grafias e algumas formas, em particular: 1) as grafias adotadas para *uma* e *alguma* (*ũa sobrinha deste abade*, *ũa besta*, *ũa nau*, *algũa gente*); 2) a grafia adotada em *veo* (por *veio*); 3) a grafia das vogais pretônicas em *fogiu* e *permetiu*; 4) o uso alternado das preposições *per* e *por* (trata-se, na realidade, de duas formas de uma mesma preposição; a primeira sobrevive hoje nas contrações de *por* + artigo definido, mas é *por* que aparece nas contrações presentes no texto quinhentista. De passagem, há nas últimas linhas um *por* indicando finalidade, uma função que a língua moderna atribuiu a *para*).

A frase *sendo já por esse tempo morto outro seu companheiro*, por sua vez, junta o verbo *ser* com o particípio passado *morto* (como no velho provérbio português *Inês é morta*), criando uma construção para a qual dispomos hoje de duas paráfrases com sentidos um pouco diferentes: *tendo já morrido seu companheiro*, *estando já morto seu companheiro*.

O uso de algumas perífrases verbais (*se veo namorar, nem os quis agasalhar, a foi buscar, veo dar com João Machado à entrada da cidade de Coimbra, andaria ganhando soldo...*) mostra que João de Barros dispõe de uma língua particularmente apta a captar matizes de tempo e fases da ação. Mas a riqueza da língua que ele utiliza se revela também na subordinação, pelo grande domínio das orações relativas e das orações reduzidas. Nas primeiras, cabe ressaltar o uso dos pronomes *o qual*, *a qual*, que permitem iniciar uma nova sentença, remetendo a um antecedente mencionado anteriormente (*foi dar com ũa albarda e todo o seu aviamento, pelos quais sinais sentindo que andaria a besta fora, a pacer, caladamente a foi buscar*); quanto às orações reduzidas, encontramos neste texto tanto orações reduzidas de gerúndio e de infinitivo (*el-rei Dom Manuel mandando Pedr'Alvares Cabral per a Índia, lhe deu este e outros degredados pera os lançar nas terras per que fosse...*), como de particípio (*e com este crédito o Hidalcão, morto seu pai, o tratou*); essas construções decalcam alguns tipos sintáticos presentes nos historiadores latinos (como as orações finais, o ablativo absoluto, o subjuntivo narrativo); mas isso não altera o fato de que seu uso é um forte indício da maturidade que a língua portuguesa foi alcançando em meados do século XVI.

A difusão do português através das conquistas ultramarinas

Com os descobrimentos, desencadeou-se o processo através do qual o português foi levado às terras que iam sendo submetidas à Coroa portuguesa. As consequências atuais desse processo de *lusitanização* podem ser verificadas no mapa a seguir, no qual estão representados os países distribuídos em três continentes (África, América e Ásia), que têm o português como língua oficial.

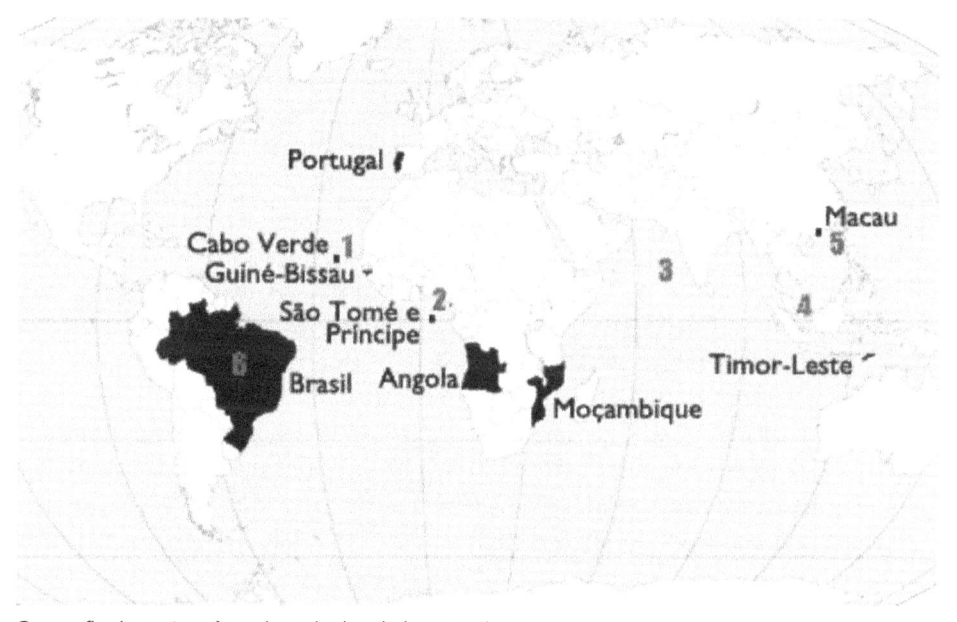

Geografia do português e dos crioulos de base portuguesa.

O número de falantes de português no mundo girava, em 2004, em torno de 210 milhões. É um número impressionante, que coloca o português em oitavo[7] lugar entre as línguas mais faladas, antes do francês, do alemão e do italiano, e que justifica a aspiração de que o português seja reconhecido como uma grande língua de cultura e como a expressão de um conjunto de países que têm características comuns. A condição de falante do português é às vezes referida como **lusofonia** (luso/lusitano = português; fonia = o fato de falar).

Uma forma de reconhecimento que tem sido às vezes buscada através de iniciativas de governos é a adoção do português como uma das línguas oficiais da Organização das Nações Unidas (ONU). Mas essa questão é mais complicada do que considerar simplesmente a quantidade de falantes: no prestígio das línguas, sempre têm um peso muito grande a força política e econômica dos países que a usam, seu grau de desenvolvimento tecnológico e o fato de representarem um forte mercado para a indústria editorial e midiática.

Nesses pontos, a concorrência de línguas como o inglês, o francês e mesmo o espanhol continua forte. E o português é pouco lembrado, no exterior, pelas pessoas que procuram uma segunda língua para fins de comunicação e intercâmbio, a não ser em circunstâncias muito especiais, ligadas ao comércio com Portugal e, sobretudo, com o Brasil.

Quando se fala da difusão do português no mundo, é sempre bom lembrar que, nas terras conquistadas, a presença portuguesa não teve sempre o mesmo caráter: ora os portugueses tentaram colonizar áreas relativamente amplas (como no caso do Brasil, Angola e Moçambique); ora contentaram-se com o domínio militar de posições estrategicamente importantes, como aconteceu em Diu e Goa; ora estabeleceram meros entrepostos comerciais, como foi o caso de Macau. É importante também lembrar que apenas excepcionalmente a presença portuguesa se traduziu numa transferência maciça de colonos portugueses para as terras colonizadas. Quando iniciou seu ciclo de conquistas ultramarinas, no início do século xv, Portugal só contava com uma população de cerca de um milhão de habitantes, um número absolutamente insuficiente para sustentar um movimento migratório de grandes proporções entre a corte e as colônias. Em muitos casos, os primeiros portugueses a fixar residência nas novas terras foram desertores ou degredados, isto é, indivíduos que trocavam uma pena imposta pelo rei pela possibilidade de tentar uma nova vida nas terras descobertas. É claro que a necessidade de administrar as colônias obrigou a mandar para estas últimas soldados e funcionários da Coroa, mas de qualquer maneira, durante todo o período colonial, o número de portugueses deslocados para as novas terras sempre foi pequeno; no que diz respeito ao Brasil, esse número ficou sempre abaixo do número de escravos negros trazidos da África.

Quanto às situações propriamente linguísticas criadas ao longo dos séculos pela presença de falantes de português nos vários cantos do mundo, o mínimo que se pode dizer é que foram extremamente diversificadas. Entre as tantas situações a considerar, incluem-se o **bilinguismo**, o **multilinguismo**, a **criolização** e, mais recentemente, a transformação do português numa língua de emigrantes. Vejamos em que consistem:

As situações de bilinguismo e de multilinguismo

Podemos chamar, simplesmente, de bilinguismo e multilinguismo às várias situações em que o português passou a conviver com uma ou mais línguas diferentes. Muitas vezes, os portugueses encontraram nas terras descobertas um verdadeiro mosaico de línguas e dialetos. Foi de certo essa a situação nas costas da África, da Índia e do continente sul-americano. No caso da África e da América do Sul, os próprios portugueses contribuíram para complicar o quadro linguístico, deslocando grande número de pessoas através do tráfico de escravos. Aliás, é preciso lembrar que, mesmo depois de anexadas à Coroa portuguesa, as novas terras não deixaram de atrair as atenções de outros estados europeus. Nos espaços sul-americanos em que acabou prevalecendo o português, diferentes projetos (econômicos, políticos e religiosos) levaram à catequização dos indígenas ou à instalação de militares e colonos, trazendo para esses territórios outras línguas europeias: o espanhol, o holandês, o francês.

Sem considerar, por enquanto, o caso do Brasil, do qual falaremos mais extensamente a seguir, em muitos países, a lusitanização resultou em impor o português como língua da administração e do ensino, enquanto boa parte da população continuou falando as línguas nativas. Nessas condições, criou-se com o tempo uma situação pela qual o português e as línguas nativas passaram a desempenhar funções diferentes (por exemplo: o português passou a ser o veículo da burocracia, mas as línguas nativas continuaram sendo usadas na comunicação informal por uma grande parte da população não escolarizada). É o que aconteceu em Angola e Moçambique. Quando esses países recuperaram sua independência, depois da Revolução dos Cravos (1974), dois fenômenos se produziram: de um lado, as línguas nativas passaram a ser objeto de reconhecimento; de outro, esses países optaram, soberanamente, por eleger o português como língua oficial, reconhecendo que isso traria vantagens tanto do ponto de vista interno como externo. Em outras palavras, além de dar visibilidade ao fato de que as línguas nativas tinham um papel preponderante na comunicação corrente, a descolonização levou também a revalorizar o português, visto como um importante elo entre alguns países periféricos e o mundo ocidental. Foi, por exemplo, o que aconteceu em Macau: as línguas faladas na região em que se situa a cidade são o inglês (que funciona como língua franca, por influência da vizinha Hong Kong), o cantonês (que é a língua nativa da população de origem chinesa, e é de fato a língua corrente no território) e o português (que foi, basicamente, a língua da administração portuguesa). Com a devolução do território à China, ocorrida em dezembro de 1999, o cantonês voltou à condição de língua oficial de Macau; mas vários interesses fizeram surgir uma universidade portuguesa, que tem entre seus objetivos a preservação e a difusão do português na região. Em Timor-Leste, país independente de fato a partir de 2001, o português foi adotado como língua oficial, com a língua nativa, o tétum.[8]

A situação da crioulização

Uma situação bem diferente é a da formação de crioulos, ou crioulização. A palavra *crioulo* tem sido usada pelos linguistas para designar os falares que nascem do contato entre línguas diferentes e tem sido aplicada sobretudo ao contato de línguas europeias com as línguas nativas de regiões colonizadas.

O primeiro meio de comunicação usado no contato entre colonizadores e colonizados é geralmente um **pidgin**, e os pidgins são mecanismos de comunicação bastante precários, nos quais se faz um uso rudimentar do vocabulário das duas línguas em contato e a gramática é quase nula. Normalmente, os pidgins funcionam em contextos muito específicos (por exemplo, a troca de mercadorias). Quando um pidgin sobrevive por mais tempo, é normal que uma segunda geração de falantes, que teve exposição ao pidgin durante o período normal em que as crianças aprendem a falar, passe a desenvolver para ele uma gramática própria, distinta das gramáticas das duas línguas que entraram na formação do próprio pidgin. Ao passar por esse processo espontâneo de construção de uma gramática, o pidgin dá origem a um **crioulo**. É claro que ao falar em "desenvolvimento de uma gramática", estamos pensado no desenvolvimento de uma estrutura gramatical; e o fato a ressaltar é que, embora os materiais linguísticos que entram no pidgin de base sejam extraídos das duas línguas que entraram em contato, nada garante que a gramática desenvolvida no processo de crioulização conterá os mesmos mecanismos (de concordância, regência, colocação etc.) encontrados nas línguas de origem.

Ao fenômeno da crioulização costuma-se opor o da **descrioulização**. Por descrioulização não se entende, como alguém poderia imaginar, o retorno de um crioulo ao estado de pidgin, e sim o fato de que a gramática do crioulo passa a ser paulatinamente remodelada por influência de uma das duas línguas que participaram de sua formação. Um fenômeno desse tipo ocorreu no Caribe; com efeito, os inúmeros crioulos de base espanhola que surgiram nessa região depois da conquista europeia sofreram em seguida uma fortíssima influência do espanhol europeu, o que fez aparecer nas línguas dessa região uma espécie de "*continuum* de crioulos": alguns mais próximos do pidgin de origem, outros muito mais vizinhos ao espanhol europeu.

Em sua difusão pela África, Ásia e América, o português serviu de base para a formação de inúmeros pidgins e crioulos, e alguns destes últimos sobrevivem até hoje. A distribuição geográfica dos crioulos de base portuguesa no mundo pode ser conferida no mapa a seguir:

Mapa dos crioulos de base portuguesa.

Crioulos do Brasil
1 Crioulo de Helvécia
   Crioulos com forte
   influência lexical
   portuguesa
2 Saramacano
   (base inglesa)
3 Aruba
4 Curaçau, Papiamento
   (base ibérica)
5 Bonaire

Crioulos da Alta Guiné
1 Cabo Verde
2 Casamansa (Senegal)
3 Guiné-Bissau
   Crioulos do Golfo
   da Guiné
4 Príncipe
5 S. Tomé (Santomense
   e Angolar)
6 Ano Bom

Crioulos indo-portugueses
1 Diu *
2 Damão
3 Bombaim *
4 Chaul * e Korlai
5 Goa *
6 Mangalor *
7 Cananor *, Tellicherry e Mahé *
8 Cochim * e Vaipim *
9 Quilom *
10 Costa do Coromandel *
11 Costa de Bengala *
12 Sri-Lanka (Ceilão) Crioulos
   malaio-portugueses
13 Kuala Lumpur *
14 Malaca, Papiá Kristang
15 Singapura *
16 Java (Batávia e Tugu) *
17 Flores (Larantuka) *
18 Timor Leste (Bidau) *
19 Ternate *, Ambom * e Macassar *
Crioulos sino-portugueses
20 Hong Kong *
21 Macau *, Macaísta *

* Extinto ou em extinção

Antologia
Um poema cabo-verdiano

Como exemplo de crioulo de base portuguesa, veja-se este poema, escrito em cabo-verdiano por um autor nascido e criado em Cabo Verde: Sérgio Frusoni (1901 – 1975). Junto ao poema, damos sua tradução para o português do Brasil. O tema são os pensamentos da mulher que está só, porque foi abandonada, ou porque o marido e os filhos foram buscar trabalho em outras terras.

Sim, êl há d'voltá E cs' é qu' m há dzê? Cma m' speral? Cma m' sofrê?...	Sim, ele há de voltar. E o que tenho que dizer-lhe? Que o esperei? Que sofri?...
S' el ca creditá? Cs' ê qu' m há fazê? M' há mostral fidje, ô m' há fcá calóde?	E se ele não acreditar? O que hei de fazer? Tenho que mostrar-lhe a criança, Ou tenho que ficar calada?
E s' êç bem el stranhá casa; esse nha magréza esse portôm abêrte ma esse lume pagóde?	... E se elo vem e estranha a casa; esta minha magreza este portão aberto e este lume apagado?...
E s' stude bem dá certe? S' el cabá d' entrá êl corrê pa mim?... M' há pô tâ tchorá, ô m' há pô ta ri?	E se tudo vier a dar certo? se acabar de entrar e correr para mim?... Tenho que chorar, Tenho que rir?

O português como língua de emigrantes

Entre as situações linguísticas que o português já viveu em seu contato com outras línguas cabe, finalmente, considerar uma situação que se realiza em nossos dias: aquela em que ele é uma língua de emigrantes. Para o leitor brasileiro, soará talvez estranho que falemos aqui do português como uma língua de EMIGRANTES, pois o Brasil foi antes de mais nada um país para o qual se dirigiam em massa, durante mais de dois séculos, pessoas nascidas em vários países europeus e asiáticos; assim, para a maioria dos brasileiros, a representação mais natural é a da convivência no Brasil com IMIGRANTES vindos de outros países. Sabemos, entretanto, que, nos últimos cem anos, muitos falantes de português foram buscar melhores condições de vida, partindo não só de Portugal para o Brasil, mas também desses dois países para a América do Norte e para vários países da Europa: em certo momento, na década de 1970, viviam na região parisiense mais de um milhão de portugueses – uma população superior à que tinha então a cidade de Lisboa. Do Brasil, têm emigrado nas últimas décadas muitos jovens e trabalhadores, dirigindo-se aos quatro cantos do mundo. Algumas conexões utilizadas por essa emigração brasileira são bem conhecidas, como aquela que levou muitos mineiros de Governador Valadares aos estados americanos da Flórida e de Nova Jersey, e muitos jovens à Inglaterra e aos Estados Unidos. Um caso à parte é o dos *decasséguis*, os descendentes brasileiros de imigrantes japoneses que vão ao Japão trabalhar como "trabalhadores transferidos".

A existência de comunidades de imigrantes é sempre uma situação delicada para os próprios imigrantes e para o país que os recebeu: normalmente, os imigrantes vão a países que têm interesse em usar sua força de trabalho, mas qualquer oscilação da economia faz com que os nativos encarem sua presença como indesejável; as diferenças na cultura e na fala podem alimentar preconceitos e desencadear problemas reais de diferentes ordens. Em geral, quem aprende a língua do país hospedeiro é a segunda geração de imigrantes. E aqui costumam surgir problemas muito próprios dessa situação, que se manifestam tanto na escola (que nem sempre está preparada para oferecer às crianças uma educação diferenciada), quanto nas famílias (para as quais aceitar ou não a língua falada no país hospedeiro pode ser um dilema real ou uma forma de abrir mão dos laços culturais e religiosos com o país de origem). O imigrante que fala a língua do país tende a fazê-lo de maneira diferente dos nativos; e tende a incorporar em sua língua materna elementos da língua circunstante, o que é às vezes encarado pelos mais velhos como uma traição à cultura de origem.

Em geral, proteger a cultura e a língua do imigrante não é um objetivo prioritário dos países hospedeiros, mas no caso do português tem havido exceções. Em certo momento, o português foi uma das línguas estrangeiras mais estudadas na França; e em algumas cidades do Canadá e dos Estados Unidos, um mínimo de vida associativa tem garantido a sobrevivência de jornais editados em português, como o que é apresentado ao lado, mantidos pelas próprias comunidades de origem portuguesa e brasileira.

O português de Portugal depois do século XVII

Depois do esplendor da segunda parte do século XV e das primeiras décadas do século XVI, Portugal conheceu, no final de quinhentos, um período de decadência. Em 1572, na batalha de Alcácer-Quebir, parte de uma tentativa desastrada de conquistar militarmente o Marrocos, o rei D. Sebastião desapareceu sem deixar herdeiros, e uma das consequências disso foi que, oito anos depois, Felipe II da Espanha, reivindicando direitos de sucessão, fez de Portugal uma província espanhola.

O domínio espanhol durou de 1580 até 1640, quando o movimento conhecido como "Restauração" devolveu a independência a Portugal, sob o comando de um novo rei, D. João IV e de uma nova dinastia, a de Bragança. É a essa dinastia que pertencem os reis do Brasil Colônia e os imperadores brasileiros.

No longo período de mais de dois séculos entre a perda da independência e a transferência da corte portuguesa para o Rio de Janeiro (1808), foram muitos os fatos políticos e culturais que tiveram reflexos na história do português.

A própria dominação espanhola foi um desses fatos, pois fez com que o espanhol fosse falado pela aristocracia portuguesa (Paul Teyssier chega inclusive a comentar que, na época, se criou uma maneira "alusitanada" de falar o castelhano). Na situação de bilinguismo letrado assim instaurada, alguns escritores importantes do período, como D. Francisco Manuel de Melo (1604-1666), mantiveram um pé em cada uma das duas literaturas e outros foram inclusive mais longe, criando suas obras diretamente em espanhol. Quais foram, para o português, as consequências dessa convivência? Como seria de esperar, foi forte nesse período a assimilação de empréstimos originários da língua vizinha, em geral reconhecíveis por apresentarem uma fonética tipicamente castelhana (um bom exemplo é a própria palavra *castelhano*, que suplantou em definitivo a forma portuguesa antiga, *castelão*: note-se que nesta última a geminada latina /ll/- havia dado origem a /l/, não a /ʎ/). Foi ainda nesse período que o português começou a usar a preposição *a* antes do objeto direto (*amar a Deus* por *amar Deus*).

É claro, por outro lado, que a influência espanhola do período da "união das duas Coroas", não chegou a bloquear os processos antigos, que vinham trabalhando há tempo no sentido de modificar a língua portuguesa "por dentro". Por exemplo, entre os séculos XVI e XVII, a forma *você* cumpriu uma das principais etapas do processo pelo qual passou de expressão de tratamento a pronome. Como se sabe, *você*, é hoje o principal pronome de segunda pessoa do português do Brasil, mas origina-se de uma antiga expressão de tratamento, *Vossa Mercê*, que, no século XIV, era usada de forma exclusiva para o rei. Da metade do século XV em diante, *vossa mercê* desaparece progressivamente nessa função e torna-se corrente no tratamento entre fidalgos; no século XVI, já reduzida a *você*, cai na boca do povo, fixando-se como pronome. O primeiro registro escrito da forma *você* é de 1666.[9]

Nos cento e tantos anos entre a Restauração e a transferência da corte para o Brasil, Portugal viveu o regime político da monarquia absolutista. Foi um período de muitas alianças e concessões, negociadas com as grandes potências do momento – sobretudo a Espanha, a Holanda, a França e a Inglaterra. Sucessivos tratados redesenharam o mapa dos países europeus e, como consequência, o mapa de suas colônias. Por exemplo, em 1661 Portugal cedeu à Inglaterra, como dote de casamento de uma princesa portuguesa, o porto de Bombaim, futura base da penetração inglesa na Índia. Em 1713, um acordo com a França liberava Portugal para explorar as terras entre o Oiapoque e o Amazonas, e para navegar sem interferências francesas no próprio rio Amazonas. Nos tratados de Utrecht (1715), Madri (1750) e Santo Ildefonso (1777), Portugal e Espanha trataram especificamente das colônias sul-americanas e seus limites. Ao aplicar o Tratado de Madri (1750), os portugueses e os espanhóis, momentaneamente aliados, promoveram juntos na região do Iguaçu um enorme genocídio, forçando ao êxodo as populações indígenas das reduções jesuíticas, que falavam uma língua geral baseada no guarani.

Os monarcas portugueses do período absolutista deram às vezes grande autonomia a ministros poderosos. Assim, ao lado de D. João IV (rei de 1640 a 1656), encontramos a figura do Terceiro Conde de Ericeira, que procurou criar em Portugal uma atividade manufatureira, uma iniciativa finalmente abortada pela Inglaterra; ao lado de D. João V (rei de 1707 a 1750), no mesmo período em que se constrói o mosteiro de Mafra, encontramos a figura do brasileiro Alexandre de Gusmão, que se destacou na negociação do Tratado de Madri e é hoje reconhecido como o patrono da diplomacia brasileira. Mas o mais célebre dos primeiros-ministros do período absolutista foi Sebastião José de Carvalho e Melo, mais conhecido como Marquês de Pombal. Ministro plenipotenciário de D. José I (rei de 1750 a 1777), ele se empenhou no projeto de fazer com que as riquezas das colônias beneficiassem a monarquia portuguesa, e assim fez inimigos na nobreza e na grande burguesia comercial, além de combater a Igreja e, particularmente, a Companhia de Jesus, na qual viu um poder paralelo ao do Estado absolutista, prejudicial a seus planos.

Do ponto de vista da história das ideias, o período da dominação espanhola coincide, *grosso modo*, com a Contrarreforma e com o predomínio da arte barroca, de que se costuma apontar como manifestações, na literatura, o cultismo e o conceptismo. Muitos historiadores, tendo estudado a cultura portuguesa do período absolutista, descrevem esse período como um tempo sem grandezas, fruto, talvez, de um excessivo isolamento de Portugal em relação à cultura europeia. O certo é que, durante o absolutismo, não faltam figuras que investem justamente no sentido de tirar Portugal de seu isolamento: são figuras diferentes entre si, como a do padre jesuíta Antônio Vieira (1608-1697), do frade oratoriano Antonio de Verney (1718-1792) e, mais tarde, do poeta árcade e pré-romântico Manuel du Bocage (1765-1805).

Uma das características da atividade cultural, nos séculos XVII e XVIII, é a importância das academias. A Arcádia Lusitana (1756-1774), sempre lembrada nos manuais de literatura por ter difundido a estética do Arcadismo, é apenas uma dessas agremiações. Para os propósitos deste livro, pode ser importante lembrar que em 1720 foi criada uma Academia de História, que precedeu de sessenta anos a Academia Real das Ciências; e que esta última, seguindo o exemplo célebre da Académie Française, embarcou desde logo na iniciativa de elaborar um dicionário da língua. Como seria de esperar, a moda das academias passou para o Brasil, onde muitas foram fundadas. Em 1724, na Bahia, a Academia Brasílica dos Esquecidos viu-se diante de uma decisão dramática de caráter linguístico: se a *História da América Portuguesa* deveria ser escrita em português ou em latim.

A partir do século XVII, o português falado em Portugal conheceu algumas mudanças estruturais importantes, sobre as quais podem ser feitas duas observações de caráter geral: 1) elas partiram da região centro-sul de Portugal e acabaram prevalecendo praticamente em todo o território português; 2) elas não alcançaram a Galiza, e assim contribuíram para criar a distância que existe hoje em dia entre o português e o galego. Observemos mais de perto cada uma dessas inovações:

(1) como vimos, o português de 1500 contava com quatro sibilantes: as africadas /ts/ e /dz/ e as fricativas /s/ e /z/. Esse sistema de quatro sibilantes dava conta de distinguir na pronúncia palavras como:
/ts/ - /dz/ *aceite-azeite*
/s/ - /dz/ *assar-azar*
/ts/ - /s/ *cela-sela*
/s/ - /z/ *cassa-casa*
/ts/ - /z/ *caça-casa*
/dz/ - /z/ *cozer-coser*
No século XVII, completou-se a redução do quadro de quatro sibilantes às duas sibilantes fricativas atuais, /s/ e /z/; os falares de algumas regiões de Portugal mantêm uma diferença na forma de realizar o /s/ e o /z/ conforme se originam de uma antiga fricativa ou de uma antiga africada, mas essa diferença é dialetal;

(2) o ditongo /ow/ que aparece em palavras como *cousa* e *louco, louvar* e na terminação de perfeitos do indicativo como *achou* e *louvou* sofreu, no século XVII, um processo de monotongação, passando a /o/. Em reação a esse processo, algumas palavras desenvolveram outro ditongo, /oj/, daí a alternância *cousa/coisa, louro/loiro* (mas não *louvou / *louvoi*), que é possível até hoje para algumas palavras;

(3) sempre no século XVII, desapareceu da língua a africada [tʃ], que se simplificou em [ʃ]. Essa mudança atingiu palavras como *macho, chave, concha* e *Sancho*, em que o dígrafo <ch> representava, anteriormente ao século XVII, o mesmo som que aparece nas palavras espanholas *macho* e (*buena*) *dicha*;

(4) já no século XVIII, a realização do /s/ e do /z/ em finais de sílaba e de palavras passou a "chiante", daí pronúncias como [majʃ] e [aʒnʊ] para as grafias <mais> e <asno>. Como se sabe, essa pronúncia é a que prevalece no Brasil numa região que vai do Rio de Janeiro à Bahia e também na região Norte;

(5) a partir do século XVIII, o português europeu conheceu o que podemos chamar de "redução" das vogais átonas, um conjunto de fenômenos que atingiu esses fonemas tanto em posição pretônica como em posição final. Em posição final, /u/ e /o/ átonos confundiram-se na realização intermediária [ʊ] que vigora, até hoje, dos dois lados do Atlântico. Paralelamente, /e/ e /i/ passam a receber uma realização intermediária /ɪ/, que prevalece até hoje no Brasil (pense-se na pronúncia do <e> final de palavras como <esse> e <perde>). Em Portugal, esse /ɪ/ evoluiu em seguida para /ə/, uma vogal fechada e

breve que é desconhecida dos brasileiros. Em posição pretônica, /e/ também evoluiu para /ə/ (<pessoa> pronunciado [pə'soa]) e /o/ evoluiu para /u/ (criando uma pronúncia idêntica para as grafias <morada> e <murada>);

(6) no século XIX, os ditongos /ej/ e /ẽj/ evoluem para /aj/ e /ãj/ (em português europeu corrente, *bem* pode rimar com *mãe*);

(7) idem a passagem de /e/ tônico a /a/ antes de palatal (como nas palavras <espelho>, nas quais o segundo <e> é pronunciado [a]);

(8) idem a difusão da realização uvular do "r forte".

De todos os fenômenos aqui enumerados, apenas os mais antigos (isto é, (1), (2) e (3)) são compartilhados por todas as variedades do português brasileiro. A pronúncia chiante do <s> e do <z> (4) finais é um fenômeno localizado (Rio de Janeiro, Espírito Santo, Bahia e nas regiões Norte e Nordeste), o que já fez pensar que sua difusão se deu a partir do Rio de Janeiro, depois da instalação da corte de D. João VI. Já as mudanças descritas em (5), (6), (7) e (8) não passaram para o Brasil, e isso tem sido motivo para declarar que o português do Brasil é uma língua "mais antiga" ou "mais arcaica" – uma avaliação que é recorrente nos filólogos brasileiros.

De todas as mudanças do português europeu que o Brasil não acompanhou, as mais sensíveis são as que descrevemos em (5); em seu conjunto, elas contribuíram para enfraquecer as vogais átonas em face da vogal tônica, e isso dá ao português europeu uma prosódia particular e uma pronúncia em que sobressaem as consoantes. Explicam-se assim algumas impressões que os portugueses têm dos brasileiros, por exemplo, que "falam arrastado", e impressões que os brasileiros têm dos portugueses, por exemplo, que "falam mais rápido", "engolem sílabas e letras".

Notas

[1] O asterisco indica palavra não atestada em documentos.

[2] Ivo Castro, Curso de história da língua portuguesa, Colaboração de Rita Marquilhas e J. León Acosta, Lisboa, Universidade Aberta, 1991.

[3] Idem.

[4] Extraída sem o aparato crítico do *Corpus* Informatizado do Português Medieval, http://cipm.fesh.unl.pt, Chancelaria de D. Afonso III, século XIII. Ribatejo, Abrantes Documento cao34.

[5] Os textos que utilizamos nesta antologia provêm do site da professora Carla Mary S. Oliveira, da Universidade Federal da Paraíba (http://www.carlaoliveira.hpg.ig.com.br/1500_carta_de_caminha.html). Remetemos também ao site http://bnd.bn.pt/ed/viagens/brasil/obras/carta_pvcaminha/, que traz o acervo digital da Biblioteca Nacional de Lisboa.

[6] M. R. Lapa, Historiadores quinhentistas, Belo Horizonte, Itatiaia, 1960.

[7] Os números trazidos por Castilho (2004) sobre as dez línguas mais faladas do mundo são: (1) chinês: um bilhão de falantes, (2) inglês: 500 milhões; (3) hindi: 497; (4) espanhol: 392, (5) russo: 277; (6) árabe: 246; (7) bengali: 211; (8) português: 191; (9) malásio: 157; (10) francês: 129. Entre os sites que fornecem dados atualizados sobre o número de falantes das principais línguas do mundo, ver http://www.infoplease.com.

[8] A história da adoção do português como língua oficial por Timor-Leste é bem mais interessante do que sugere nosso relato. Os portugueses chegaram a Timor-Leste no século XVI, e lá estiveram até 1975. Abandonado, então, a seu próprio destino, Timor-Leste foi imediatamente invadido pela Indonésia, que exerceu um regime de terror e extermínio em relação à população de língua portuguesa. Em 1999, problemas internos da Indonésia criaram condições para um referendum que devolveu a independência aos timorenses. Durante a resistência aos indonésios, os timorenses tiveram no português um importante fator de identidade, o que levou a adotá-lo como língua oficial com o tétum, resistindo às pressões internacionais em favor do inglês e do indonésio. Com 18 mil km^2 e 200 mil habitantes, Timor-Leste é hoje o mais novo país independente que adota o português como língua oficial. A história linguística dessa adoção mostra o quanto de sentimentos e valores uma população associa às línguas numa situação de multilinguismo.

[9] Boa parte deste parágrafo é a transcrição de uma observação que o prof. Carlos Faraco fez a uma redação anterior. Agradecemos sua preciosa ajuda.

O português na América

O português no continente sul-americano: a ampliação das fronteiras

O português chegou ao Brasil no século XVI. Hoje, passados cinco séculos, é a língua de um país com 8,5 milhões de quilômetros quadrados, e muitos aspectos da formação do Brasil como país são importantes para entender a situação linguística que o Brasil vive atualmente.

Um desses aspectos diz respeito à formação do território nacional. Como o leitor decerto sabe, o atual território brasileiro se definiu ao longo de mais de quatro séculos, num processo pelo qual novas regiões foram sendo incorporadas ao que se entendia por Brasil, sob o impacto das entradas e bandeiras e dos grandes ciclos econômicos. Tudo isso fez com que o território da colônia mais do que triplicasse em relação àquele que havia sido atribuído a Portugal pelo Tratado de Tordesilhas (1494).

Foi essa expansão territorial que fez com que o português, a partir da costa atlântica, realizasse extensa e inexorável ocupação a oeste, feita quase sempre à custa das línguas indígenas e, às vezes, do espanhol. Hoje, são evidentes os resultados desse processo: o Brasil é o maior país de língua portuguesa em extensão territorial. Além disso, é também o país onde vive o maior número de falantes de português (cerca de 182 milhões de habitantes em 2004).

Ao contrário do processo de ocupação por faixas paralelas, que é de certo modo sugerido na primeira divisão do território em capitanias hereditárias, a ocupação se deu por um processo por assim dizer "ramificante": de alguns centros de irradiação localizados na costa, partiram movimentos povoadores que formaram outros centros de irradiação, na costa ou no interior, e estes foram por sua vez o ponto de partida para a ocupação ou conquista de novos territórios. Recapitulemos:

- ainda no século XVI, parte de Salvador a expedição que resultará na fundação da vila de São Vicente e, indiretamente, das vilas de Santo André da Borda do Campo e São Paulo;
- de São Vicente e São Paulo partem, no século XVI e no seguinte, três grandes ciclos liderados por bandeirantes: o do *apresamento de índios*, que, seguindo pela costa ou pelos rios Tietê, Paraná e Paraguai, alcança a região do Pantanal Mato-grossense e desce até o atual Uruguai; o do *ouro*, que segue pelo sul de Minas até Vila Rica, mas também se dirige até Goiás e Mato Grosso; e o do *sertanismo de contrato*, que segue o curso do rio São Francisco e envereda em seguida pela bacia do rio Paraíba do Norte, chegando ao Piauí;
- de Salvador, parte um movimento que busca o sudeste da Bahia e depois as Minas Gerais (datam de 1720 os primeiros assentamentos de colonos na região da Serra do Curral – a mesma serra que se avista hoje de Belo Horizonte); outro movimento procedente de Salvador chega a Oeiras, no centro do Piauí;
- do Recife, ainda no século XVI, parte o ciclo de expansão pernambucano, que funda Natal e Fortaleza e logo alcança o Maranhão. Com a conquista de São Luís, que estava nas mãos dos franceses, criam-se condições para nova linha de expansão, que levará à fundação de Belém do Pará. A partir de 1681, os territórios assim anexados passam a constituir o estado do Maranhão (chamado mais tarde, "estado do Maranhão e Grão-Pará"), que é governado independentemente do Brasil até 1763. Nesse ano, um novo ordenamento administrativo incorpora o Pará ao Brasil e faz da colônia assim unificada um vice-reinado, com capital no Rio de Janeiro;
- de Belém partem, por fim, as expedições que ultrapassam o estuário do rio Amazonas, resultando na ocupação do Amapá (primeiro núcleo de ocupação: 1738), e várias expedições amazônicas, que no século XVII alcançam o alto Amazonas e seus principais afluentes: os rios Negro, Branco, Solimões e Madeira.

Todos esses movimentos de ocupação territorial vêm resumidos no mapa que apresentamos na página 272, no final deste livro, extraído do *Atlas cultural do Brasil*:[1]

Os agentes da expansão do português no território brasileiro: as lições do nheengatu

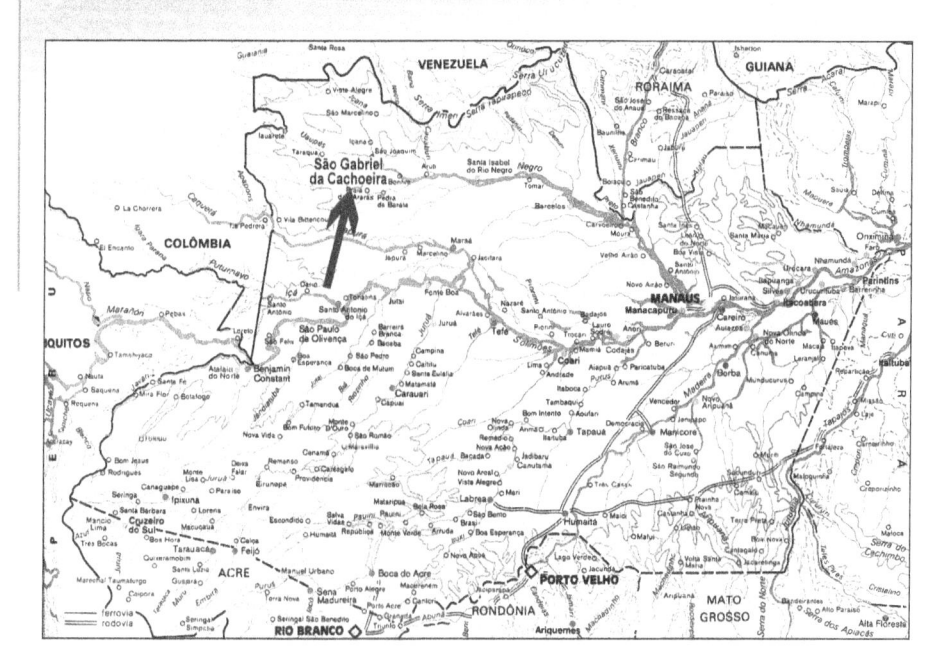

Os movimentos de exploração e colonização do período colonial espalharam pelo atual território brasileiro um sem-número de aldeias e vilas cujos nomes continham, tipicamente, referências à Coroa portuguesa, aos santos da Igreja Católica e à toponímia indígena (por exemplo: Vila Real do Senhor Bom Jesus de Cuiabá, hoje Cuiabá, ou Forte do Príncipe da Beira).

Embora esse processo tenha sido realizado em nome de Portugal, seus agentes não foram portugueses típicos. Nos movimentos de expansão territorial, e nos grandes ciclos econômicos que os motivaram, sempre foi preponderante a presença de índios, negros e mestiços, falantes de uma língua que não poderia ser o português lusitano, mas somente um português marcado por fortíssimas interferências das línguas indígenas e africanas.

Uma evidência decisiva a favor dessa hipótese é a difusão que apresenta hoje o nheengatu. O nheengatu foi a língua geral da catequese do norte e do nordeste do Brasil. Desenvolveu-se no Maranhão no século XVII e foi levado durante a conquista portuguesa da Amazônia a regiões onde não era nativo, sendo falado até hoje no curso médio do rio Negro.

A difusão dessa língua por um movimento migratório que partiu do Maranhão demonstra não só que o nheengatu era a língua mais falada no Maranhão nos séculos XVII e XVIII, mas também que a expansão territorial do português não foi feita por falantes típicos de português europeu.

> Todos os indícios disponíveis levam a crer que, até o início do século XIX, boa parte do Brasil falava as línguas indígenas, e talvez um tipo de português fortemente influenciado pelas línguas indígenas e africanas. No século XIX, as línguas indígenas e o "PB em formação" foram suplantados por uma língua portuguesa normatizada segundo o modelo europeu.
> Mas o nheengatu não morreu. Continua sendo falado no alto Rio Negro, onde também sobrevivem algumas línguas indígenas das famílias tucano, macu e aruac. Em 22 de novembro de 2002, a Câmara de Vereadores do Município de São Gabriel da Cachoeira, por iniciativa da FOIRN (Federação das Organizações Indígenas do Rio Negro), aprovou uma lei (n. 145/2002) que dá ao nheengatu, assim como ao tucano e ao baniua, o *status* de língua cooficial. São Gabriel da Cachoeira tem uma área de 109 mil quilômetros quadrados (maior que a Hungria ou a Bulgária); 95% de seus 45 mil habitantes são de origem indígena.

Graças aos movimentos de exploração e colonização que acabamos de descrever, o território brasileiro já tinha, no início do século XVIII, uma configuração bastante próxima da atual. Contudo, entre o mapa do Brasil de 1700 e o de hoje há duas diferenças importantes: na região sul e na Amazônia. No sul, os portugueses tinham chegado até o rio da Prata, fundando ali a Colônia do Sacramento. Outro movimento de colonização de procedência portuguesa tinha estabelecido colônias e reduções indígenas na margem direita do rio Uruguai; por sua vez, os espanhóis, a quem interessava o controle do rio da Prata, tinham colonizado a margem argentina e estavam de olho na margem oposta; em 1777, eles chegaram a tomar por algum tempo a Ilha de Santa Catarina. Assim, durante mais de um século, a região sul do Brasil foi motivo de disputa entre as duas monarquias ibéricas. Muitos tratados, durante o século XVIII, entre Portugal e a Espanha procuraram dar uma definição aos conflitos nessa região (1715 – Tratado de Utrecht; 1750 – Tratado de Madri; 1777 – Tratado de Santo Ildefonso). O mais importante foi o Tratado de Madri, negociado pelo brasileiro Alexandre de Gusmão. Nesse tratado prevaleceu o *uti possidetis*, princípio do direito internacional que consiste em resolver a disputa por um território atribuindo-o à potência que já tem controle efetivo sobre ele (a expressão é latina e significa "conforme possuis"). A aplicação do *uti possidetis* levou, na prática, a reconhecer o domínio espanhol na região do Rio da Prata e na margem esquerda do Uruguai, cabendo a Portugal, em compensação, a região das Missões e a costa atlântica (o que dá à região sul uma configuração praticamente idêntica à atual).

Durante o reinado de D. João VI, e nos primeiros anos do Império, o Uruguai chegou a pertencer ao Brasil, mas em 1825 recuperou sua independência, com o nome de Republica Oriental del Uruguai. Devido a essa história de conflitos, cidades e regiões inteiras mudaram de mãos várias vezes e algumas áreas menos povoadas atraíram frequentemente colonos do país vizinho. Por isso, em algumas áreas da região Sul, particularmente nas regiões próximas às divisas, encontramos até hoje situações linguísticas bastante complexas: ainda na década de 1980, o linguista uruguaio Adolfo Elizancín identificou no noroeste do Uruguai várias regiões em que se falavam dialetos de base portuguesa.

Tratado de Madri e Guerras Guaraníticas

Desde meados do século XVI, Portugal e a Espanha marcaram presença na bacia hidrográfica dos rios Paraná e Uruguai, uma região de grande interesse estratégico para garantir o controle sobre o rio da Prata, por onde foram escoadas para a Europa, ao longo do tempo, centenas de milhares de toneladas de prata boliviana. Nessa região, foram-se formando desde cedo várias missões jesuíticas, tanto espanholas quanto portuguesas.

Em 1680, preocupado em contrapor-se à presença dos espanhóis, Portugal fundou na margem esquerda do rio da Prata, bem em frente a Buenos Aires, a Colônia do Santíssimo Sacramento. Poucos anos depois, os espanhóis responderam fundando Montevidéu, mais próxima do Oceano Atlântico, na mesma margem do rio da Prata. Os conflitos entre Espanha e Portugal, na região dos rios Uruguai e da Prata foram resolvidos, no papel, em 1750, com a assinatura do Tratado de Madri, que dividia a região entre os dois estados europeus.

Na prática, a implementação do Tratado foi bem mais problemática e uma de suas consequências mais terríveis foram as chamadas "Guerras Guaraníticas". Com o Tratado, várias missões jesuíticas, tanto espanholas quanto portuguesas, ficaram "do lado errado", ou seja, missões portuguesas estavam agora em território espanhol e vice-versa, e essas missões não aceitavam trocar suas terras – esse foi o estopim dessas guerras. Na situação política assim criada, os jesuítas tiveram uma difícil escolha a fazer: apoiar os índios rebelando-se contra as monarquias europeias ou obedecer aos monarcas europeus e serem considerados traidores pelos indígenas. Muitos jesuítas pegaram em armas e, com a ajuda dos índios e de seu conhecimento do território, enfrentaram os portugueses e os espanhóis, de 1753 a 1756 e depois. Apesar dessa resistência, os índios foram massacrados, em um dos episódios mais sangrentos de nossa história colonial, que dizimou a população guarani nos estados do sul do Brasil.

As Guerras Guaraníticas são o assunto do poema épico *Uraguay*, escrito pelo árcade mineiro Basílio da Gama e publicado em Portugal em 1769. Jesuíta de formação, Basílio da Gama não perdeu a oportunidade para representar os jesuítas como corruptos e traidores; os indígenas, por sua vez, são retratados no *Uraguay* como criaturas selvagens, dominadas pelo demônio. Para fazer sobressair a figura do chefe militar português Gomes

Freire de Andrada, Basílio da Gama responsabiliza os guaranis pelo massacre de que foram vítima. As Guerras Guaraníticas foram contadas numa perspectiva favorável aos indígenas e aos jesuítas no filme *A Missão* (1986), do diretor Roland Joffé.

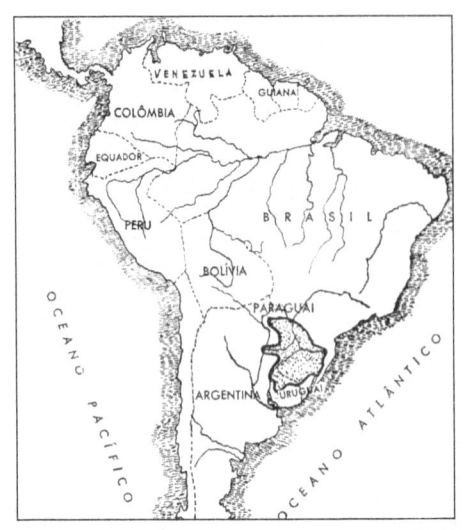

Localização da região missioneira, teatro das Guerras Guaraníticas.

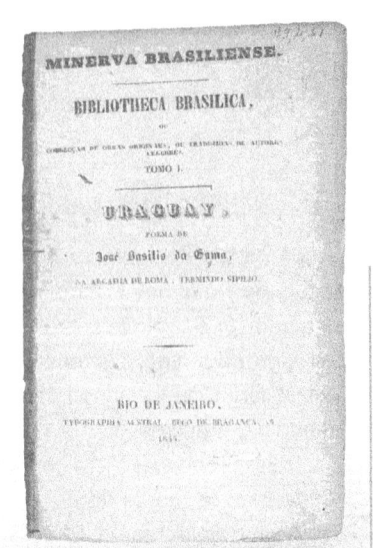

Fac-símile da capa do *Uraguay*, de Basílio da Gama (edição de 1844).

Na Amazônia, quando se comparam os mapas de hoje e os do final do século XVII, a diferença que ressalta é a ausência do Acre. Esse território foi comprado da Bolívia no início do século XX. Como parte do acordo em que foi negociada essa aquisição (o Tratado de Petrópolis, de 1903), o Brasil se comprometia a construir uma ferrovia ligando Porto Velho à fronteira, o que daria à Bolívia uma saída para a grande via fluvial dos rios Madeira e Amazonas e, consequentemente, para o oceano Atlântico. Essa ferrovia é a Madeira-Mamoré, que tem uma extensão de 366 km entre as cidades Porto Velho e Guajará-Mirim. A construção da Madeira-Mamoré durou três anos (1909-1912) e tem sido descrita em tom de saga, devido às grandes dificuldades enfrentadas que levaram à morte milhares de trabalhadores (ficou no imaginário a ideia de que a quantidade de mortos seria maior que a quantidade de dormentes da ferrovia). Lembramos aqui que essa saga tem um importante lado linguístico, porque os construtores, para contornar as dificuldades de adaptação à selva, recorreram a trabalhadores de várias origens: espanhóis, gregos, chineses e cabo-verdianos, estes falantes de um crioulo português.

O português no continente sul-americano: a ocupação dos espaços

Para entender a difusão da língua portuguesa no território brasileiro, não basta pensar em tratados, conquistas e fronteiras, é necessário também considerar a forma (ou antes, as formas) como se deu a ocupação efetiva do espaço. Para isso, é preciso considerar vários processos que o país atravessou ao longo dos últimos três séculos, alguns dos quais ainda estão em andamento. Entre eles, consideraremos aqui o crescimento demográfico, a urbanização e a ocupação do interior.

O crescimento demográfico do país – O primeiro censo da população brasileira foi realizado em 1872, e contabilizou um total de 9,9 milhões de habitantes; para épocas anteriores a 1872, dispomos apenas de estimativas. Tanto as estimativas quanto os primeiros censos dão conta de uma população pequena para o tamanho do território, além do mais, mostram uma densidade populacional que diminui de maneira espantosa à medida que se passa dos núcleos de colonização mais antigos, todos situados na costa, para o interior do país. No final do século XIX, a população total começa a crescer num ritmo significativo (ao mesmo tempo que o país recebe alguns milhões de imigrantes). Embora os últimos censos mostrem uma redução nesse ritmo, a taxa de crescimento vegetativo continua positiva e alta: em 2004 éramos uma população de 181,6 milhões; para 2020, o IBGE estima que seremos 219 milhões.

A urbanização – O crescimento numérico da população tem coincidido com sua progressiva *urbanização*. Segundo o censo de 2000, a população urbana chegava a 81% do total. Esse número contrasta com a situação do final do século XIX, quando as grandes metrópoles brasileiras de hoje tinham um número de habitantes que atualmente nos parece irrisório: a cidade de São Paulo, cujo município contava, na virada do século, com 10,5 milhões de habitantes, não passava, em 1872, dos 33 mil.

Antes do século XIX, o Brasil conheceu dois importantes episódios de rápida urbanização: um deles coincidiu com o ciclo do ouro: não só a febre do ouro atraiu para Minas Gerais grande número de aventureiros e escravos, mas a própria Coroa portuguesa teve interesse em criar na região uma forte infraestrutura administrativa e fiscal, deslocando para lá um grande número de portugueses. Foi nas cidades criadas pelo ciclo do ouro que começou a literatura brasileira, com os poetas árcades. A economia do ouro também teve reflexos em regiões à primeira vista distantes: no atual estado de São Paulo, a vila de Sorocaba cresceu graças ao intercâmbio de charque e animais de carga, utilizados pelos mineradores (por causa do roteiro Viamão-Sorocaba).

Retrato de D. João VI (ca. 1810).

O outro grande episódio de rápida urbanização foi vivido pelo Rio de Janeiro em 1808, quando o príncipe regente D. João VI, fugindo ao bloqueio que Napoleão havia imposto à Inglaterra, transferiu a corte portuguesa para o Rio de Janeiro. Pode-se imaginar o impacto (inclusive na forma de problemas práticos a resolver) que resultou dessa transferência. O Rio de Janeiro, então uma cidade de 50 mil habitantes, pacata e sem nenhuma estrutura urbana, teve de assimilar repentinamente cerca de 15 mil novos moradores (entre fidalgos, funcionários públicos, militares, eclesiásticos e seus empregados) que tinham os hábitos e os valores culturais de uma capital europeia. A partir da chegada ao Rio, em março de 1808, D. João VI dedica-se à tarefa de criar uma elite de civis e militares, e de tirar a capital do Reino-Unido de seu atraso cultural e material. Desse momento em diante, a cidade do Rio de Janeiro passa a ser identificada como "a Corte", desempenhando em relação ao resto do país um papel de modelo, que conservará por todo o período imperial e boa parte do período republicano. É sabido que o Rio de Janeiro guarda muitas marcas físicas da passagem desse rei bonachão mas de fato clarividente que foi D. João VI; do ponto de vista linguístico, uma hipótese inteiramente plausível é que a cidade tenha aprendido então com os portugueses a pronúncia "chiante" dos esses finais, copiando assim uma inovação fonética pela qual o português europeu tinha passado durante o século XVIII.

Com exceção das cidades do ouro de Minas Gerais, do Rio de Janeiro e das mais antigas capitais costeiras, é preciso esperar pelo fim do século XIX para encontrar no Brasil formas de vida tipicamente urbanas; em compensação, a partir de meados do século XX, as cidades cresceram em um ritmo alucinante. Esse crescimento é o resultado, sobretudo, de grandes migrações internas.

A ocupação do interior brasileiro – Até muito recentemente, o Brasil desconhecia seu próprio interior. Nas primeiras décadas do século XX, o interior do Brasil ainda era representado como um "outro mundo" não só na literatura (pense-se n'*Os Sertões*, de Euclides da Cunha, em *Grande Sertão: Veredas*, de Guimarães Rosa, ou em *Quarup*, de Antônio Callado), mas também nos relatos jornalísticos que circularam a respeito da marcha da Coluna Prestes e de algumas expedições como as do marechal Rondon (1890-1906), ou a dos irmãos Villas-Boas (Expedição Roncador-Xingu, 1943-63).

A ocupação efetiva das regiões afastadas da costa é posterior a essas "explorações" e recente para boa parte do interior brasileiro, particularmente para a bacia amazônica. No que diz respeito aos vários "interiores", mais alguns dados ajudam a perceber como é recente seu povoamento: em 1948, os mapas da Secretaria da Agricultura do Estado de São Paulo (que equivale a um vigésimo do território brasileiro e abriga hoje um quinto de toda a população do país) descreviam cerca de 30% do estado como "zona de colonização recente" ou "zona não colonizada"; mais ou menos na mesma época, o linguista Antenor Nascentes, ao traçar em 1953 seu mapa das variedades regionais do português brasileiro, qualificou de "território inespecífico" uma área bem maior do que a França, que abrange partes de Goiás, Mato Grosso do Sul, Mato Grosso e Rondônia (ver mapa na p. 171). Motivo: número insuficiente de habitantes. A densidade populacional dessas regiões continua pequena, mas muita coisa mudou desde então; a transferência da capital federal para Brasília em 1960 deu um grande impulso à interiorização e às migrações internas e, mais recentemente, os avanços da pecuária e da agricultura possibilitaram a ocupação das "últimas fronteiras agrícolas": a zona do cerrado, o Pantanal Mato-grossense e o sul da bacia amazônica. A criação de novos estados (Mato Grosso do Sul e Tocantins) e, algumas décadas atrás, a transformação de territórios em estados (Roraima, Amapá, Rondônia), refletem esse processo de colonização e povoamento.

O caso da Amazônia é particularmente complexo. Somente nos anos seguintes à grande seca nordestina de 1877, coincidindo com um momento em que o Brasil esteve em posição privilegiada entre os países exportadores de borracha, as expectativas criadas pela nova riqueza atraíram para a Amazônia mais de trezentos mil nordestinos (outros trezentos mil morreram na seca); mas logo a borracha deixou de ser economicamente rentável e o processo migratório estancou-se ou inverteu-se. Outros fracassos, em termos de efetiva ocupação, foram os projetos lançados pelos governos do período militar, que pretendiam assentar cinco milhões de imigrantes ao longo da rodovia Transamazônica, e o projeto Calha Norte. Bem mais efetiva tem sido, nas últimas décadas, a ocupação de terras pela pecuária e pela agricultura da soja, executada geralmente por "fazendeiros do Sul", por grandes empresas multinacionais e bancos. Contra essa ocupação e suas sequelas, que incluíram em muitos casos a destruição da floresta, a expulsão de seus habitantes tradicionais e o trabalho escravo, têm-se levantado vozes importantes, como a de Chico Mendes, assassinado em 1988. Mas o fato é que a ocupação prossegue e tem resultado na criação de vilas e cidades em regiões que, há menos de cinquenta anos, seriam encaradas como "despovoadas".

A agricultura e a pecuária foram também responsáveis pela presença de muitos brasileiros no Paraguai. Ali se formou uma população conhecida pelo nome "brasiguaios"; como o próprio nome indica, os brasiguaios são uma população híbrida: emigrados brasileiros vivendo em terras paraguaias. Em 2004, essa população chegava a 200 mil pessoas (outros cálculos falam em 350-400 mil); ela incluía não só fazendeiros brasileiros que adquiriram terras no Paraguai, mas também trabalhadores braçais, que passaram a fronteira em busca de sobrevivência, acompanhando a ocupação das "últimas" terras cultiváveis. Como seria de imaginar, há muitos conflitos envolvendo brasiguaios, e esses conflitos apresentam um lado linguístico, já que dizem respeito a falantes de duas (e às vezes três) línguas diferentes.

Mas nem tudo, na história recente do português brasileiro, é ocupação de terras novas. Muitos episódios dessa história são reflexo das profundas mudanças pelas quais passou a sociedade brasileira nos séculos XIX e XX. Nesses dois séculos, lembra-se, o Brasil tornou-se um país independente e passou por dois regimes políticos: o da monarquia e o da república, com dois longos períodos de exceção (o Estado Novo, de 1937 a 1944, e a ditadura instaurada pelo golpe militar de 1964, que durou até 1984). Viveu os grandes ciclos econômicos da borracha e do café, responsáveis por grandes deslocamentos de mão de obra, interna e externa. Passou da importação de bens de consumo à substituição das importações e, finalmente, aderiu a uma economia globalizada. Alcançou, perdendo-a em seguida, a condição privilegiada de oitava economia do mundo, mas mantém em seu interior enormes desigualdades e continua preso a problemas de pobreza, desnutrição e doença. Os números do analfabetismo continuam altos: para a população com 15 anos ou mais, havia, em 2000, cerca de 16,2 milhões de analfabetos absolutos e 33 milhões de analfabetos funcionais[2] – um número alarmante para um país que aspira à cidadania plena.

Urbanização recente, deslocamento de grandes massas migratórias, industrialização: como não poderia deixar de ser, há marcas de tudo isso no português aqui falado. Para dar apenas um exemplo, a industrialização aumentou as diferenças entre um Centro-Sul mais rico e cosmopolita, e um Norte-Nordeste mais pobre e tradicional; com isso, o centro-sul tornou-se naturalmente um polo importante de atração de migrações internas. Só no período de 1952 a 1961, a cidade de São Paulo recebeu mais de 1,1 milhão de migrantes, procedentes principalmente do Nordeste. Não conhecemos todas as consequências linguísticas desses movimentos populacionais, mas estudos realizados sobre as atitudes linguísticas que envolvem migrantes, em São Paulo, mostram que sua língua é fortemente discriminada (ao passo que o próprio migrante tende a achar superior a língua da região mais próspera).[3] Por outro lado, São Paulo (que pelo número de migrantes nordestinos já foi, e provavelmente ainda é, uma das principais cidades nordestinas do país) assimilou dos nordestinos algumas maneiras de viver e de falar: por exemplo, o forró, o ritmo musical em que se exprimiram alguns grandes músicos nordestinos como Luiz Gonzaga e Dominguinhos, foi, num certo momento, um dos ritmos que mais se dançavam em São Paulo; com o ritmo, o paulistano aprendeu "termos técnicos" dessa dança como *bate-coxa*, *xaxado*, *xote*, *fuleiragem*, *voo do carcará*, *peneira*. Muitas expressões nordestinas, que ainda soavam "estrangeiras" em São Paulo, algumas décadas atrás (como *(dar) pitaco*, *mouco*, *leso*, *enrustido* ou *porreta*), hoje são facilmente compreendidas e até mesmo correntes para alguns segmentos da população.

Quinhentos anos de história linguística: situações

Ao longo de 500 anos de história, a situação linguística do Brasil foi supercomplexa, pela presença das línguas indígenas (desde sempre), do português dos colonizadores, das línguas faladas pelos escravos africanos (a partir de 1532) e, depois, das línguas europeias e asiáticas faladas pelos imigrantes. No processo de implantação do português no continente sul-americano, encontramos praticamente todas as situações de contato linguístico possíveis. Vejamos como se manifestaram:

O multilinguismo:
pano de fundo da criação do PB

Cabe lembrar, antes de mais nada, que a história da implantação do português no Brasil foi uma história de **multilinguismo**.

Por ocasião do descobrimento, dizem os especialistas, vivia no Brasil uma população nativa estimada em seis milhões de indígenas. Sempre segundo os especialistas,[4] esses indígenas falavam cerca de 340 línguas, que eram obviamente não indo-europeias e pertenciam a troncos linguísticos muito diferentes entre si. Portanto, o multilinguismo já existia no continente sul-americano, antes da colonização portuguesa. Os portugueses precisaram aprender e usar essas línguas indígenas por razões de sobrevivência e para impor seu domínio aos nativos. Por sua vez, o tráfico de escravos, que termina oficialmente em 1850, mas que na prática durou até o final do século XIX, trouxe para o Brasil alguns milhões de africanos, falantes de línguas pertencentes ao tronco niger-congo. Por muito tempo, o elemento indígena foi predominante na população rural, e o elemento negro na população dos centros urbanos. Para complicar o quadro, lembre-se de que os portugueses não foram os únicos europeus que tentaram estabelecer colônias no atual território brasileiro: por períodos mais ou menos extensos, os franceses estiveram no Rio de Janeiro e no Maranhão, os holandeses, no Recife, e os espanhóis, no imenso território, hoje brasileiro, que fica a leste do meridiano de Tordesilhas.

No século XVIII, a monarquia portuguesa iniciou um importante projeto que visava à colonização do Pará, de Santa Catarina e do Rio Grande do Sul por meio de imigrantes açorianos. Entre 1748 e 1753 chegaram a Santa Catarina quase oito mil açorianos, trazendo uma cultura muito própria, basicamente agrícola, que marca até hoje o litoral e o extremo interior daquele estado.

A partir do século XIX, preocupadas em "branquear" a população brasileira e em substituir a mão de obra escrava, as elites do país começaram a lançar projetos de colonização destinados a atrair imigrantes europeus e asiáticos.

Diante de tudo isso, fica evidente que, desde 1500 até o final do Império, o Brasil foi um espaço multilíngue e um enorme laboratório linguístico.

Imigração açoriana

As ilhas dos Açores são um arquipélago formado por nove ilhas (Corvo, Flores, Faial, Pico, Graciosa, São Jorge, São Miguel, Terceira e Santa Maria), que se localiza no Atlântico a aproximadamente 1.450 km de Portugal. O nome provém das águias de asas redondas, nativas do arquipélago. Portugal colonizou os Açores a partir de 1439, e em ocasiões diferentes, nos séculos XVII e XVIII, recorreu à imigração açoriana para colonizar diferentes regiões do Brasil, sobretudo o Pará e os estados do Sul.

Para o Grão-Pará, em uma expedição que partiu de Portugal em 29 de março de 1677, vieram 50 famílias açorianas, um total de 219 pessoas. A imigração açoriana foi bem mais intensa na região Sul; Santa Catarina, por exemplo, recebeu 4.612 pessoas em 1748, 1.666 em 1749, 860 em 1750 e 679 em 1753; Porto Alegre – cujo antigo nome já foi Porto dos Casais – recebeu, em janeiro de 1752, 60 "casais açorianos", somando mais de 300 pessoas. A imigração açoriana continuou durante o século XX: no período de 1911 a 1920, emigraram para o Brasil 2.740 açorianos e no período de 1921 a 1930, 3.401.

A influência açoriana pode ser vista na arquitetura, nos costumes, usos e tradições, como as "Reisadas" e as "Festas do Espírito Santo".

Os açorianos também foram responsáveis por difundir no Brasil vários folguedos de origem portuguesa em que uma das personagens é o boi. A ilustração retrata o mais conhecido desses folguedos, o bumba meu boi.

Multilinguismo no Brasil: português *versus* línguas indígenas

Durante todo o período colonial, o português foi a língua usada na administração portuguesa da colônia e nos contatos com a metrópole; foi a língua do governo e da Justiça e, quando esta última existiu, a língua da literatura. Mas, dadas as condições em que se deu o povoamento do país, sabemos que, por longo período que começa no tempo do Brasil-Colônia e se prolonga no "tempo do rei" e no Império, ele conviveu com os falares nativos e com as línguas africanas.

As línguas indígenas foram utilizadas para a catequese católica e, por esse motivo, tornaram-se desde o início um importante objeto de estudo, ao qual foram dedicadas inúmeras gramáticas (a começar pela gramática de Anchieta, de 1595). Defrontados com um contexto de grande fragmentação linguística, os religiosos empenhados na catequese adotaram a partir do século XVI a política da **língua geral**. Fala-se em línguas gerais, no contexto da colonização, sempre que os conquistadores, ao encontrarem nas terras conquistadas várias línguas diferentes entre si, forçam as populações submetidas a adotar, no contato com os colonizadores, uma única língua entre as efetivamente faladas, ou uma língua artificial, que é uma mistura dessas línguas. É evidente que a política das línguas gerais nega a diversidade linguística e cultural dos vencidos e constitui uma forma a mais de dominação.

Gramática de José de Anchieta, de 1595.

Apesar da variedade de línguas indígenas presentes, a criação de "línguas gerais" era facilitada, no Brasil, pelo fato de que as línguas nativas da costa, pertencentes em sua maioria ao tronco tupi, apresentavam uma relativa uniformidade; foi a partir dessas línguas que se criaram as línguas gerais brasileiras. Uma delas teve grande difusão na região Sudeste e continuou sendo falada em São Paulo até o início do século XX; outra, conhecida como *nheengatu* (que literalmente significa "boa língua" – foi assim batizada para estabelecer uma oposição com as línguas que ajudava a silenciar), teve difusão no Norte e ainda sobrevive em regiões circunscritas da Amazônia (ver quadro na p. 63).

A Cabanagem: uma revolta que falava nheengatu?

Brasil. Século XIX. Um forte sentimento de frustração tomou conta das províncias do Norte, à medida que foi ficando claro que a Independência não tinha resolvido os problemas dos vários segmentos da população: os índios continuavam trabalhando como escravos nas roças e manufaturas dos aldeamentos; o regime escravocrata continuava explorando os negros, e os homens livres continuavam sob o peso da exploração inglesa. A Cabanagem foi uma resposta a tudo isso. Começou em janeiro de 1835, no Pará, e durou seis anos, até ser completamente sufocada em 1840. Contou com a participação de profissionais liberais nacionalistas e de parte do Clero, e também de mestiços e homens livres que se haviam entusiasmado com as ideias libertárias que circularam no início de 1800, mas foi acima de tudo um movimento da população mais pobre, como se depreende, inclusive, do nome "cabanagem", dado em tom de desprezo a um movimento de "cabanos", isto é, de "pessoas que viviam em cabanas", e não em casas. Muitos aspectos dessa revolta são impressionantes, a começar pela violência da repressão e pelo número de vítimas que fez. Estima-se que mais de 30 mil pessoas tenham morrido, sem levar em conta os repressores. Dessas vítimas, mais ou menos 70% eram indígenas e descendentes de indígenas, e em torno de 20% eram negros e mulatos, o que confirma mais uma vez o caráter popular dessa revolta. Com relação aos aspectos linguísticos, a predominância indígena e a localização geográfica fazem pensar que a língua dos revoltos fosse o *nheengatu*. Assim sendo, não é difícil imaginar que uma revolta por melhores condições de vida tenha sido tratada pelos repressores como uma revolta étnica, cujos participantes podiam ser identificados simplesmente por seus traços físicos e por falarem o *nheengatu* ou alguma outra língua indígena.

Representação de um cabano por Alfredo Norfini (1867-1944).

Ao que se sabe, a administração portuguesa endossou a política das línguas gerais por mais de dois séculos, mas, em 1757, um decreto do Marquês de Pombal proibiu seu uso em contexto escolar e impôs o português como língua do ensino na colônia. Esse decreto não visava propriamente os indígenas, e sim aos jesuítas: foi uma das tantas medidas políticas de que o ministro de D. José I lançou mão para solapar o poder dos jesuítas no Brasil, numa escalada que culminou com a expulsão da Companhia de Jesus em 1760.

Sobre o papel histórico desse decreto, há contradição entre os estudiosos. Alguns o apontam como o início da decadência das línguas gerais; outros afirmam que sua aplicação ocorreu de maneira mais eficaz na província do Pará, onde encontrou um executor empenhado no governador Francisco Xavier de Mendonça Furtado, irmão do próprio Marquês de Pombal. O fato é que a língua geral continuou sendo usada no Brasil por muitos anos depois de 1757. Um trecho de uma carta setecentista, descoberta pela pesquisadora Tânia Lobo nos arquivos do estado da Bahia (texto da antologia "A carta do ouvidor interino Antônio da Costa Camelo", a seguir), dá uma ideia de como o conhecimento da língua indígena ainda era vital na sociedade brasileira do final do século XVIII; testemunhos como esse confirmam que as línguas indígenas ainda eram faladas por uma parte considerável da população em 1822, quando o país se tornou independente de Portugal.

Antologia
A carta do ouvidor interino Antônio da Costa Camelo

... nesta ação me requereram os oficiais da Câmara, e repúblicos em vozes porém com submissão que queriam para seu diretor a Manuel do Carmo de Jesus; a esta grande instância, lhes perguntei a razão que tinham para quererem aquele diretor. Responderam.

Que o atual não ensinava a seus filhos a ler nem escrever e nunca deu escola conforme a direção da vila e lhe não administrava justiça e era espótico de tal sorte que por qualquer requerimento sem proceder os termos da lei os prende e mete na cadeia e lá os demora o tempo que quer até que lhe pagam e aqueles que não têm meios para o fazer vendo-se demorados cuidam em arrombá-la para se exentarem, havendo pelo exposto outras desordens.

Pelo estatuto da vila, paga cada um casal 240 réis metade para o Concelho, metade para a Freguesia por serem por isso isentos da despesa da fábrica quando morrem e por este motivo é que apliquei ao reverendo vigário os 20$400, o atual diretor obriga a que cada um casal pague pelos 240 um alqueire de farinha, que vale 400 réis e de presente 480, e aqueles índios que não têm a farinha ordena-lhe que a comprem por estes preços para lhe darem pelos 240 réis. Obriga aos juízes e oficiais da Câmara a assinarem os despachos que ele dita e escreve e até algumas vezes ele mesmo faz as petições e quando lhe requerem que querem ler o despacho, recusava, e alguns lhe dizem "vejamos a ordenação", ele lhes diz "isso não é para vós outros, assine aqui" e só se obra o que ele quer, porque geralmente os trata com desprezo.

Que por ser homem nimiamente pobre e decrépito, de mais de 80 anos, se remedeia e sustenta com o dinheiro do Concelho. Como era constante que aquele Manuel do Carmo de Jesus que pediam para seu diretor tinha meio de se sustentar, **e maior razão de ser criado naquela vila e saber a língua geral dos índios para melhor saber ensinar**, além da capacidade que nele achavam, que por isso pediam e me requeiriam o prouvesse no emprego de diretor, visto que o atual tinha deixado o cofre e tudo pertencente à diretoria em notória desordem havendo por isso falta das rendas do Concelho, e que eles oficiais da Câmara davam conta a Vossa Excelência.

Visto por mim o requerimento mandei lavrar termo, e por me parecer justo pela precisão e falta do atual diretor, nomeei ao dito Manuel do Carmo de Jesus por diretor enquanto Vossa Excelência não mandar o contrário.

A vila de que trato está como despovoada por terem desertado dela muitos casais e andam espalhados por toda parte por não serem obrigados a residir na dita vila, na conformidade do estatuto dela.

A cadeia acha-se arruinada e incapaz de ser exemplar, por ser coberta de palha por lhe terem desencaminhado a telha. Estes fatos represento a Vossa Excelência por obrigação do meu ofício para que Vossa Excelência mande o que for servido. Deus guarde a Vossa Excelência por muitos anos, vila de São Jorge dos Ilhéus, 28 de dezembro de 1795.

O ouvidor interino Antônio da Costa Camelo

Parte de um relatório das iniciativas tomadas na vila de Olivença pelo seu signatário, o trecho transcrito[5] faz referência explícita ao uso da "língua geral dos índios", no Brasil-Colônia. O que se relata nele é, em resumo, o processo no qual, depois de consultar os moradores da vila, o ouvidor interino – uma espécie de *ombudsman* enviado pelo juiz de Ilhéus – demite o Diretor em exercício e dá posse no mesmo cargo a um outro Diretor, indicado pela população. O cargo de Diretor havia sido criado pelo Diretório dos Índios, um conjunto de disposições legais que se aplicou ao Brasil como um todo em 1758, com a função expressa de regulamentar o trato com as populações indígenas. Como se depreende do texto, reuniam-se nesse cargo funções pedagógicas como ensinar as primeiras letras, e funções jurídicas como zelar pela exata aplicação das ordenações emanadas pela Monarquia e encaminhar requerimentos e petições. A maior parte do trecho transcrito descreve os abusos cometidos pelo funcionário demitido: ficam claramente caracterizadas as omissões (por exemplo, "não dar aula") e arbitrariedades de um funcionário que, não tendo recursos pessoais para se sustentar, fez da extorsão um meio de vida. Em contraste com esse retrato, interessa ao ouvidor interino apontar as qualidades positivas do novo diretor, entre as quais ganham destaque a independência financeira, a procedência (isto é, o fato de que é "nativo da vila") e, mais importante para nós, o fato de que *fala a língua dos índios.*

Muito do que diz esse texto fica nas entrelinhas. A incapacidade dos índios de pagar os tributos devidos à autoridade civil e à paróquia (*freguesia*) deixa transparecer uma condição de maior pobreza e sugere que está tomando força entre eles um sentimento de revolta que prejudica a imagem da coroa. Isso nos obriga a lembrar o quanto a sociedade colonial foi dividida: sem ser, legalmente falando, um escravo, o índio aparece nessa carta como um segmento diferenciado da população.

Dado esse pano de fundo, nosso maior interesse na carta do ouvidor interino é a maneira como ele se refere aos conhecimentos de língua geral do diretor nomeado. Esses conhecimentos são preciosos num momento em que se trata de restabelecer a confiança dos índios na administração portuguesa; além disso, habilitam o novo funcionário a praticar um ensino de melhor qualidade, o que faz pensar que muitas das crianças que eram encaminhadas para o aprendizado de primeiras letras tinham a língua geral dos índios como vernáculo. Pensemos na situação do Ouvidor Camelo: tratando-se de um magistrado subalterno que relata a seu superior, seria muito pouco provável que ele usasse um argumento contrário aos costumes e às leis; em outras palavras, a carta não diria nada sobre a língua dos índios caso o seu uso no ensino fosse uma transgressão; se o juiz-visitador faz justamente o contrário, é que o uso da língua geral na escola não levanta dúvidas e valoriza o novo Diretor.

Tudo isso acontece numa das regiões onde a colonização portuguesa era mais antiga e mais bem-sucedida, e mostra que, quarenta anos depois do decreto de Pombal, a ordem de alfabetizar "na língua do príncipe" não havia mudado a prática mais antiga, na qual a língua indígena estava presente, provavelmente porque a língua indígena era o vernáculo da maioria das crianças encaminhadas para o aprendizado das primeiras letras. (Fonte: LOBO, Tânia. *Cartas baianas setentistas*. São Paulo: Humanitas, 2001, pp. 164-5.)

Documentos como a Carta do ouvidor Camelo mostram as dificuldades de fazer história da língua falada a partir de textos oficiais. Mas, acima de tudo, dão força à hipótese (de resto reafirmada por muitos historiadores) de que o Brasil-Colônia foi um país bilíngue, onde o português conviveu com a língua dos indígenas. Um problema que então se levanta é: como e por que desapareceu a língua geral? Com a exceção de algumas ilhas de nheengatu na região Norte, as línguas indígenas faladas hoje no Brasil não são a continuação histórica das línguas gerais. Vivemos, nesse sentido, uma situação muito diferente da que vigora no Paraguai, nas relações entre o espanhol e o guarani; lá, o guarani é um dos vernáculos de uma população em grande parte bilíngue, e alterna seu uso com o espanhol, dependendo da situação de fala. Por que essa forma de bilinguismo continua lá, e não aqui? As explicações mais plausíveis consideram o avanço da urbanização, e com ela do português como língua veicular. Também seria preciso lembrar que, no século xx, o país passou por profundas modificações, trocando uma economia rural por uma economia industrial e urbana.

Um problema mais grave do que o desaparecimento das línguas gerais é o do desaparecimento das próprias populações indígenas. Embora tenham sido descobertas em território brasileiro, durante o século xx, várias tribos indígenas que falavam línguas desconhecidas, o inventário das línguas indígenas efetivamente faladas reduziu-se drasticamente ao longo desse século e não passa hoje de 180, em oposição às 350 ou mais de mil que se falavam na época do descobrimento;[6] também reduziu-se bastante o número de falantes de cada língua. A redução da população indígena deveu-se, no início da colonização portuguesa, às iniciativas de apresamento e escravização promovidas pelos europeus, depois às epidemias e doenças que eles transmitiram, à redução progressiva dos territórios de caça, coleta e plantio (que teve o resultado de inviabilizar as formas nativas de subsistência), ou ainda à adoção forçada da cultura dos colonizadores. O desaparecimento das línguas indígenas já seria por si só uma tremenda perda em termos culturais; mas é ainda mais terrível pensar que muita gente entre nós encara o desaparecimento de povos indígenas como um resultado inevitável do "progresso".

Na contramão do extermínio, a década de 1950 viu nascer as primeiras reservas indígenas; mais recentemente ocorreu a criação de escolas onde a alfabetização, associada à preocupação de preservar e ensinar a cultura da nação, é feita em língua indígena, com frequência por professores indígenas. Nesse contexto, desenvolve-se, às vezes, um trabalho que visa a dotar as línguas indígenas de um sistema de escrita, de gramáticas e de dicionários. Um fato significativo, embora isolado, é a adoção de línguas indígenas como línguas oficiais, ao lado do português, em alguns municípios da Amazônia.[7] Mas é evidente que nada disso chega a reverter a tendência histórica mencionada no parágrafo anterior: o número de falantes de línguas indígenas tem declinado tanto em termos absolutos quanto em termos relativos, com respeito ao português. Essa situação torna mais urgente do que nunca a implementação de medidas destinadas a preservar as próprias populações indígenas e a realizar tarefas destinadas a documentar e descrever suas culturas.

Uma questão diferente é tentar avaliar como o português do Brasil foi afetado por cinco séculos de convivência com as línguas indígenas. Sobre essa questão, encontramos pelo menos duas linhas de resposta. A primeira diz respeito às línguas gerais: para alguns estudiosos, a unidade estabelecida pela língua comum da catequese teria permanecido no imaginário brasileiro, contribuindo para criar a ideia de uma nação brasileira, e ajudaria a explicar por que o português falado no Brasil apresenta uma unidade linguística tão notável, apesar de ser falado num território de dimensões continentais. A segunda linha diz respeito ao enriquecimento do português do Brasil pelo contato com as línguas indígenas. Esse enriquecimento é visível no vocabulário, sobretudo nos segmentos que dizem respeito à cultura material (*jacá, pixaim, tapera, tocaia*), à alimentação (*mandioca, beiju*), e ao conhecimento empírico da flora (*embira, abacaxi, amendoim, caju, capim, cajá, sucupira, taioba*), da fauna (*capivara, curimatã, jaguar, jiboia, lambari, piranha, siri*) e da topografia (*capão, taquaral*). Só no *Dicionário histórico das palavras portuguesas de origem tupi*, de Antônio Geraldo Cunha, que é especificamente dedicado aos termos de origem tupi, registram-se cerca de três mil vozes. Por sua vez, Rodrigues[8] estima que 41% dos nomes não científicos dos peixes e um terço dos nomes não científicos de pássaros, em português do Brasil, provêm do tupi. Além disso, é de origem indígena uma parte considerável da toponímia brasileira, ou seja, têm origem indígena muitíssimos termos geográficos que designam estados, cidades, rios e montanhas, que o próprio leitor não terá dificuldade em lembrar e localizar.

Alguns dados sobre educação indígena

A Constituição brasileira de 1988, em seu artigo 231, assegura aos povos indígenas o direito de terem uma cultura e uma língua próprias quando estabelece:

> São reconhecidos aos índios sua organização social, costumes, línguas, crenças e tradições, e os direitos originários sobre as terras que tradicionalmente ocupam, competindo à União demarcá-las, proteger e fazer respeitar todos os seus bens.

Por sua vez, as Leis n. 9.394 / 96 e n. 6.001/73 ("Estatuto do Índio") estabelecem que línguas serão usadas na educação dos indígenas:

> *Lei n. 9.394/96 - Art. 210, parágrafo 3: O ensino fundamental regular será ministrado em língua portuguesa, assegurada às comunidades indígenas a utilização de suas línguas maternas e processos próprios de aprendizagem.*

Lei n. 6.001/73 ("Estatuto do Índio") – Art. 48: Estende-se à população indígena, com as necessárias adaptações, o sistema de ensino em vigor no País.

Lei n. 6.001/73 ("Estatuto do Índio") – Art.49: A alfabetização dos índios far-se-á na língua do grupo a que pertencem, e em português, salvaguardado o uso da primeira.

Essas leis procuram dar algumas garantias, mas são muito gerais: o que devemos entender por "processos próprios de aprendizagem" e "necessárias adaptações"?

Existem hoje no Brasil 554 reservas indígenas distribuídas por todo o país (menos no Piauí, no Rio Grande do Norte e no Distrito Federal). Essas reservas abrigam aproximadamente 350 mil pessoas e ocupam um território de 946.452 km^2 (área que corresponde a 11,12% do território nacional, equivalente às áreas somadas da França e da Grã-Bretanha).

Os dados do Instituto Nacional de Estudos e Pesquisas Educacionais (Inep) disponíveis em 2004 davam conta de 93 mil alunos indígenas matriculados (26,5% da população indígena do país), dos quais 66% eram atendidos por 1.392 escolas indígenas. Nessas escolas, atuavam 3.998 professores, 76,5% dos quais de origem indígena; metade, porém, desses professores não tinha terminado o ensino médio.

No tocante a questões linguísticas e culturais, a educação indígena depara-se com problemas delicados: como introduzir os indígenas no mundo ocidental sem privá-los de sua cultura?; que tipo de material didático desenvolver?; como lidar com línguas que ainda não estão suficientemente bem descritas ou não possuem escrita?[9]

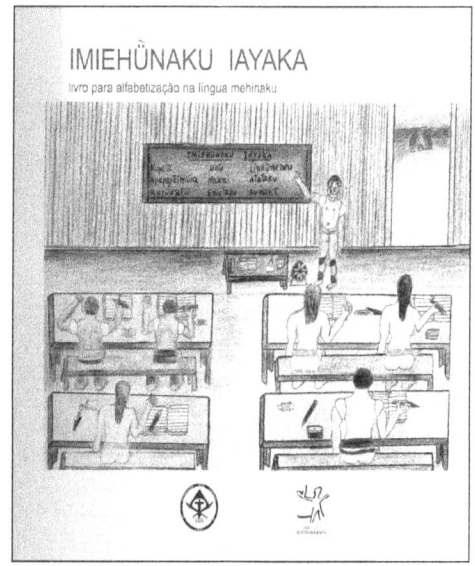

Imagens de cartilhas indígenas recentes (2002).

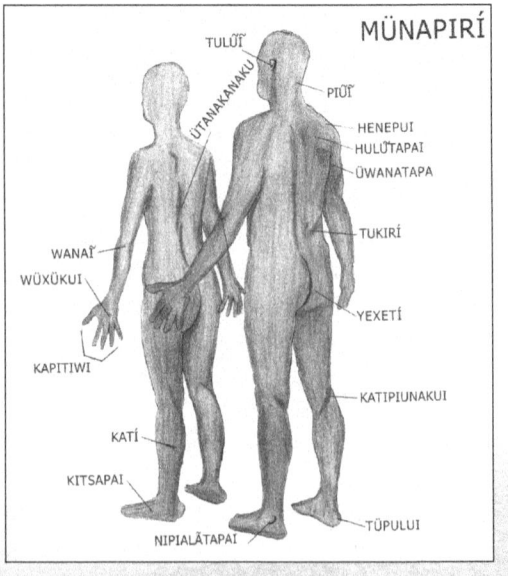

Exemplos de cartilhas indígenas brasileiras.

Multilinguismo no Brasil: as línguas africanas e a hipótese de uma origem crioula do PB

Na história do português do Brasil, a contribuição das línguas africanas é fundamental.

O tráfico de escravos africanos começou quase simultaneamente ao início efetivo da colonização do Brasil pelos portugueses e prolongou-se por várias décadas depois de ser declarado ilegal em 1850. Os estudiosos divergem quanto ao número total de escravos trazidos da África durante todo esse período. Estimativas mais antigas (como a do historiador Rocha Pombo (1919)) falam em 13 milhões; cálculos mais recentes (como o de Roberto Simonsen (1944)) fixam um número em torno de 3 milhões e 300 mil. Mesmo que os números reais tenham sido estes últimos, e mesmo levando em conta que, no Brasil, o crescimento vegetativo da população escrava sempre foi negativo (o que acabava sendo motivo para importar mais escravos), eles bastam para estabelecer que, em 1800, metade da população brasileira era de negros africanos ou afro-descendentes.

Entre os séculos XVI e XIX, o tráfico de escravos africanos foi uma atividade altamente rendosa para vários países europeus: Inglaterra, França, Portugal, Espanha, Holanda. Existiram, ao longo de toda a costa africana, muitos pontos de apresamento e muitas bases de apoio, mantidas por um ou outro desses países. É claro que as rotas pelas quais vieram mais escravos ao Brasil eram controladas pelos portugueses; passavam pelo Golfo de Guiné e pela costa de Angola (Luanda, Benguela) e tinham como alvos o Rio de Janeiro, a Bahia de São Salvador e outros estados do Nordeste. As línguas trazidas ao Brasil pelos africanos são as que se falavam nas regiões de onde partiam essas rotas e em regiões próximas:

- do Golfo da Guiné, vieram línguas da família CUA: o eve ou jeje (da região do atual Togo, Benin e Gana), o fon e o maí (do Benin e da Nigéria);
- de Angola, vieram línguas da família BANTO: o quicongo e o quimbundo (República Democrática do Congo, Congo e Angola), e o iorubá (Togo, Benin e Nigéria).

Por muito tempo, isto é, até que o tráfico se intensificou a ponto de tornar impossível essa prática, os portugueses evitaram que escravos de mesma etnia/mesma língua se concentrassem nas mesmas regiões da colônia. A ideia era, mais uma vez, descaracterizar culturalmente o escravo, tornando-o mais fraco diante dos traficantes e dos futuros senhores. Essa prática (que é uma variante da política das línguas gerais, praticada com os indígenas) dificultou o aparecimento no Brasil de comunidades negras com uma base étnica e linguística comum, e fez com que a preservação das raízes só fosse efetiva em regiões de grande concentração de afro-descendentes (como foi o caso da Bahia e, mais geralmente, do Nordeste). Essa situação, por razões diferentes, contrasta com a que se encontra nas Antilhas e nas regiões que, a partir do século XIX, foram colonizadas por imigrantes europeus. A Revolta dos Malês, de que foram protagonistas, em 1835, na Bahia, negros com mesmos traços culturais, mostra que a concentração em um mesmo lugar de escravos com características étnicas e linguísticas comuns criava situações que ameaçavam a ordem escravagista.

Rugendas. *Preparação da raiz da mandioca*.

A Revolta dos Malês

Em 1835, cerca de metade da população de Salvador (BA) era formada por escravos negros oriundos da África, fato que ocasionou inúmeros levantes contra a escravidão. O mais importante de todos esses levantes foi a Revolta dos Malês, que eclodiu justamente em 1835 e teve como protagonistas cerca de 1.500 negros escravos de religião muçulmana, que tinham o árabe como língua franca, e lutavam também contra a imposição da religião católica (o termo "malê" designava o escravo muçulmano); um fato notável para a época e para a situação colonial é que muitos desses escravos sabiam escrever em árabe.

A repressão da revolta foi brutal, setenta negros morreram e outros duzentos foram levados aos tribunais. Para estes últimos, as condenações variaram entre a pena de morte, os trabalhos forçados e os açoites, mas todos foram barbaramente torturados, e muitos vieram a morrer. Mais de quinhentos africanos foram levados de volta à África, como degredados.

A Revolta dos Malês só foi possível pelo grande número de afro-descendentes que viviam na Bahia nas primeiras décadas do século XIX. Essa circunstância inviabilizou a política que os escravagistas vinham aplicando desde 1500: evitar a concentração num mesmo ponto do território de escravos com características étnicas e linguísticas semelhantes.

Debret, "Negro de origem muçulmana".

Alguns documentos da Revolta dos Malês, apresentados por J. J. Reis (1987) em sua obra, levavam escritos em árabe.

À influência africana costuma ser associada uma das principais hipóteses que já foi lançada sobre o português brasileiro: a de que ele seria uma língua crioula. Embora sobrevivam no Brasil algumas línguas com características estruturais análogas às dos crioulos portugueses da África e da Ásia (por exemplo o crioulo de Helvécia, falado no sul do estado da Bahia e estudado na década de 1980 pela linguista Carlota Ferreira), a ideia de explicar as diferenças entre o português brasileiro e o português europeu recorrendo às noções de crioulização e descrioulização não é consensual, e já fez verter muita tinta entre os estudiosos. A versão mais radical dessa tese foi lançada no século XIX pelo linguista Adolfo Coelho (1881), que via em algumas características sintáticas do português do Brasil – particularmente a ausência de concordância no predicado e nos adjuntos internos do sintagma nominal[10] – uma prova inconfundível de sua origem crioula. Hoje essa "prova" nos parece bastante fraca.

Em sua versão mais radical, a tese das origens crioulas do português brasileiro não chegou a ser defendida nem mesmo por autores como Jacques Raimundo e Renato Mendonça, dois estudiosos cujas obras são animadas pelo intuito de realçar a importância do elemento africano na formação da etnia e da cultura brasileira. Este último autor chega a afirmar o seguinte:

> Língua e raça formam dois elementos que têm evolução paralela a ponto de serem muitas vezes confundidos. Como o negro fundiu com o português e do consórcio resultou o mestiço, pareceria lógico que este mestiço falasse um dialeto crioulo.
> Os fatos são diferentes.
> No Brasil, deve ter havido dialetos crioulos em diversos lugares da colônia. Tiveram, porém, existência muito instável e cedo desapareceram.[11]

A ideia de atribuir uma origem crioula ao português do Brasil esteve em baixa no final dos anos 1950, quando foi combatida por alguns filólogos de grande prestígio (como Serafim da Silva Neto, Celso Cunha, Antenor Nascentes e Sílvio Elia), interessados em defender que a língua portuguesa é uma só, minimizando as diferenças entre os falares do Brasil e de Portugal. Contudo, uma geração mais recente de pesquisadores (entre os quais estão estudiosos de peso como Rosa Virgínia Mattos e Silva (2004a) e Dante Lucchesi (2001)) acredita que o português do Brasil teria surgido por um processo que lembra de algum modo a crioulização, se não pelos resultados alcançados, pela íntima convivência que houve no Brasil-Colônia entre o português, as línguas indígenas e as línguas africanas. Os argumentos para essa crença provêm da demografia histórica e da história da educação brasileiras.

Assim como se interessou pelo indígena, criando o movimento literário do indianismo (do qual foram representantes Gonçalves Dias e José de

Alencar), a literatura brasileira também tratou esteticamente da figura do negro. Um grande momento de interesse pela figura humana do negro foi a poesia abolicionista de Castro Alves; mais tarde, já no século XX, encontramos a "poesia negra" de Jorge de Lima. Ao escrever sobre o negro, Jorge de Lima utilizou com frequência um vocabulário de origem africana, que ganhou assim um lugar de destaque na grande literatura nacional. Outro grande momento de atenção às línguas africanas são as décadas de 1950 e 1960, quando Baden Powell e Vinicius de Moraes escrevem seus afro-sambas.

O que está fora de dúvida é que o português do Brasil tem enorme dívida para com as línguas africanas, que se manifesta particularmente na assimilação de palavras originárias do quimbundo e do iorubá. Provêm do quimbundo: *bambá, banzo, bengala, bunda, cachimbo, cacimba, caçula, cafuné, calombo, cambada, camundongo, candango, canga, carcunda, dengue, dengo, fubá, lundu, malungo, marimba, maxixe, milonga, minhoca, mocambo, mubamba, murundu, quibebe, quitanda, tanga, tutu, zambi*. Do iorubá, provêm *vatapá, acarajé, agogô* e todos os termos ligados ao candomblé baiano e às suas divindades. *Aluá, cafre* e *fulo* passaram ao português através dos escravos africanos, mas são, na origem, palavras árabes.

Glossário de termos relativos às línguas africanas

Banto: família linguística africana à qual pertencem as seguintes línguas: quicongo, quimbundo e iorubá, e que faz parte do tronco niger-congo.
Eve (ou **jeje**): língua africana pertencente à família banto, falada em algumas regiões de Togo, Benin e Gana.
Fon: língua africana pertencente à família cua, falada em algumas regiões do Benin e da Nigéria.
Iorubá: língua africana, também conhecida como nagô, pertencente à família banto, falada em algumas regiões de Togo, Benin e Nigéria.
Cua: família linguística africana à qual pertencem as seguintes línguas: eve, fon e maí, e que faz parte do tronco niger-congo.
Maí (ou **mahí**): língua africana pertencente à família cua, falada em algumas regiões do Benin e da Nigéria.
Quicongo: língua africana pertencente à família banto, falada em algumas regiões da República Democrática do Congo, do Congo e de Angola.
Quimbundo: língua africana pertencente à família banto, falada em algumas regiões da República Democrática do Congo, do Congo e de Angola.

Procedência geográfica e linguística dos escravos africanos

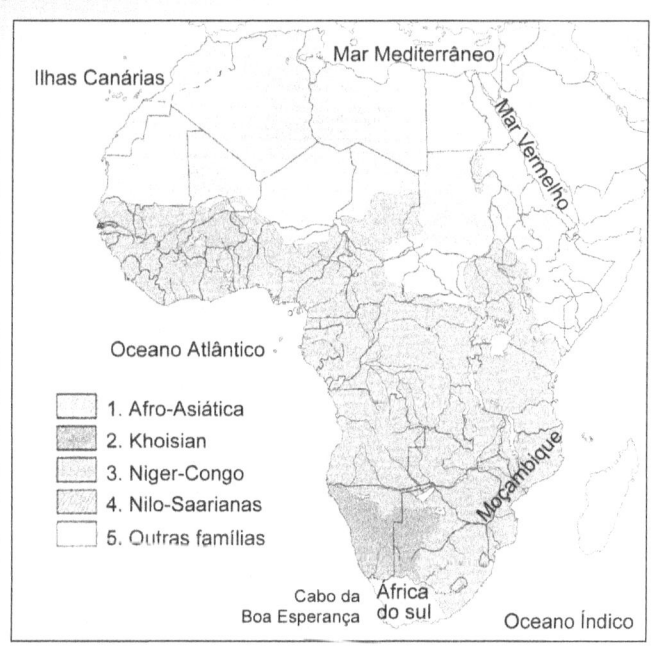

Os negros trazidos ao Brasil como escravos vinham de várias partes da África, com maior concentração na região que vai da Nigéria a Angola, mas também em Moçambique e em regiões mais ao norte, no oceano Índico. A essa variação regional corresponde uma enorme variedade de etnias e línguas. As línguas com maior número de falantes trazidos ao Brasil foram: 1. eve (ou jeje), falado em Togo, Gana e Benin; 2. fon, falado no Benin e na Nigéria; 3. mahi ou maí, falado em Benin – pertencentes ao grupo cua; 4. ioruba, falado em Togo, Benin e na Nigéria; 5. quicongo, falado na República Democrática do Congo, no Congo e em Angola; e 6. quimbundo, falado em Angola – pertencentes ao grupo Banto. Todas essas línguas pertencem à família niger-congo. Por fim, com os negros mulçumanos trazidos para o Brasil, veio também o árabe, língua franca e de religião.

"O português são dois" (desde o Brasil-Colônia)

Como já vimos, o Brasil foi por muito tempo um país pouco povoado. Além disso, historicamente, a população branca foi sempre bem menos numerosa que a população não-branca (de origem indígena ou africana). Rosa Virgínia Mattos e Silva,[12] uma das principais autoridades em história do português e do português brasileiro em nível mundial, reconstituiu pacientemente a composição da população brasileira por etnias, em cinco períodos sucessivos da história do Brasil, e chegou à conclusão de que, até 1850, a população branca não passou nunca de 30% do total. Só em seguida essa porcentagem aumenta, como podemos ver pela tabela abaixo:

Tabela 1: distribuição populacional por etnias no Brasil

	1538-1600	1601-1700	1701-1800	1801-1850	1851-1890
africanos	20%	30%	20%	12%	2%
negros brasileiros	-	20%	21%	19%	13%
mulatos	-	10%	19%	34%	42%
brancos brasileiros	-	55%	10%	17%	24%
europeus	30%	25%	22%	14%	17%
índios integrados	50%	10%	8%	4%	2%

Fonte: Mattos e Silva (2004a). Note-se que aumenta progressivamente a proporção de mulatos, ao passo que diminui a de africanos e de índios integrados.

À vista desses números, a primeira conclusão que se impõe é que a ocupação territorial do país, embora tenha sido realizada em nome da Coroa portuguesa, foi feita na realidade por uma população não-branca. Isso se aplica à ocupação da costa, às várias bandeiras que partiram de São Paulo (com o propósito de apresar índios ou de encontrar minerais preciosos), à formação das cidades mineiras durante o ciclo do ouro e, posteriormente, às migrações devidas ao ciclo da borracha. Em outras palavras, a conquista do território brasileiro deve ser atribuída, em grande parte, aos dois segmentos da população que não tinham ascendência portuguesa: o negro e o índio.

Somando esse fato com o alto grau de mestiçagem, chega-se facilmente à conclusão de que a difusão do português se fez, durante várias gerações, por agentes que o tinham aprendido na situação que os sociolinguistas chamam de "transmissão imprópria", ou seja, transmitido de geração para geração em famílias nas quais outras línguas tinham uma presença marcante.

Os grandes filólogos da década de 1950, querendo talvez reagir a estudos mais antigos em que se qualificava o português do Brasil como um dialeto ou uma língua menos importante, representaram sua difusão como uma espécie de disputa em que o português se impôs às línguas indígenas e africanas. Quando se pensa nos dados da demografia histórica, essa representação resulta insuficiente. Para começar, na galeria de atores desse drama que foi a criação de um país lusófono na América do Sul, aos falantes nativos do português, das línguas indígenas e das línguas africanas, temos de acrescentar uma quarta personagem: o falante que aprendeu o português no Brasil e que, portanto, conheceu uma língua fortemente marcada pela convivência com o índio e o escravo. O quadro torna-se mais exato quando lembramos que as várias línguas não ocuparam os mesmos espaços: é a língua geral de base indígena, onde existe, que predomina nos espaços domésticos e na educação jesuítica; nos espaços públicos, ela compete com o "português brasileiro em formação"; nos poucos espaços que, além de públicos, são também oficiais e contam com a presença de portugueses natos ou de brasileiros escolarizados, é que prevaleceu o português tal como era falado pelos europeus.

Podemos imaginar que a língua que chamamos de "português brasileiro em formação", profundamente marcada pela interferência das línguas indígenas e africanas (sobretudo no vocabulário, mas também na fonética e na sintaxe), foi seguindo ao longo do tempo uma deriva própria; ao mesmo tempo, a outra variedade de português, mais resistente às interferências, usada em contextos oficiais, e falada por uma pequena parcela da população ligada à administração da colônia, continuou alimentando-se de influências europeias.

Há bons motivos para acreditar-se que esta última variedade foi por muito tempo minoritária. O mais forte é que ela se sustentou, sempre, numa comunidade de falantes numericamente reduzida; além disso, ela foi a norma das pessoas cultas e da escola, e é sabido que o sistema educacional da colônia, sobretudo depois da expulsão dos jesuítas (1760), foi extremamente falho. O Brasil-Colônia teve poucas escolas, poucos livros e poucos letrados, por isso os portugueses mais abastados, sobretudo a partir do século XVIII, temendo que seus filhos "não herdassem os 'estímulos da honra', mas os costumes dos negros, mulatos e gentios",[13] criaram o hábito de mandá-los estudar em Coimbra, de onde voltavam com um título de bacharel em direito que os habilitava a uma atuação sobretudo retórica.

A norma de inspiração lusitana prevaleceu no escrito, uma área em que o português sofreu por muito tempo a concorrência do latim. Supõe-se que tenha começado a impor-se na fala como consequência do processo de urbanização. Como já vimos, a primeira urbanização no Brasil foi consequência do ciclo do ouro, no século XVIII. No início do século XIX, a norma de inspiração lusitana recebe outro reforço importante com a vinda para o Rio de Janeiro da Corte Portuguesa. Mas foi somente no século XX que o Brasil se definiu como um país urbano.

O quadro que acabamos de traçar é, até certo ponto, uma construção de hipóteses. Contudo, é mais verossímil do que a representação de uma "competição de línguas" com que tinham se contentado os filólogos da década de 1950. Se nossas hipóteses estiverem certas, então começou desde o Brasil-Colônia a cisão entre duas normas linguísticas que muitos autores vêm apontando ultimamente no português do Brasil. Entre esses autores estão não só vários pesquisadores universitários preocupados com a questão pedagógica (como Marcos Bagno, Dante Lucchesi e Rosa Virgínia Mattos e Silva), mas também autores da grande literatura, como Carlos Drummond de Andrade. De um poema deste último, Rosa Virgínia Mattos e Silva extraiu o título de um importante livro sobre o assunto: *O português são dois*.[14]

Antologia
O perfil linguístico de um bandeirante

"Este homem é um dos maiores selvagens com que tenho topado: quando se avistou comigo, trouxe consigo língua, porque nem falar sabe, nem se diferença do mais bárbaro Tapuya mais que em dizer que é cristão".
(Fonte: MONTEIRO, John Manuel. *Negros da terra: índios e bandeirantes nas origens de São Paulo*. São Paulo, Companhia das Letras, 1995.)

"Metido pelos matos, à caça de índios e índias, estas para os exercícios de suas torpezas e aqueles para os granjeios de seus interesses [...] nem sabe falar [o português] [...] nem se diferencia do mais bárbaro tapuia mais do em que dizer que é cristão e não obstante o haver se casado de pouco lhe assistem sete índias concubinas [...]"
(Fonte: RIBEIRO, Darcy. *O povo brasileiro*. São Paulo: Companhia das Letras, 1995, p. 364).

Os trechos citados anteriormente fazem parte de uma carta que o bispo de Recife escreveu em 1697 depois de entrevistar-se com o bandeirante Domingos Jorge Velho. Domingos Jorge Velho foi um dos tantos paulistas que atuaram como "sertanistas de contrato", organizando e liderando expedições que adentravam a selva para apresar e escravizar indígenas. A esses autênticos "cabos de guerra", a Coroa portuguesa concedia proteção e soldo, numa espécie de terceirização do processo de desbravamento e conquista.

Domingos Jorge Velho nasceu em Santana de Parnaíba, cidade que hoje faz parte da Grande São Paulo e, como a maioria da população paulista, era de origem mameluca, isto é, descendente de portugueses e indígenas. Célebre por sua crueldade, ele atuou no apresamento de indígenas assaltando as reduções jesuíticas na região das Missões, e foi um dos primeiros exploradores do Piauí. Mas sua maior façanha foi a destruição do quilombo dos Palmares, empreitada que ele levou a cabo entre 1694 e 1695, mediante um contrato que lhe prometia parte das terras do quilombo e um título de nobreza. Como se sabe, a campanha terminou com a destruição do quilombo e com a execução de seu chefe, Zumbi.

Na carta, o bispo nos dá uma informação preciosa do ponto de vista linguístico: o bandeirante anda acompanhado por um *língua*, isto é, um intérprete, e a explicação que o bispo dá para isso é que ele "nem sabe falar".

Os historiadores que estudaram o período colonial citam muitas passagens como essa, em que a figura do intérprete é lembrada como a única solução possível para permitir o diálogo entre falantes das línguas indígenas (ou da língua geral) e falantes de português; por exemplo, em data muito próxima, encontramos uma carta em que o governador do Rio de Janeiro, Artur de Sá e Menezes, reclama da nomeação para a freguesia de São Paulo de um "novo vigário que veio provido naquela igreja, o qual há mister quem o interprete", "porque a maior parte daquela gente se não explica em outro idioma e principalmente o sexo feminino".[15]

Por muito tempo, os historiadores viram nessas passagens a prova de que uma parte da colônia falava a língua geral e desconhecia o português, e o perfil linguístico do bandeirante traçado pelo bispo do Recife já foi interpretado da mesma forma. Mas essa interpretação não se sustenta: de Domingos Jorge Velho resta uma carta em que se dirige ao rei de Portugal e em que se exprime num português quase perfeito. Descobertas como essa têm levado os historiadores a ler de uma outra maneira os depoimentos disponíveis. No caso, é muito provável que a companhia de um intérprete fosse uma forma encontrada por Domingos Jorge Velho para marcar sua maior inserção no contexto americano, e é possível que a língua que ele falava não fosse a "língua geral" (de base tupi) ou alguma língua tapuia (não tupi), mas sim uma variedade de português fortemente alterada pela interferência das línguas indígenas e africanas. Em outras palavras, Domingos Jorge Velho podia estar falando um "português brasileiro" que o bispo não estava preparado para ouvir. A esse propósito, Serafim da Silva Neto, um dos estudiosos que mais fortemente defendeu a presença da língua portuguesa na colônia e sua unidade em todos os tempos, fala de "crioulo ou semicrioulo – adaptação do português no uso de mestiços, aborígenes e negros", e cita esta passagem do padre Vieira:

> *"(as nações asiáticas) falam a língua portuguesa, mas cada uma a seu modo, como no Brasil os de Angola, e os da terra... A língua portuguesa... tem avesso e direito: o direito é como nós a falamos, e o avesso como a falam os naturais... meias línguas, porque eram meio políticas e meio bárbaras: meias línguas, porque eram meio portuguesa, e meio de todas as outras nações que as pronunciavam ou mastigavam a seu modo"* (VIII, 165-6).

A nova situação de bilinguismo dos séculos XIX e XX: português *versus* línguas dos imigrantes europeus e asiáticos

A partir do século XIX, o fenômeno mais importante, no panorama do multilinguismo brasileiro, é a imigração de europeus e asiáticos, que começou em 1820 e teve seu maior pico entre 1890 e 1930. Só nesse período de maior afluência chegaram ao Brasil quase quatro milhões de imigrantes, principalmente italianos, portugueses, espanhóis, alemães, árabes, turcos e japoneses. Esses números são impressionantes, não só por si mesmos, mas sobretudo se forem referidos ao total da população do país, que, em 1920, girava em torno de trinta milhões de habitantes.

Na complexa história da formação do povo brasileiro, a relação do português com as línguas desses imigrantes foi mais uma vez de desigualdade. Como muitos imigrantes vinham para trabalhar na lavoura (o período de maior imigração coincide com o ciclo do café), suas línguas maternas prevaleceram nas próprias comunidades em que se exerceu essa atividade. Muitas vezes, os núcleos de colonização criados pelos imigrantes evoluíram para vilas e cidades e, em muitas dessas vilas e cidades, falou-se uma língua ou mais provavelmente um dialeto trazido por eles. Esse caso é relativamente comum nos estados do Sudeste (Espírito Santo, Minas Gerais, São Paulo); no Sul, o *vêneto*, um dialeto do italiano, e o *hunsrückisch* e o *pommeranisch*, dialetos do alemão, deram origem respectivamente aos falares conhecidos como *talián* e *germán*. Nas grandes cidades do Sul e Sudeste, diferentes bairros concentraram imigrantes de determinada origem, e alguns mantêm até hoje esse tipo de identificação, ao menos em termos culturais e afetivos.

De início, o Estado brasileiro deixou por conta dos próprios imigrantes a questão de alfabetizar seus filhos brasileiros, e não encarou como um problema o fato de que estes últimos aprendiam a língua de seus pais e avós. Em regiões afastadas, essa política de não-intervenção do Estado fez, na prática, com que muitos descendentes de imigrantes adquirissem como vernáculo apenas a língua de seus antepassados e que fossem também alfabetizados nessa língua por escolas que eram custeadas pela própria família ou pela comunidade. Contudo, no início do século xx, muitos imigrantes já estavam morando nas cidades, e a forte participação que então tiveram na agitação sindical e nos movimentos anarquistas e socialistas fez com que a aristocracia brasileira se munisse de meios para controlar suas ações. Um desses meios foi uma lei de 1921 que permitia ao país expulsar os imigrantes considerados indesejáveis; poucos anos depois, o então presidente Getúlio Vargas adotou uma série de medidas que visavam a restringir o uso das línguas estrangeiras. Uma dessas iniciativas, tomada às vésperas da Segunda Guerra Mundial, foi a proibição de alfabetizar em outra língua que não o português (1939). Essa medida se coadunava com um tipo de nacionalismo que foi cultivado durante o Estado Novo e que se agravou, sobretudo nas relações com italianos, alemães e japoneses, durante a Segunda Guerra Mundial. Nesse período, muitas comunidades de imigrantes inicialmente fundadas com nomes que lembravam a origem de seus habitantes foram rebatizadas com nomes brasileiros (como exemplo, há o caso de Neu-Württemberg, rebatizada Panambi[16]), e muitas prisões foram feitas (sobretudo nos estados do Sul), "pelo crime de falar em público uma língua diferente da língua pátria".[17] Como observa Payer (2001), o bloqueio imposto à alfabetização em língua estrangeira era ao mesmo tempo um bloqueio à cultura e à memória e fazia-se em nome do princípio altamente discutível de que, para construir a grandeza de um país, é preciso silenciar a língua e a memória de quem não pertence à maioria étnica.

O principal efeito que resultou, para o PB, da convivência com as línguas dos imigrantes europeus e asiáticos explica-se talvez pela grande capacidade que o Brasil tem mostrado no sentido de conviver com outras culturas, enriquecendo-se com elas. Por cultura, não entendemos aqui a cultura formal, a ciência ou a literatura, mas a cultura material ligada ao dia a dia, ao trabalho, às festas familiares, às formas de lazer. Por exemplo, a cidade de São Paulo, que teve um de seus principais momentos de crescimento precisamente no período mais intenso da imigração, assimilou hábitos alimentares das mais variadas origens: os nomes dos pratos que assim se popularizaram fazem parte do vocabulário comum e são entendidos inclusive por pessoas que não os consomem (palavras como *paella, quibe, esfiha, pizza, talharim, yakisoba* ou *sashimi* são hoje palavras da língua corrente; o mesmo se pode dizer de vozes como *tchau, grana, ofurô, quimono*).

Abundantes no vocabulário do português brasileiro, as influências das línguas dos imigrantes são quase nulas na morfologia e na sintaxe, e isso tem uma explicação fácil de adivinhar: quando as línguas dos imigrantes europeus chegaram aqui, o português do Brasil já era uma língua muito **estandardizada** e **gramatizada** (sobre essas noções, ver o capítulo "Linguística do português e ensino" deste livro). Como era de se esperar, essa língua reagiu de várias maneiras – uma delas a caricatura (ver a seguir "A caricatura linguística do imigrante") – à influência anunciada de línguas que, em termos de prestígio social, desempenhavam um papel subalterno. Alguns casos pontuais de possível influência gramatical foram aventados por alguns estudiosos, a nosso ver sem fundamento. Por exemplo, o gramático Silveira Bueno costumava explicar as construções não-padrão como *nós faz*, *nós diz*, que são fortemente discriminadas pelos falantes cultos, atribuindo-as à influência italiana. A construção que teria influenciado o português é *noi si fa*, *noi si dice*, típica do toscano e do italiano padrão. Com todo o respeito para com esse ilustre professor, que já morreu, essa explicação é extremamente ingênua: quantos imigrantes italianos teriam o toscano ou o italiano padrão como língua materna? Pouquíssimos. Na época da grande imigração, o estado italiano, na maioria das regiões de um país recém-unificado pelas armas, e ainda dividido em vários dialetos, estava às voltas com sério problema pedagógico: a falta de professores primários que falassem italiano padrão. Silveira Bueno, que conhecia bem o italiano literário, sabia menos sobre imigração e imigrantes; como as novelas de TV, ignorou o fato de que o vernáculo dos imigrantes (não só italianos) é, no mais das vezes, uma **variedade** *substandard* ou um **dialeto**.

A caricatura linguística do imigrante

Sodades de Zan Baolo
Juó Bananére

Tegno sodades dista Paulicéa,
Dista cidade chi tanto dimiro!
Tegno sodades distu çéu azur,
Das bellas figlia lá du Bó Ritiro.

Tegno sodades dus tempo perdido
Xupano xoppi uguali d' un vampiro;
tegno sodades dus begigno ardenti
Das bellas figlia lá du Bó Ritiro

Tegno sodades lá da Pontigrandi,
Dove di notte si vá dá un giro
I dove vó spiá come n' un speglio
As bellas figlia lá du Bó Ritiro.

Andove tê tantas piquena xique,
Chi a genti sê querê dá un sospiro,
Quano perto per caso a genti passa,
Das bellas figlia lá du Bó Ritiro.

Tegno sodades, ai de ti – Zan Baolo!
Terra chi eu vivo sempre n' un martiro,
Vagabundeano come un begiaflore,
Atraiz das figlia lá du Bó Ritiro

Tenho sodades da garôa fria,
Agitada co sopro du Zefiro,
Quano io durmia ingopa o collo ardenti
Das bellas figlia lá du Bó Ritiro.

(Fonte: BANANÉRE, Juó. *La divina increnca*.
São Paulo: Escola Politécnica da USP, 1993,
pp. 50-1, ed. original, 1924.)

Alexandre Marcondes Machado
ou Juó Bananére.

O Bom Retiro é um bairro de São Paulo próximo à Estação da Luz. Ocupado no início do século XX por edificações modestas, foi um dos tantos bairros ocupados por imigrantes, principalmente italianos. Foi também o bairro onde funcionou a Escola Politécnica de São Paulo, uma das escolas de nível superior que, em 1934, passaram a fazer parte da USP. Juó Bananére é o pseudônimo de Alexandre Marcondes Machado, descendente de uma família paulista tradicional e aluno da Politécnica. É fácil compreender que os interesses dos estudantes da escola incluíssem as jovens imigrantes do bairro e as rodadas de chope, e o poema *Sodades de Zan Baolo* evoca de maneira eficaz o clima de "gandaia" de um período em que os estudantes eram apenas homens.

La divina increnca (um nome que evoca em tom de paródia o título da obra mais célebre da literatura italiana, a *A divina comédia*) já foi lido como uma espécie de epopeia do imigrante italiano em São Paulo, e teria como um de seus grandes méritos o fato de ter sido escrito no português "italianado" dos próprios imigrantes. Mas, sob esse aspecto, sua língua deixa a desejar. Alguns elementos dessa língua provêm certamente da fala dos imigrados italianos (por exemplo, a má realização das vogais nasais que transparece em *Juó* (João) e *Buó* (bom), *tê* e *sê* por *tem* e *sem*, a pronúncia *i* dos *es* finais de *noiti, genti, ardenti*, a presença de expressões como *in coppa a* = em cima de); outros, como o tipo de concordância usado no interior do sintagma nominal (*tantas pequena xique, as bellas figlia do Buó Retiro*), a redução da final *–ndo* a *–no* (no gerúndio *vagabundean(d)o*) e na conjunção *quan(d)o*) são marcas do português não-padrão. Paradoxalmente, a palavra *figlia*, que tem um papel-chave no verso que fecha todas as estrofes do poema, não existe em italiano com esse sentido, o que faz pensar que Marcondes Machado aceitou uma sugestão não-pertinente do francês, uma língua que, como qualquer aristocrata paulista de seu tempo, devia dominar bem. O português dos italianos do Bom Retiro, português de pobres aprendido com pobres, era quase certamente o português *substandard*. Mas ver que a palavra-chave do refrão não é nem portuguesa nem italiana é, afinal, decepcionante, pois mostra que a representação do imigrante lança mão de uma língua fabricada. *La divina increnca* continua sendo uma obra simpática, mas é a obra de alguém que circula em outro espaço.

Apostando menos na reconstrução da língua e mais na reconstrução de tipos humanos, as representações do imigrante que encontramos em Alcântara Machado, Graça Aranha e outros escritores do mesmo período, são, afinal, melhores.

O português no continente sul-americano: as grandes mudanças estruturais do início do século xx

O final do século xix e o início do xx são particularmente importantes para a história do português do Brasil.

Esse período é marcado não só por uma série de fatos e eventos que afetam a língua "de fora para dentro", mas também por algumas importantes transformações estruturais. A literatura brasileira atinge sua plena maturidade, com a atuação de escritores como Machado de Assis e a criação da Academia Brasileira de Letras, fundada em 1897. Consolidam-se as primeiras editoras autenticamente brasileiras e a imprensa ganha maturidade durante as polêmicas suscitadas pelo abolicionismo e pelo debate de ideias dos primeiros anos da República Velha. Esse é também um período de grandes campanhas cívicas, uma das quais é pela alfabetização em massa e conta com a participação de Olavo Bilac.

No novo contexto criado pela República toma força a preocupação em contar com uma escola pública leiga de alto nível, o que resulta na elaboração das primeiras antologias nacionais para uso escolar. A imagem de língua que prevalece na sociedade é a que se pode retirar dos escritores antigos, e a mesma preocupação de preservação da pureza da língua que prevalece na literatura parnasiana também aparece em vários gramáticos que, em seus escritos, combatem os estrangeirismos desnecessários e as formas de expressão mais tipicamente populares, encaradas como uma possível "corrupção".

Enquanto tudo isso acontecia de maneira visível na sociedade, a estrutura sintática do português do Brasil passava por algumas mudanças menos visíveis, mas não menos importantes. Quando se diz que a sintaxe do PB muda no final do século XIX, faz-se referência ao fato de que algumas construções sobrepujam, por assim dizer, outras construções rivais, como última etapa de um processo iniciado vários séculos antes. As mudanças são essas:

- prevalece o uso do "objeto nulo", isto é, a omissão do objeto direto quando ele consistiria num pronome átono:
  (1) *Comprei um livro e li* (em vez de *comprei um livro e li-o*)
- prevalece o uso do sujeito pronominal:
  (2) *eu fiz* (em vez de simplesmente *fiz*)
- prevalece a construção das orações relativas como cortadoras (como em (3)) ou copiadoras (como em (4)), de preferência à construção completa ou clássica (5):
  (3) *a colega que eu saí ontem* (cortadora) ou
  (4) *a colega que eu saí ontem com ela* (copiadora), em vez de
  (5) *a colega com quem saí ontem* (completa ou clássica)
- prevalece o uso da ordem sujeito-verbo (e não verbo-sujeito):
  (6) *ele era adepto da homeopatia*, em vez de *era ele adepto da homeopatia*

No final do século XIX, no português corrente do Brasil, as construções representadas em (1), (2), (3) e (4) passaram a ter um uso quantitativamente superior ao das construções concorrentes, como mostram os estudos realizados pelo sociolinguista Fernando Tarallo,[18] a partir de um alentado *corpus* de escritos informais (sobretudo cartas familiares) que cobrem um período de três séculos.[19]

Essas mudanças são características do português brasileiro: não aconteceram no português europeu, no qual tudo continuou como antes (objetos pronominais expressos, omissão do sujeito pronominal, construção das orações relativas em forma padrão, uso liberado do sujeito posposto); só isso seria motivo para dar-lhes uma atenção especial. Mas para os estudiosos da sintaxe, elas têm um interesse a mais: é que, de acordo com a teoria do linguista americano Noam Chomsky, não se trata de fatos independentes, mas de manifestações de um mesmo rearranjo pelo qual teria passado a sintaxe da língua. Simplificando muito, esse rearranjo consistiu em valorizar a **posição** que os **sintagmas nominais** ocupam em relação ao verbo como principal recurso para marcar sua função. Entendamos o que isso significa: na arquitetura sintática adotada pelo português do Brasil, o sujeito já não "sai" de sua posição pré-verbal, porque essa posição o identifica como sujeito; a posição pós-verbal torna-se marca registrada do objeto direto e identifica-o não só quando ele é um sintagma nominal completo, mas também quando é um pronome "do caso reto" (como *ele*) ou simplesmente uma lacuna (como no caso da omissão do pronome átono). Quanto às orações relativas, o que conta é que o pronome pessoal que aparece na sentença copiadora está exatamente na mesma posição em que o encontraríamos numa oração simples, e essa posição diz qual é sua função sintática. Comparem-se:

encontrei uma colega no shopping,
   (a posição indica que *uma colega* é objeto direto)
encontrei ela no shopping
   (a posição indica que *ela* é objeto direto)
vou mostrar para você a colega que encontrei ela no shopping
   (a posição indica que *ela* é objeto do verbo *encontrei* / *ela* tem por antecedente *a colega* / a palavra *que* funciona como um conectivo entre orações, não tem antecedente e por isso não é verdadeiramente um pronome relativo)

Entendamos também qual é a situação sintática que desaparece: antes da mudança, o português brasileiro (como o português europeu antes e depois de 1900) indicava função sintática por meio de recursos mais diversificados, entre os quais se incluíam algumas operações de **deslocamento**. Os sintaticistas interpretam como resultado de um deslocamento a posposição do sujeito e a construção padrão das orações relativas (pois entendem que, nesta última construção, o pronome relativo "sai" da posição própria de sua função sintática e vai para o início da oração subordinada):

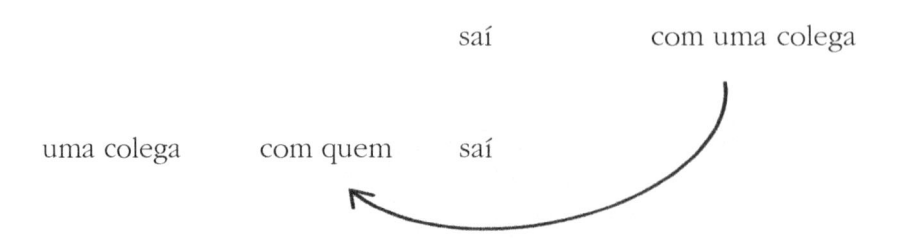

saí   com uma colega

uma colega   com quem   saí

Pode-se resumir tudo isso dizendo que, no final do século XIX, o português do Brasil elegeu a posição como principal estratégia para indicar função sintática, dando menor importância ao movimento. É uma hipótese com pressupostos teóricos muito precisos, que faz sentido no contexto da *Teoria de princípios e parâmetros*, de Chomsky,[20] e que, como a maioria das hipóteses da sintaxe moderna, impressiona antes de mais nada por seu caráter abstrato. Isso não é necessariamente um problema. Se a hipótese estiver correta, significa que, no final do século XIX, enquanto os gramáticos continuavam envolvidos com seus problemas de sempre, o português do Brasil adotou uma sintaxe parcialmente diferente daquela que se utiliza no português europeu. Temos aí uma conclusão de peso, porque a sintaxe tem sido considerada desde sempre o nível de análise linguística mais importante, quando se pretende decidir se estamos diante de uma ou duas línguas.

O português e outras línguas no Brasil de hoje

No Brasil de hoje, há uma coincidência notável entre as divisas políticas e as fronteiras do português com outras línguas (o espanhol, falado em quase todos os países que se limitam com o Brasil, o holandês, o hindustani, o javanês e o chinês, falados no Suriname, o francês e vários crioulos do francês, falados na Guiana Francesa, e o inglês, falado na Guiana). É claro que nas regiões de *fronteira* há fenômenos de interferência e bilinguismo, como mostram as situações mais estudadas: as da região Sul.

A forte coincidência que se nota no Brasil entre limites políticos e limites linguísticos não deve, porém, nos tornar cegos para a existência de algumas **situações de bilinguismo**, isto é, para as situações localizadas em que o português convive com outras línguas. Algumas dessas "ilhas" foram, no passado, quilombos ou comunidades negras formadas depois da abolição, que se fecharam às influências externas por questões de autodefesa (como é o caso da comunidade de Cafundó, no estado de São Paulo), ou áreas colonizadas por imigrantes europeus que conservaram sua língua ou dialeto (caso de muitas comunidades italianas, alemãs, polonesas e japonesas, nos estados do Sul e Sudeste). Algumas dessas comunidades já foram verdadeiras **ilhas aloglotas**, isto é, comunidades de fala não-portuguesa, cercadas por todos os lados pelo português. Mas a política adotada durante o regime do Estado Novo (1937-1944) e durante a Segunda Guerra Mundial (1939-1945), no sentido de forçar a alfabetização em português em todo o território nacional, e de "abrasileirar" aquelas comunidades fez com que, num primeiro momento, elas se tornassem bilíngues e, em seguida, abandonassem a língua trazida pelos primeiros imigrantes. Um bom exemplo, já mencionado, é a cidade de Panambi, que se localiza na região serrana do Rio Grande do Sul, próximo à cidade de Nova Floresta. Ela foi fundada por alemães em 1898 e seu primeiro nome foi alemão, Neu-Württenberg. Estudos feitos há cerca de vinte anos sobre a fala de seus habitantes mostram que o alemão estava desaparecendo com a geração mais antiga, depois de um período de bilinguismo.

A língua "africana" da comunidade do Cafundó

O Cafundó é um bairro rural do município de Salto de Pirapora, que se localiza próximo de Sorocaba, a 96 km de São Paulo. Nesse bairro, vive uma comunidade de negros descendentes de escravos africanos.

Essa comunidade foi "descoberta" em 1978 graças a uma reportagem do jornalista Benê Cleto para o jornal *Cruzeiro do Sul*, de Sorocaba, logo seguida por uma reportagem do *Estado de S.Paulo*. Esses jornais noticiaram que havia sido descoberta uma comunidade na qual se falava uma "língua africana". Tal fato despertou o interesse de historiadores, antropólogos e linguistas, e três pesquisadores, os linguistas Carlos Vogt e Maurizio Gnerre e o antropólogo Peter Fry, começaram imediatamente a estudar essa língua, um trabalho multidisciplinar que resultou no livro *Cafundó, a África no Brasil*.[21] Haveria muitos pontos a destacar nesse trabalho, mas aqui nos concentraremos em alguns aspectos linguísticos da tal "língua africana".

Como ficou demonstrado naquele trabalho, a "língua do Cafundó" é o português, mais precisamente o dialeto caipira, mas é um português com fortes influências do quimbundo (Angola), sobretudo no léxico. Vejam-se estes exemplos:

- o nhamanhara cuendou para coçumbar a cupoia
- vimbundo está cupopiando na marrupa
- nhamanhara cuendou no ingombe do andaru

À primeira vista, essas sentenças parecem incompreensíveis, mas qualquer falante de português conhece boa parte das informações necessárias para decifrá-las. Ele conhece, em particular, as preposições, os artigos, os verbos auxiliares e a morfologia do verbo. O próprio leitor poderá conferir o que estamos dizendo, analisando as glosas das palavras e as traduções das frases completas:

- o nhamanhara cuendou para coçumbar a cupoia
  homem andar / ouvir/escutar voz/fala/verdade
  fazer andar a língua africana
  escolher / passar

  o homem andou para ouvir a conversa

- vimbundo está cupopiando na marrupa
  homem preto falar sono

  o homem preto está falando no sono / sonhando

- nhamanhara cuendou no ingombe do andaru
  homem andar / boi / fogo
  fazer andar vaca

  o homem andou de carro

A comunidade do Cafundó não é a única sobrevivência de falares africanos no Brasil. Já foram estudadas outras comunidades com características parcialmente semelhantes, algumas delas em Minas Gerais (Tabatinga e Arturos), outras também no Mato Grosso, além do já citado crioulo de Helvécia, na Bahia.

Outro contexto de bilinguismo é aquele em que o português convive com línguas indígenas. Segundo dados da Fundação Nacional do Índio (Funai), existiam em 1995, no Brasil, 325.652 indígenas, com maior concentração nos estados do Amazonas (89 mil), Mato Grosso do Sul (42 mil), Roraima (37 mil), Pernambuco (19 mil), Mato Grosso (17 mil), Pará (15 mil), Maranhão (14 mil) e Rio Grande do Sul (13 mil); não havia comunidades indígenas no Piauí, no Distrito Federal e no Rio Grande do Norte; em cada um dos demais estados, a população indígena tinha então menos de 10 mil habitantes, variando entre 8,5 mil na Bahia e 142 em Goiás. Esses indígenas falavam cerca de 180 línguas diferentes; para muitas línguas indígenas, o número de falantes não passava de 100, e apenas em 8 casos ia além dos 5 mil (dados da Universidade de Laval, Canadá):

- línguas do tronco tupi-guarani: xiripá (4,9 mil falantes), guajajára (10 mil), guarani (5 mil), caiová (15 mil);
- línguas do tronco macro-jê: caingang (18 mil), tapacua (8 mil);
- línguas da família arauak: terena (15 mil);
- línguas da família ianomâmi: ianomâmi (9 mil);
- línguas isoladas: ticuna (12 mil)

> O cacique Mário Juruna foi o primeiro indígena a eleger-se para a Câmara dos Deputados. Ele falava um português de transição, fortemente marcado pela presença de expressões e construções da língua de sua nação. Dada a singularidade de sua situação no Congresso Nacional, uma das reações da sociedade, na época, foi a caricatura. A televisão, através de um programa do humorista Jô Soares, manteve no ar por vários meses um quadro em que se representavam os quiproquós causados pelas falas de Juruna, no Congresso. A crer no programa de televisão, as falas de Juruna eram uma fonte inesgotável de incompreensões e um eterno risco de gafes políticas. Decerto, o humorismo de Jô Soares contribuiu para divulgar o fato de que um indígena estava ocupando uma das cadeiras do Congresso; menos certo é que tudo, no quadro, fosse politicamente correto e que ele tenha ajudado a tornar mais claros os aspectos linguísticos da questão indígena.

Convém ter esses números em mente quando se leem os mapas que localizam as línguas indígenas no território brasileiro (como os que se apresentam logo adiante). Com efeito, os números relativos aos falantes de línguas indígenas contrastam muito com os números referentes às "reservas indígenas": como vimos, a Funai reconhece 554 destas últimas, com uma área total considerável (cerca de 11% do território brasileiro). Mas os números de falantes de línguas indígenas mostram, de maneira mais realista, a tendência ao desaparecimento e à integração forçada.

Glossário de termos relativos às línguas indígenas brasileiras (baseado no *Dicionário Houaiss*):

Guarani: língua da família linguística tupi-guarani, falada pelos guarani; grupo indígena que habita o Mato Grosso do Sul e do Rio de Janeiro ao Rio Grande do Sul, onde se divide nos subgrupos caiová, embiá e nhandeva; no passado, esse grupo e alguns subgrupos ou parte deles eram também conhecidos como araxá, cainguá, carijó, guaianá, ouitatin. Os guaranis encontram-se também na Bolívia e no Paraguai.

Língua geral: língua geral é a língua que os conquistadores impunham às populações submetidas, ao encontrarem nas terras conquistadas várias línguas diferentes entre si; podia ser uma única língua entre as efetivamente faladas ou uma língua artificial, mistura das línguas efetivamente faladas.

Macro-jê: tronco linguístico ao qual pertencem as seguintes línguas: caingang, xavante, tapacura, timbira, caiapó, bororo etc., e que se encontra principalmente nas regiões brasileiras afastadas da costa.

Nheengatu: literalmente significa "língua boa". É a língua geral que se desenvolveu no norte do Brasil e que até hoje é utilizada em alguns municípios.

Tapuia: denominação dada pelos portugueses a indígenas dos grupos que não falavam línguas do tronco tupi e que habitavam o interior do país; também pode significar indígena subjugado ao branco, tendo perdido alguns traços de sua própria civilização.

Tupi: tronco linguístico que compreende, no Brasil, dez famílias vivas, distribuídas por 14 estados; estende-se também pelos seguintes países Guiana Francesa, Venezuela, Colômbia, Peru, Bolívia, Paraguai e Argentina.

Tupi-guarani: família linguística (tronco tupi) com a maior distribuição geográfica no Brasil, estendendo-se por 13 estados e compreendendo cerca de 20 línguas vivas, com pequena diferenciação interna; também falada nos seguintes países: Guiana Francesa, Venezuela, Colômbia, Peru, Bolívia, Paraguai e Argentina.

Tupinambá: 1. língua da família linguística tupi-guarani, falada pelos tupinambás. Era chamada "língua brasílica" no século XVII, e "língua geral" quando falada pela população não indígena; foi se transformando ao longo dos séculos, e sobrevive no nheengatu. 2. Denominação dada aos indígenas dos grupos de filiação linguística tupi que habitaram a costa brasileira.

Línguas indígenas

Restam hoje no Brasil aproximadamente 180 línguas indígenas. Não há acordo entre os linguistas quanto à melhor maneira de reuni-las em troncos, famílias, línguas e dialetos. O maior consenso consiste aparentemente em dividir as línguas em dois grandes troncos, o macro-jê e o tupi-guarani ou macro-tupi, agrupando as restantes em famílias, além de um grupo de línguas isoladas. Os mapas a seguir ilustram a distribuição no território brasileiro dos principais representantes dessas línguas.

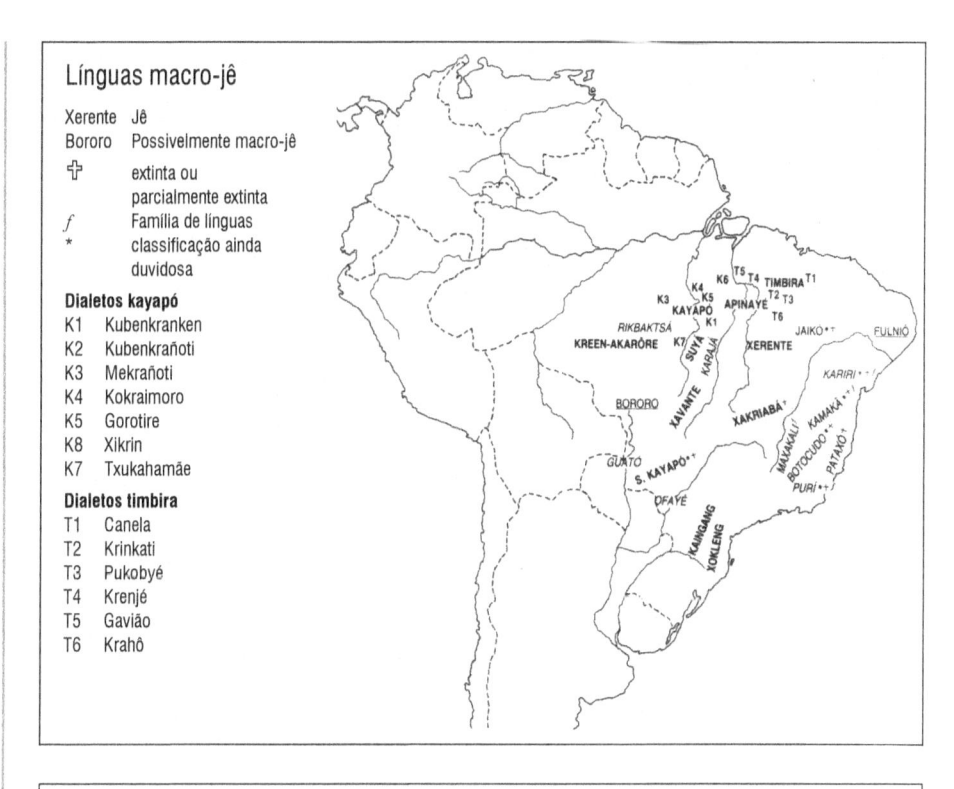

Línguas macro-jê

Xerente   Jê
Bororo   Possivelmente macro-jê
✝   extinta ou parcialmente extinta
f   Família de línguas
*   classificação ainda duvidosa

Dialetos kayapó
K1   Kubenkranken
K2   Kubenkrañoti
K3   Mekrañoti
K4   Kokraimoro
K5   Gorotire
K8   Xikrin
K7   Txukahamãe

Dialetos timbira
T1   Canela
T2   Krinkati
T3   Pukobyé
T4   Krenjé
T5   Gavião
T6   Krahô

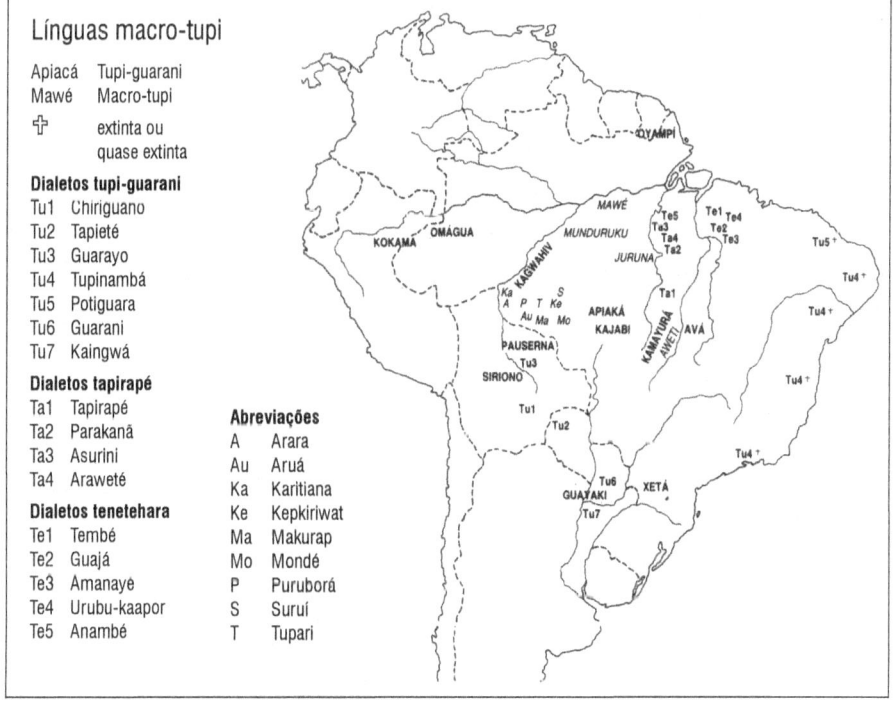

Línguas macro-tupi

Apiacá   Tupi-guarani
Mawé   Macro-tupi
✝   extinta ou quase extinta

Dialetos tupi-guarani
Tu1   Chiriguano
Tu2   Tapieté
Tu3   Guarayo
Tu4   Tupinambá
Tu5   Potiguara
Tu6   Guarani
Tu7   Kaingwá

Dialetos tapirapé
Ta1   Tapirapé
Ta2   Parakanã
Ta3   Asurini
Ta4   Araweté

Dialetos tenetehara
Te1   Tembé
Te2   Guajá
Te3   Amanayé
Te4   Urubu-kaapor
Te5   Anambé

Abreviações
A   Arara
Au   Aruá
Ka   Karitiana
Ke   Kepkiriwat
Ma   Makurap
Mo   Mondé
P   Puruborá
S   Suruí
T   Tupari

Línguas karib

✞ extinta ou praticamente extinta

Abreviações
Aka. Akawáio
Mak. Makuxi
Pan. Panare
Pem. Pemóng
Sal. Salumã
Wai. Waiwai
War. Warikyana
Way. Wayana
Yav. Yvarana
Yek. Yekuana

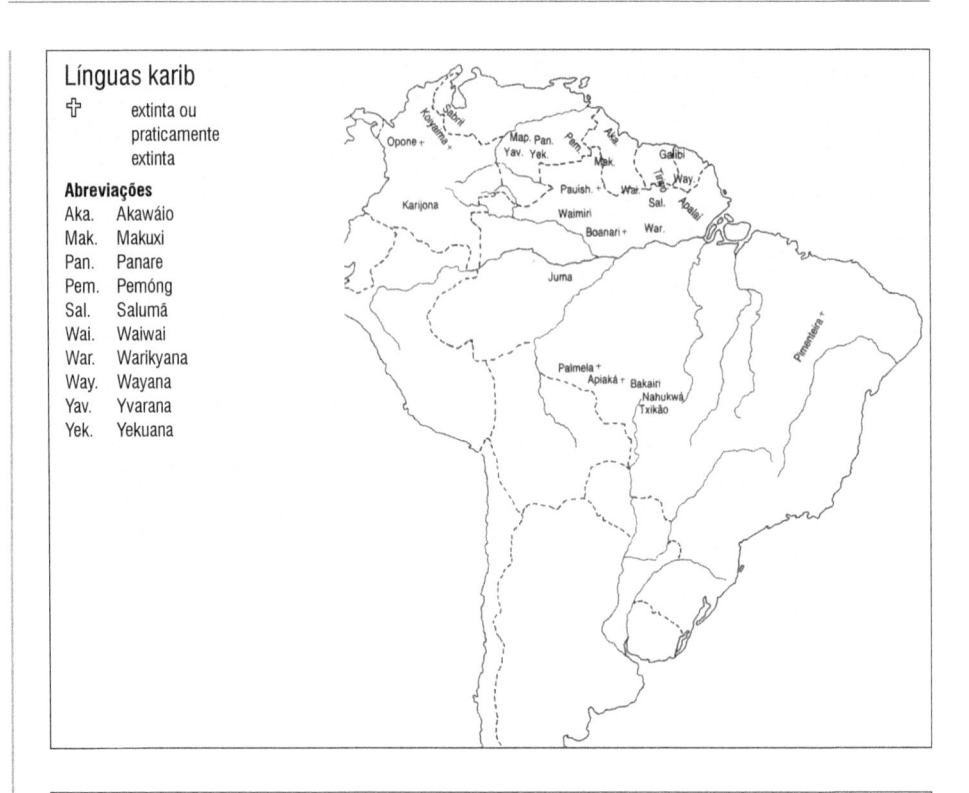

Línguas arawak

Waurá central
Acha setentorial
<u>Terena</u> meridional
<u>Amu</u> ocidental
Pa. oriental
Cul.* Arawak não-Maipure

Abreviações
Acha Achagua
Amu Amuesha
Ap Apurinã
Ash Ashaninca
Cab Cabiyari
Cham Chamicuro
Cur Curripaco
Gua Guajiro
Ig Ignaciano
Lok Lokono
Mach Machiguenga
Pa Palikur
Pia Piapoco
Res Resigaro
Ta Tariano
Wap Wapixana
Yav Yavitero
Yuc Yucuna

Não-maipure
Deni*
Aruan: Kul* Kulina
Pau* Paumari
Yam* Yamamadi

Guah.: Cuiba
Guay* Guayavero
Guah* Guahibo

Puq* Puquina
Har* Harakmbet

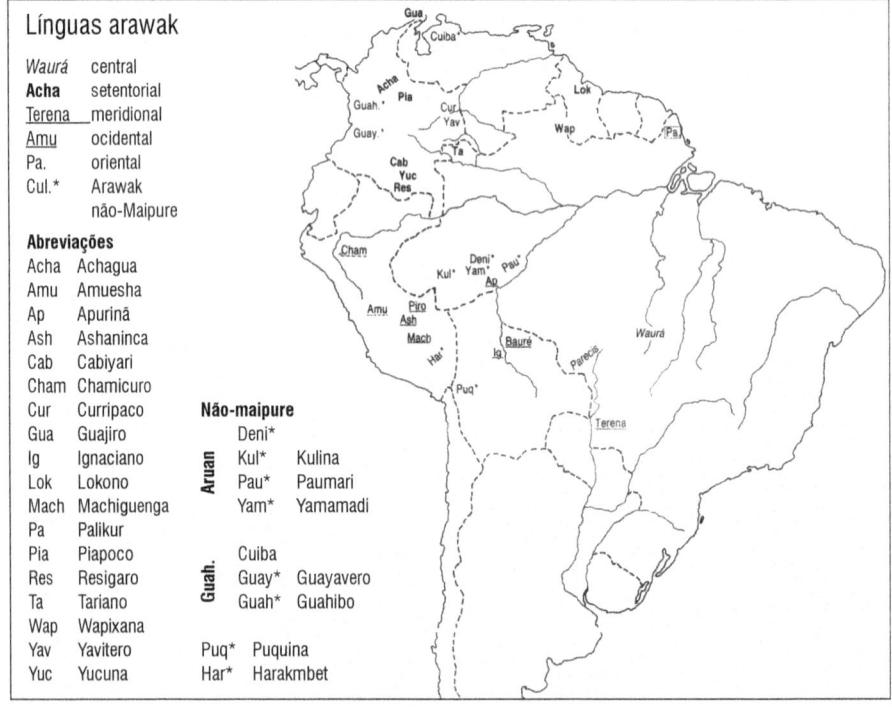

Famílias menores

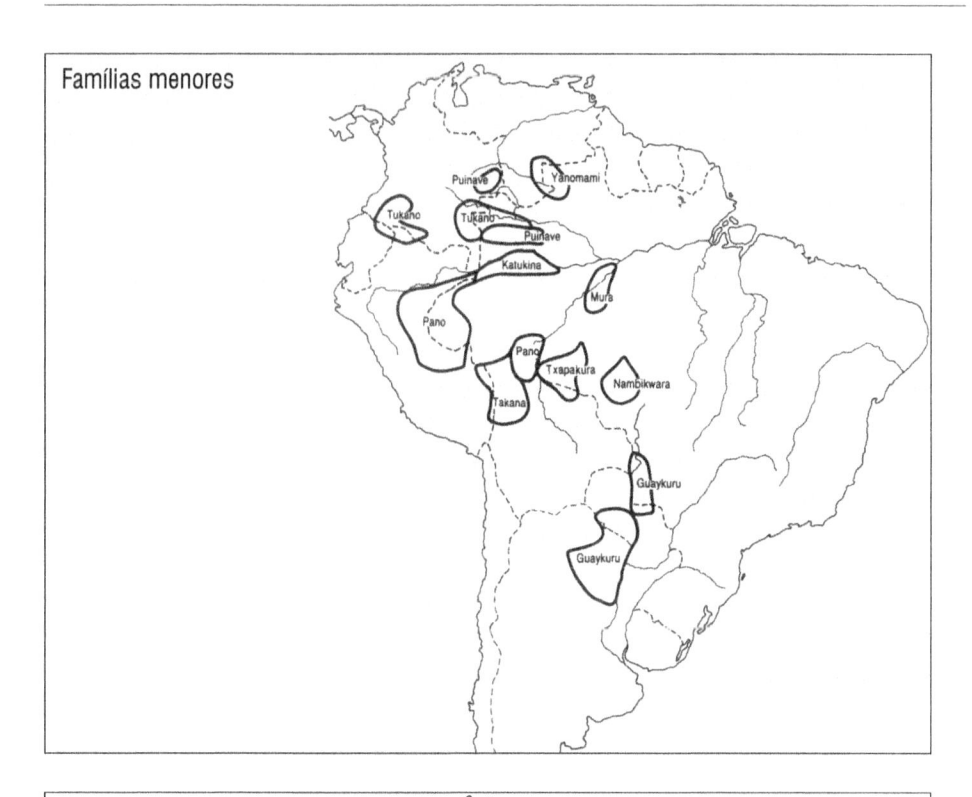

Línguas isoladas e famílias reduzidas

✣ extinta ou parcialmente extinta
f Família

Abreviações
And.	Andoque
Au.	Auishiri
Cay.	Cayuvava
Chiq.	Chiquito
C.	Choco
Gam.	Gamela
Gor.	Gorgotoki
Hu.	Huari
Ir.	Irántxe
Ito.	Itonama
Itu.	Itucale
Jab.	Jabuti
Kan.	Kanichana
Kap.	Kapixaná
Kat.	Katembri
Ko.	Kobaia
Kuk.	Kukurá
Mo.	Movima
Mun.	Munichi
Mur.	Murato
N.	Natú
Omu.	Omurano
Pan.	Pankarurú
Sab.	Sabela
Tar.	Tarairiú
Taru.	Taruma
Tr.	Trumai
Tu.	Tushá
Um.	Umán
Yur.	Yuracare
Yuri.	Yurimangui

Notas

1. MEC, 1972, p. 83.
2. Dados: http://www.ipm.org.br/an.php. Embora haja consenso quanto ao fato de que o analfabetismo representa um seríssimo *handicap* para a vida de qualquer pessoa na sociedade atual, não existe consenso quanto ao modo como deve ser definido um analfabeto. No passado, os censos consideraram analfabetas as pessoas que não sabiam escrever o próprio nome e assinavam em cruz. Desde 1950, o IBGE adota o critério da Unesco: ser analfabeto é não saber escrever uma mensagem simples, numa língua qualquer aprendida. A história do analfabetismo, no Brasil, pode ser dividida em dois momentos: entre 1872 e 1980, o número de analfabetos diminui progressivamente em termos relativos (de 82% para 25%), ao passo que cresce em termos absolutos (de 7,2 milhões para 32,7 milhões); a partir de 1980, há um decréscimo, tanto em termos absolutos quanto relativos. Em 2000, segundo o IBGE, os analfabetos eram 27,6 milhões na população de 5 anos ou mais e 16,2 milhões na população de 15 anos ou mais. Ver Ferraro (2002). Castilho (2004), inclui o problema do analfabetismo, com outros que evocam o contexto do ensino básico, entre os principais problemas de política linguística que o país tem pela frente. Em seu tratamento, ele apresenta números diferentes dos que foram dados acima, extraídos dos levantamentos do Instituto Nacional de Estudos e Pesquisas Educacionais, do Ministério da Educação (Inep).
3. Maria Isolete Pacheco Alves, Atitudes linguísticas de nordestinos em São Paulo, Campinas, 1979, Dissertação (Mestrado) – Unicamp.
4. Aryon Rodrigues, Línguas brasileiras: para o conhecimento das línguas indígenas, 2. ed., São Paulo, Loyola, 1994.
5. A ortografia foi adaptada, para maior facilidade de leitura.
6. Esses dois números correspondem às estimativas de Rodrigues (1994) e Houaiss (1985), respectivamente.
7. Ver Gilvan Müller de Oliveira, Política linguística, política historiográfica: epistemologia e escrita da história da(s) língua(s) a propósito da língua portuguesa no Brasil Meridional (1754-1830), Campinas, 2004, Tese (Doutorado) – Unicamp.
8. Aryon D. Rodrigues, op. cit.
9. Sobre alguns desses problemas, ver W. D'Angelis e J. Veiga (orgs.), Leitura e escrita em escola indígenas, Campinas, ALB e Mercado de Letras, 1997.
10. Em construções como *eles foi, as menina bonita*.
11. A influência africana no português do Brasil, 1948, 2004a, pp. 110-1.
12. Rosa Virgínia Mattos e Silva, Para uma sócio-história do português brasileiro, São Paulo, Parábola, 2004a.
13. L. C. Villalta, "O que se fala e o que se lê: língua, instrução e cultura", in L. de Mello e Souza (org.), História da vida privada no Brasil, vol. I – Cotidiano e vida privada na América Portuguesa, São Paulo, Companhia das Letras, 1997.
14. Rosa Virgínia Mattos e Silva, O português são dois: novas fronteiras, velhos problemas, São Paulo: Parábola, 2004b.
15. Silva Neto, História da língua portuguesa, Rio de Janeiro, Presença, 1957, p. 52.
16. Ver Ute Baenert-Fuerst, "Processos de conservação e deslocamento da língua alemã na comunidade de fala de Panambi, Rio Grande do Sul, Brasil", in Atas do IX Congresso Internacional da Associação de Linguística e Filologia da América Latina (ALFAL) – vol. IV, Campinas, ago. 1990, Unicamp/IEL, 1998, pp. 131-42.
17. Gilvan Müller de Oliveira, op. cit., p. 20.
18. Fernando Tarallo (org.), Fotografias sociolinguísticas, Campinas, Editora da Unicamp, 1989; "Diagnosticando uma gramática brasileira: o português d' aquém e d' além mar ao final do século XIX", in Roberts e Kato (orgs.), Português brasileiro: uma viagem diacrônica, Campinas, Unicamp, 1993, pp. 69-105.
19. Tarallo mostra, por exemplo, que a retenção do objeto direto pronominal se reduz de cerca de 89% (1725), para cerca de 18% em 1981; no mesmo período, torna-se mais frequente a anteposição do sujeito ao verbo, e mais rara sua posposição (inclusive em orações interrogativas); quanto à oração relativa, a construção "cortadora" passa de 1% (1725) para 60% (1880).
20. Para uma exposição didática, ver G. Chierchia, Semântica, Campinas, Editora da Unicamp, 2003; Mioto et al., Novo Manual de Sintaxe, Florianópolis, Insular, 2004.
21. Vogt, Carlos, Gnerre, Maurizio e Fry, Peter, Cafundó, a África no Brasil, São Paulo/Campinas, Companhia das Letras/Editora da Unicamp, 1996.

Algumas características do português brasileiro

Num passado não muito distante, falar das características que distinguem uma língua de todas as outras já foi uma forma de demonstrar cultura. Comentavam-se, então, os assim chamados "idiotismos": traços da morfologia, sintaxe ou léxico pelos quais uma língua aparece como única e inconfundível. No domínio do português, esse tipo de interesse chamou a atenção para alguns sons (como os ditongos nasais), para alguns tempos e modos do verbo (como o futuro do subjuntivo e o infinitivo pessoal) e para algumas construções sintáticas (como a colocação dos pronomes entre o radical e a desinência do futuro (*ama-lo-ei*) ou a possibilidade de coordenar dois advérbios de modo, como em *decidida e francamente*); além disso, criou um verdadeiro culto em torno da palavra "saudade", que chegou a ser considerada intraduzível para outras línguas por ter um sentido que apenas os falantes de português seriam capazes de entender.

Buscando a especificidade numa direção completamente diferente, os filólogos que escreveram sobre o português do Brasil nas décadas de 1950 e 1960 tentaram explicar algumas de suas características apresentando-o como uma "língua mais antiga" do que o português europeu.

Antologia
Português do Brasil: um português mais antigo

A partir da década de 1940, ganhou adeptos no Brasil a ideia de que o português aqui falado é mais arcaizante do que o português europeu, uma ideia que voltou recentemente com bastante força. Transcrevemos abaixo alguns trechos de autores respeitados que dão argumentos para essa ideia.

> [...] a pronúncia de e como a fechado, antes de palatal (ch, x, j e nh) é uma inovação lisboeta bastante moderna, que não chegou a estender-se por grandes zonas [de Portugal]. Dessarte, a pronúncia sâja, fâcho, lânha, abâlha é, ao menos por enquanto, uma pronúncia da capital [Lisboa]. [...] A pronúncia carioca (e de todo o Brasil) proferindo sêja, fêcho, lênha, abêlha, com ê fechado, não faz senão repetir aquela que ouviu dos colonizadores do século XVI, que afinal se mantém em quase todo o país.
> (SILVA NETO, Serafim da. *História da língua portuguesa*. 2. ed. aum. Rio de Janeiro: Livros de Portugal, 1970, pp. 608-9.)

> Este ritmo vocabular e frasal ainda atual no Brasil, sem que as vogais átonas sejam absorvidas ou "engolidas" como o fazem, em geral, os portugueses, é marca registrada da língua de nossos colonizadores no século XVI. Fernão de Oliveira, autor da primeira gramática do português, dá-nos disto testemunho: "e outras nações cortam vozes apressando-se mais em falar, mas nós falamos com grande repouso como homens assentados".
> Além do testemunho de Oliveira, temos os dos poetas e, entre estes, especialmente lembremos Luís de Camões: os versos de Os Lusíadas lidos pelo poeta como de dez sílabas métricas, também o são na pronúncia geral do Brasil e, não sem razão, o saudoso linguista e filólogo patrício Sílvio Elia, o considerava o primeiro poeta brasileiro. A um português de hoje, os mesmos versos poderão parecer metricamente mal elaborados: era o que pensava Antônio Feliciano de Castilho, ao ler Camões com pronúncia lusitana do século XIX.
> Até o século XVI predominava na língua portuguesa escrita a próclise, que ficou no Brasil. Depois, com o fortalecimento da sílaba tônica, o português passou a optar pela ênclise, exatamente porque a átona, sendo muito final, sendo muito átona, o acento frásico teve de se apoiar na sílaba tônica da palavra, e as palavras átonas passaram a enclíticas.
> (BECHARA, Evanildo. Apud CASTILHO, Célia Maria Moraes de. *O processo de redobramento sintático em português medieval*. Campinas, 2005. Tese (Doutorado) – Unicamp.)

> No caso de nossas perífrases [estar + gerúndio, preferida no português do Brasil, e estar + infinitivo preposicionado] [...] constatei uma mudança de posição a este respeito: a perífrase de infinitivo, periférica nos primeiros séculos da língua, torna-se central em Portugal, mantendo-se no Brasil a centralidade da perífrase de gerúndio. Esta seria, portanto, uma prova da ancianidade do Português do Brasil, fato bem referido na literatura [...].
> (CASTILHO, Célia Maria Moraes de. *O processo de redobramento sintático em português medieval*. Campinas, 2005. Tese (Doutorado) – Unicamp.)

A pesquisa linguística mais recente fez com que o estudo da especificidade das línguas se identificasse com a tarefa de enquadrá-las em "parâmetros", no sentido técnico que foi dado ao termo pelo linguista americano Noam Chomsky. A teoria chomskiana dos "Princípios e Parâmetros"[1] defende o ponto de vista de que as línguas humanas são muito mais parecidas entre si do que se imagina e que suas diferenças se reduzem a uma escolha entre diferentes pacotes de soluções estruturais que incluem, por exemplo, a possibilidade de construir sentenças sem sujeito (português *Chove*, em oposição ao francês *Il pleut*) ou a anteposição/posposição dos modificadores em relação às palavras modificadas (inglês *new castle*, *Newcastle* em oposição ao português *castelo novo*; francês atual *chateau neuf*, em oposição aos topônimos *Chateauneuf* e *Neuchâtel*, que remontam ao francês antigo). Neste livro, já tocamos na questão das diferenças paramétricas quando vimos que o português europeu continua omitindo sem problemas o sujeito pronominal, ao passo que em português do Brasil sua explicitação está-se tornando cada vez mais frequente (ver capítulo "O português na América").

Há méritos tanto no programa que leva à caça dos idiotismos como no método que procura enquadrar a língua nos parâmetros chomskianos. O primeiro fez aparecer uma série de particularidades que fazem pensar na relação entre língua e cultura, língua e estilo. A análise do ponto de vista dos parâmetros, independentemente das descobertas a que leva, lembra que uma língua, mesmo tendo características que a distinguem de todas as demais, é sempre muito mais do que uma lista de fatos isolados, e que sua singularidade, longe de ser confirmada pela descoberta de palavras ou construções que faltam em outras, resulta sempre do fato de que aproveita, de um modo particular, possibilidades estruturais que são próprias da linguagem humana, em geral. Quanto à ideia de que o PB seria uma língua "mais antiga" do que o PE, é indiscutível que estimulou a comparação e forneceu um motivo a mais para explorar a história da língua.

Apesar dos méritos dessas abordagens, adotaremos aqui outra, que consistirá em recordar alguns fatos do português do Brasil que o leitor conhece e fazer, a partir deles, algumas reflexões de caráter um pouco mais geral. Pensamos que todo profissional da linguagem tem interesse em cultivar essa perspectiva, que é rara hoje tanto no estudo da gramática como na pesquisa linguística de ponta.

Neste capítulo, falaremos apenas do português do Brasil. A exposição será muito informal, o que não impede que o leitor com vocação teórica a reconstitua nos termos das teorias de que é adepto; para maior facilidade, seguiremos uma hierarquia de níveis estruturais que é bastante conhecida e geralmente aceita: fonética/fonologia > morfologia > sintaxe > léxico.

Fonética/Fonologia

O PB conta com um sistema fonológico de 31 fonemas, dos quais 10 são vocálicos (quadro 1) e 21 são consonantais (quadro 2).

Quadro 1: Fonemas vocálicos do português brasileiro

	(anteriores)		centrais		posteriores	
	arred.	não-arred.	arred.	não-arred.	Arred.	não-arred.
alta		i ɪ			u ʊ	
média-alta		e			o	
média-baixa		ɛ		ɐ	ɔ	
baixa				a		

Adaptado de Cristófaro Silva (1998).

Como se pode notar, o quadro das vogais orais trata como fonemas diferentes [o] e [ɔ], [e] e [ɛ] – duas distinções que não são em geral marcadas pela escrita (cp. *poço / posso; cesta / sesta*). Somando esses quatro fonemas à vogal baixa /a/ e às duas altas /i/ e /u/, chega-se a um inventário de sete vogais orais. Esses sete fonemas só entram mesmo em oposição na posição tônica das palavras. Em posição átona, particularmente em posição átona final, as oposições [o]-[u], [e]-[i] são normalmente neutralizadas, ficando em seus lugares, respectivamente, os fones [ʊ] e [ɪ]. Em posição final, encontramos também o fone [ɐ], ao invés de [a]. Em posição átona pré-tônica o PB apresenta as cinco vogais [a], [e], [i], [o] e [u] e algumas variedades regionais apresentam também [ɛ] e [ɔ].

As cinco vogais [a], [e], [i], [o] e [u] podem ser nasalizadas, conforme indicam os seguintes pares de palavras: *cato* vs *canto* (/a/ vs /ã/), *rede* vs *rende* (/e/ vs /ẽ/), *pito* vs *pinto* (/i/ vs /ĩ/), *troco* vs *tronco* (/o/ vs /õ/), *juta* vs *junta* (/u/ vs /ũ/).[2] Para representar a nasalização dessas vogais, os linguistas recorrem à noção de **arquifonema**, que, intuitivamente, pode ser entendida como a representação fonológica de variantes fonéticas que não resultam em palavras diferentes (as diferentes realizações do <r> em início de palavra, ora como uma consoante vibrante múltipla, ora como uma consoante fricativa, são um exemplo disso, e para representá-las é comum lançarmos mão do arquifonema /R/). Para o caso da nasalidade, o arquifonema será representado por /N/, pois ele pode ser realizado de modos diferentes, desde uma porção vocálica oral, porção vocálica nasal até um murmúrio nasal puro. Assim, a transcrição fonológica de *cato* e *canto* será /cato/ e /caNto/.[3] A nasalidade pode, aliás, caracterizar inteiros ditongos, como acontece nas sílabas finais das palavras *cantaram* e *cantarão*, que são compostas exatamente pelos mesmos segmentos, o último dos quais é o ditongo nasal [ãũ̯] (a escolha das grafias <–am> e <–ão> é apenas uma convenção para indicar se o ditongo é átono ou tônico).

Quadro 2: Fonemas consonânticos do português brasileiro.

		bilabiais	labiodentais	dentais	alveopalatais	palatais	velares
oclusivas	surdas	p		t			k
	sonoras	b		d			g (galo)
fricativa	surdas		f	s	ʃ		R(rosa)
	sonoras		v	z	ʒ		
nasais	(sonoras)	m		n		ɲ(vinho)	
semivogais	(sonoras)			l		ʎ (velha)	w (réu)
				ɾ (caro)		j (pai)	

Entre as consoantes, nota-se a presença dos quatro fonemas palatais /ʒ/, /ʃ/, /ɲ/, /ʎ/ (como em nojo, bucho, manha, malha), bem como a presença de dois "róticos": /R/ e /ɾ/. Esses róticos têm uma fonotática própria, isto é, uma distribuição diferenciada: /ɾ/ aparece em pouquíssimas variantes do português brasileiro em posição inicial de palavra, nunca em posição interna depois de sílaba nasal ou travada por consoante (note-se que a pronúncia do <r> em *melro* e *tenro* é a mesma de <rato> e <correr>).

O quadro 2 dá conta do fato de que o português do Brasil não usa nenhuma consoante africada como fonema à parte. De fato, os sons [tʃ] e [dʒ] são correntes na fala de muitas regiões brasileiras, mas representam a realização fonética dos fonemas /t/ e /d/, quando estes são seguidos de /i/ em qualquer posição (tônica *tipo* [ˈtʃipʊ]; pré-tônica *tijolo* [tʃiˈʒolʊ]; e pós-tônica *médico* [ˈmɛdʒikʊ]), e seguidos de /e/ em posição pós-tônica, como em *ponte* [ˈpõtʃɪ] e *grande* [ˈgrãdʒɪ], em que, foneticamente, é realizado como um [ɪ].[4]

A referência ao modo como os fonemas /t/ e /d/ são pronunciados antes de /e/ e /i/ nos leva a um capítulo importante da fonologia do português do Brasil: o das diferentes realizações dos fonemas conforme o ambiente em que aparecem. Um dos tantos fenômenos a considerar neste capítulo é a realização do fonema /l/ em final de sílaba: nessa posição, o /l/ se realiza principalmente como [ɫ], isto é, como uma consoante retroflexa, ou confunde-se com a semivogal /w/. A palavra que escrevemos <salto> será então pronunciada [salto], [saɫtʊ] ou [sawtʊ], conforme a região. É um fenômeno que temos interesse em perceber, porque cria complicações na escrita, dando origem não só a grafias até certo ponto previsíveis como <pardau> por <pardal>, <mau> por <mal>, mas também a coisas mais surpreendentes, como <sala de alla> por <sala de aula>.

Costuma-se dizer que o acento de palavra, em português, cai na última, penúltima ou antepenúltima sílaba, conforme a velha classificação das palavras em oxítonas, paroxítonas e proparoxítonas. Na fala brasileira, essa distinção é de algum modo desmentida pela pronúncia dada a palavras como *técnico*, que não é ['tɛk-ni-kʊ] mas ['tɛ-ki-ni-kʊ], com acento na primeira sílaba (que, no caso, precede a antepenúltima). Pronúncias como essa exemplificam o fenômeno conhecido como epêntese: a inserção de uma vogal "epentética" desfaz um tipo de travamento de sílaba que não é sentido como normal no português do Brasil: de fato, não é comum encontrar em final de sílaba as oclusivas /p/, /t/, /k/, /b/, /d/, /g/. Dada a pronúncia corrente dessas palavras, não surpreende encontrar grafias erradas (mas à sua maneira coerentes) como <téquinico>, <ápito> ou mesmo <séquisso> (por <técnico>, <apto> e <sexo>).

Morfologia

As flexões do verbo

Como a maioria das línguas românicas, o português herdou do latim uma morfologia verbal bastante rica, que os gramáticos têm descrito recorrendo aos conceitos de conjugação (primeira, segunda e terceira), modo, tempo, pessoa e número. É assim que, da forma *deveríamos*, se diz que é uma forma do verbo *dever*, (1) um verbo da segunda conjugação (cujo infinitivo termina em *-er*), que (2) está no modo indicativo, mais precisamente (3) no tempo futuro do pretérito, (4) primeira pessoa (5) do plural.

O paradigma de conjugação dos verbos portugueses inclui, como se sabe, alguns "tempos" que inexistem nas outras línguas latinas, entre eles o futuro do subjuntivo (*se eu fizer, quando eu puder*) e o infinitivo flexionado (*trouxe o carro para nós consertarmos*). Nas variedades do português que conservam o uso de pronomes átonos, existe além do mais a possibilidade de colocar o pronome átono entre o radical e a desinência dos futuros: *encontrar-nos-emos, fá-lo-ia*.

Todos os verbos que vão sendo criados na língua entram para uma ou outra das três conjugações ditas regulares (de que se tomam tradicionalmente como exemplos *amar, vender* e *partir*), e isso tem aumentado, historicamente, o peso desses paradigmas.

As gramáticas dedicam extensas seções aos verbos ditos "anômalos", que são de dois tipos: os "irregulares" (que não seguem à risca nenhum dos três paradigmas de conjugação mais comuns) e os "defectivos" (que apresentam uma conjugação em que faltam formas).

A propósito dos irregulares, é útil lembrar que irregularidade não quer dizer caos. Os verbos irregulares podem ser subdivididos em grupos que seguem exatamente o mesmo modelo (*barbear, bobear, bronzear, cear...* conjugam-se como *passear; mediar, ansiar, remediar, incendiar* e alguns outros conjugam-se como *odiar;* todos os verbos cujo infinitivo termina em *–uir* conjugam-se como *possuir* etc.). Ou seja, em vez de dividir o capítulo da conjugação em quatro blocos, correspondentes aos três paradigmas regulares mais um quarto de despejo, onde estaria o caos, convém pensar que existe na língua uma quantidade maior de modelos de conjugação: 1-*amar,* 2-*vender,* 3-*partir,* 4-*passear,* 5-*odiar,* 6-*possuir,* 7-*ter* etc. Os paradigmas tradicionalmente chamados de regulares são aqueles que aceitam verbos novos; os outros são, por assim dizer, paradigmas fossilizados; aplicam-se a um número variável de verbos, que pode passar da dezena (como no caso de *passear*), ou reduzir-se a um só (caso de *ser*). A propósito: verbos como *caçar* (*eu caço, tu caças,* mas *cacei, cacemos*) não têm nada de irregular: a alternância <c> / <ç>, utilizada para garantir a mesma pronúncia [s] em todas as formas, não é uma complicação da conjugação, e sim da grafia.

Uma tendência à regularização dos paradigmas anômalos pode ser observada em alguns "erros" que são cometidos com mais frequência pelos usuários da língua; por exemplo, o uso de *predizeu* por *predisse.* O modo como os falantes lidam com a distinção entre infinitivo pessoal e subjuntivo futuro também pode ser explicado por uma tendência à regularização. Na variedade culta de língua, esses dois tempos são formados pela aplicação de desinências a dois radicais diferentes: o do perfeito e o do presente, mas esses radicais são idênticos para os verbos regulares e para muitos irregulares: *essa música foi escrita para Zeca Pagodinho cantar / se Zeca Pagodinho cantar essa música...; falei isso bem alto para todo mundo ouvir / se você ouvir alguma coisa a respeito, me avise imediatamente*; assim, não admira que haja uma forte tendência a analisá-las como se fossem a mesma forma, criando futuros do subjuntivo como *assim que ele vir até aqui, converso com ele* ou *se ele saber disso vai ficar zangado, quando eles porem a cabeça no lugar, vão se arrepender,* e assim por diante (as formas padrão, não custa lembrar, seriam, respectivamente, *vier, souber* e *puserem*).

No que diz respeito aos verbos defectivos, o uso corrente mostra uma tendência a completar o paradigma de alguns. Por exemplo, é cada vez mais comum ouvir falar (e encontrar em textos escritos) sentenças como *Estes produtos não se adequam às normas.* A surpresa aqui é a forma *adequam* (acentuada no *e*): de acordo com a tradição da língua, o verbo *adequar* só tem as formas que os especialistas chamam de "arrizotônicas", isto é, formas em que o acento cai na desinência.

Ao lado das vozes do verbo que as gramáticas incluem sistematicamente no paradigma de conjugação, o português desenvolveu uma série de perífrases verbais, formadas por meio de um verbo auxiliar. Isso amplia bastante – muito além daquilo que as gramáticas sugerem – as possibilidades de utilizar as bases verbais disponíveis na língua. Considerem-se, por exemplo, as formas (se eu) *telefonasse*, (eu) *telefonarei*, (eu) *tenho telefonado*, (eu) *vou telefonar*, (eu) *acabo de telefonar*, (eu) *estou telefonando*, (eu) *vou estar telefonando*, (eu) *dei uma telefonada*: De acordo com as gramáticas, apenas as três primeiras fazem parte do paradigma de conjugação verbal; as demais não chegam sequer a ser lembradas. Ao contrário, interessa perceber que todas essas formas aproveitam uma mesma base lexical e que seu uso é particularmente frequente: *estou telefonando* é a forma mais usada para descrever uma ação simultânea à fala (é o verdadeiro presente do indicativo do português do Brasil) e resulta de um processo de formação semelhante ao que deu origem a *terei telefonado*, que, embora seja registrado pelas gramáticas, tem uma frequência de uso praticamente nula.

Por sua vez, *dei uma telefonada / fiz um telefonema* exemplifica um outro processo de formação bastante produtivo no PB atual: o uso de verbos-suporte ou verbos-leves. O uso de verbos-suporte permite alternâncias que fazem pensar em uma verdadeira "voz do verbo": *levar um tapa de alguém, dar um tapa em alguém*; *passar uma descompostura, tomar uma surra*. Mas os verbos-suporte não precisam necessariamente ser acompanhados por uma base-verbal: quando dizemos *João deu uma cabeçada na parede*, reportamo-nos ao substantivo *cabeça*, e não a um hipotético verbo *cabeçar* que não existe, nem a *cabecear*, que é do futebol e tem um sentido diferente.

As flexões dos nomes

A Nomenclatura Gramatical Brasileira não inclui entre os termos recomendados para a elaboração de gramáticas a palavra *nome*. Nós a usaremos aqui no seu sentido tradicional, que abrange os substantivos e os adjetivos. A morfologia flexional dos nomes é menos complexa que a dos verbos: limita-se na prática às categorias de gênero e número. O assim chamado "grau do substantivo" é um recurso sempre disponível e bastante produtivo, mas lança mão de sufixos, e por isso tem de ser incluído, antes de mais nada, na morfologia derivacional; o "grau do adjetivo" se faz cada vez menos por recursos morfológicos (que se limitam à aplicação dos sufixos –*íssimo* e –*érrimo*, como em *baratíssimo* e *chiquérrimo*) e cada vez mais por meio de construções (como *muito chique, mais barato*); parece claro que não faz sentido tratar dessas "flexões de grau" como fatos morfológicos.

Na formação do feminino e do plural dos nomes encontramos um dos fenômenos que mais atormentam os aprendizes do português como língua estrangeira (e que às vezes também atrapalham os falantes do português como língua materna): a metafonia. Quando as regras de formação do feminino e do plural consideram apenas a escrita, ensinam que o feminino se obtém trocando a terminação –*o* por –*a* e que o plural se obtém pelo acréscimo de um –*s*. O problema é que, na pronúncia, as alternâncias /o/-/a/ e /∅/-/s/ são, às vezes, acompanhadas pela mudança de abertura da vogal interna: *lobo* [o] / *loba* [ɔ] e *moço* [o] / *moços* [o] mas *porco* [o] / *porca* [ɔ] e *poço* [o] / *poços* [ɔ]. Para as palavras sujeitas à metafonia, a diferença de abertura é mais uma marca de gênero e número. Essas marcas são em geral redundantes em relação ao –*a* do feminino e ao –*s* do plural, mas ocasionalmente podem ser as únicas que garantem a distinção: é o que acontece em *avô* / *avó*, como explicou magistralmente Mattoso Câmara (1972), e é também o que acontece quando ouvimos *porco sem-vergonha* e *porcos sem-vergonha*. A grafia, é claro, não marca a oposição entre [o] e [ɔ], e não é de estranhar que isso crie problemas para a criança que está sendo alfabetizada, quando ela se depara com uma palavra que nunca ouviu antes, ou para o estrangeiro que estuda português sem ter à mão um dicionário de boa qualidade.

A morfologia derivacional

A morfologia derivacional estuda os processos de formação de palavras que se baseiam na aplicação de prefixos e sufixos às raízes previamente disponíveis na língua. Trata, portanto, da prefixação, que consiste na aplicação de um prefixo ao radical (como na formação *anti* + *mofo*, na qual *anti-* é um prefixo), da sufixação, que é a aplicação de um sufixo ao radical (como em *facil* + *itar*– o sufixo é *-itar*) e da derivação parassintética, que é a aplicação simultânea de um prefixo e um sufixo (como em *em* + *burr* + *ecer*; *des* + *rat* + *ização*).

> Quando o ex-presidente Fernando Collor de Mello formou seu primeiro gabinete, levou para o Ministério do Trabalho o sindicalista Antônio Rogério Magri. Esse ministro deixaria algumas declarações memoráveis, entre elas a de que "o salário é imexível". O público zombou muito do adjetivo *imexível*, mas os segmentos que o formam (o prefixo negativo *i(n)-*, o radical do verbo *mexer* e o sufixo *–vel*, indicando possibilidade) são afinal conhecidos. O verdadeiro problema de *imexível* é que ele junta dois afixos "eruditos" (que não causam estranheza em *impronunciável, invulnerável, inaudível*) com um radical bem vernáculo (o do verbo *mexer*). É como se disséssemos de um super-herói que ele é *inmachucável*, ou de um palavrão que ele é *infalável*, ou ainda de uma campanha que ela é *inouvível*. Falou-se na época que *imexível* é

> errado porque não está no dicionário, mas isso é bobagem. A palavra *anticonstitucionalissimamente*, célebre por ser a mais longa da língua portuguesa, também não estava nos dicionários quando começou a ser usada nos tempos da República Velha. E todos nós, ocasionalmente, usamos palavras que "não existem", mas somos perfeitamente capazes de entender, graças aos recursos da morfologia derivacional.

Quando se fala da formação de palavras por derivação, é sempre bom lembrar que a aplicação de prefixos e sufixos não acontece de maneira aleatória: cada prefixo ou sufixo forma palavras novas de acordo com condições bastante rigorosas quanto às classes morfossintáticas a que se aplica e quanto ao resultado esperado.

Assim, como regra geral, o mesmo prefixo pode ser aplicado a palavras de classes gramaticais diferentes (por exemplo, *im-* está presente em *impossibilitar*, verbo; *impossível*, adjetivo; e *impossibilidade*, substantivo); mas não altera a classe gramatical no processo de formação; por exemplo, o prefixo *des-* aplica-se a verbos ou adjetivos e forma verbos ou adjetivos (*abastecido/desabastecido; cobrir/descobrir*) e assim por diante. No quadro a seguir, apresentamos alguns exemplos de prefixos produtivos no português brasileiro de hoje:

Quadro 3: Exemplos de prefixos produtivos no português brasileiro de hoje.

	Prefixo	
ético, político, séptico	a-	aético, apolítico, asséptico
terrorismo, ecológico, insurgência, social	anti-	antiterrorismo, antiecológico, anti-insurgência, antissocial
ilusão, fazer, bloqueado, serviço	des-	desilusão, desfazer, desbloqueado, desserviço
seminarista, campeão, senador	ex-	ex-seminarista, ex-campeão, ex-senador
popular, preciso, segurança	in(m)-	impopular, impreciso, insegurança
moderno, parto, operatório	pós-	pós-moderno, pós-parto, pós-operatório
lavagem, encolhido, adolescente	pré-	pré-lavagem, pré-encolhido, pré-adolescente
montar, embalar, marcar	re-	remontar, reembalar, remarcar
aquecer, mercado, produtivo	super-	superaquecer, supermercado, superprodutivo
pizza, galeto, massa	disque-	disque-pizza, disque-galeto, disque-massas
mercado, aquecimento, seguro	hiper-	hipermercado, hiperaquecimento, hiperseguro
delegado, prefeitura, empreitar	sub-	subdelegado, subprefeitura, subempreitar

Nem sempre se pode prever com exatidão o sentido que terá a palavra derivada por prefixação, porque muitos prefixos têm mais de um sentido. É o que se depreende da comparação entre *feito/desfeito* e *inquieto/desinquieto*: no primeiro par, a aplicação de *des-* produz um efeito de antonímia; no segundo par, esse efeito não acontece.

Quanto aos processos de sufixação, geralmente eles mudam a categoria das palavras às quais se aplicam e têm um uso mais específico, ou seja, sufixos usados para transformar um substantivo em verbo não serão usados para transformar um verbo em substantivo.

O quadro a seguir traz alguns exemplos de sufixos produtivos no português brasileiro de hoje, assim como as classes gramaticais das palavras de origem e das derivadas:

Quadro 4: Exemplos de sufixos produtivos no português brasileiro de hoje.

Classe gram.	Sufixo	Classe gram.
adj. / subs. péssimo / Marx	-ismo	subs. / subs. pessimismo / marxismo
subst. Hitler	-ista	adj. hitlerista
subst. doutor	-ando	subst. doutorando
subst. fedor	-ento	adj. fedorento
subst. respeito	-ável	adj. respeitável
subst. / adj. cabeça /boa	-udo	adj. cabeçudo /boazuda
subst. / adj. gol /bonito	-aço	subst. / adj. golaço /bonitaço
subst. frescura	-ite	subst. frescurite
subst. economia	-ês	subst. economês
subst. livro	-esco	adj. livresco
subst. chuva	-arada	subst. chuvarada
subst. / adj. Google /amarelo	-ar	verbo googlar /amarelar

Uma característica que distingue o português do Brasil de línguas como o francês ou o inglês é a existência de sufixos como *–(z)inho* e *–(z)ão* e *–íssimo* e *–érrimo*, formadores de palavras que a tradição gramatical descreve como graus ou do substantivo (*carrão, trenzinho, calçadão*) ou do adjetivo. No uso corrente, os sufixos que formam os "graus do substantivo" aplicam-se sem maiores problemas a muitos adjetivos, daí formas como (*pequenininho, redondinho, verdão*).

Embora os sufixos formadores de grau não possam ser aplicados de maneira totalmente livre (em PB, não são muito correntes derivações como *obrigadinho, de nadadinha* ou *fortérrimo*), trata-se de sufixos vivos, ao contrário de outros sufixos que as gramáticas teimam em apresentar a seus leitores (sobretudo no capítulo dedicado ao grau do substantivo), embora não passem de "relíquias gramaticais" (por exemplo, -ázio de copázio, ou -avaz de ladravaz). Na realidade, muitos sufixos que hoje se usam para uma única palavra foram muito usados no passado. A história desses sufixos que caíram em desuso confunde-se com a questão de saber o que significam os "graus do substantivo" e é muito antiga no passado da língua; hoje, ninguém mais reconhece a última parte da palavra lençol como um sufixo diminutivo; mas lençol, ou mais precisamente seu antepassado, a palavra latina linteolum, já foi o diminutivo de linteum, antepassado de lenço, embora os lençóis sejam normalmente maiores que os lenços; -ol é um dos tantos sufixos que perderam sua produtividade, mas não é o único: há um antigo sufixo hoje totalmente improdutivo em cada uma das seguintes palavras: dinheirama, arvoredo, mundaréu, imensidão, negritude e medonho.

Alguns dicionários procuram dar uma definição semântica para cada sufixo, uma tarefa nem sempre fácil, porque há sufixos ambíguos e sufixos extremamente vagos. Tome-se como exemplo do primeiro problema o sufixo –ada: uma goiabada é mais provavelmente um doce de goiaba do que um golpe desferido por meio de uma goiaba; uma martelada é mais provavelmente um golpe desferido com um martelo do que algum tipo de geleia de... martelos. Como exemplos do segundo problema, tomem-se os sufixos –udo e –aço. Na maior parte das vezes, eles estabelecem uma espécie de comparação implícita a partir das propriedades expressas pelo substantivo ou pelo adjetivo que está em jogo. Alguém pescoçudo não é alguém que tem pescoço; é, mais provavelmente, alguém que tem pescoço grande. Um golaço não é um gol qualquer; é um gol com um algo mais que só descobriremos por experiência direta, e assim por diante. É fácil, então, imaginar as dificuldades com que se defronta o dicionarista que pretende explicar os sufixos mediante definições corretas e concisas.

Por fim, a principal função da derivação parassintética é a de formar verbos a partir de adjetivos e substantivos. Os principais prefixos parassintéticos são: a-, des-, en(m)-, es- e os principais sufixos são: -ar, -ecer e –izar, como nos exemplos: desfavelar, espernear, amanhecer. A distinção entre prefixação, sufixação e parassíntese é clara em princípio, mas diante de palavras que comportam um prefixo e um sufixo nem sempre é fácil decidir de que modo foram efetivamente criadas. É claro que para chegar a desdolarizar, a língua partiu de dólar, mas só uma pesquisa histórica cuidadosa poderá estabelecer se a língua seguiu o caminho mais curto da formação parassintética, representado em (i), ou o caminho mais longo da derivação por sufixação e prefixação representado em (ii):

(i) dólar – desdolarizar
(ii) dólar – dolarizar – desdolarizar

Por outro lado, nada nos impede de observar como as coisas se passam no dia a dia. E nossa experiência cotidiana, com nossa competência da língua, nos dá a certeza de que (iii) não é um caminho a considerar:

(iii) dólar (subst.) – *des*dólar (subst.) – *des*dola*rizar*.

Cruzamento vocabular

Para criar novas palavras, o português do Brasil recorre com frequência também ao *cruzamento vocabular*, um processo que consiste em juntar dois ou mais vocábulos para formar um terceiro. Exemplos são:

chafé (*chá + café* = um café muito fraco, parecido com chá);
namorido (*namorado + marido*);
crilouro (*crioulo + louro*; = crilouros são os negros que pintam seus cabelos de loiro ou o descolorem);
forrogode (*forró + pagode*);
sorteria (*sorte + loteria*; = loteria viciada);
[entidades] pilantróticas (*filantrópicas + pilantras*; = entidades que usam a filantropia como pretexto para a pilantragem);
gatosa (*gata + idosa*; = mulher idosa e bonita);
lixeratura (*lixo + literatura*; = literatura ruim);
lambaeróbica (*lambada + aeróbica*; = ginástica com música);
caipivodca (*capirinha + vodca*; = caipirinha que usa a vodca em vez de cachaça);
presidengue (*presidente + dengue*; o termo foi aplicado ao então ministro da Saúde e candidato a presidente José Serra como uma forma de associá-lo ao surto de dengue ocorrido durante seu mandato).

Como tudo na língua, também os cruzamentos vocabulares obedecem a condições estruturais (estudadas em Basílio (2003), Gonçalves (2003), Gonçalves e Almeida (2004) e Almeida (2005)):

- no caso de palavras monossilábicas, a quebra é no meio da sílaba; exemplo: *pãe* (*pai + mãe* – um pãe é tipicamente o homem descasado que cuida dos filhos, acumulando as funções de pai e mãe);
- no caso de palavras polissilábicas com uma sílaba em comum, a quebra é nessa sílaba, caso de *sacolé* (*saco + picolé*: o sacolé é um picolé de fabricação caseira, que se obtém congelando uma pequena porção de suco num saco plástico) e *politicanagem* (*política + sacanagem*);
- no caso de palavras polissilábicas sem sílabas em comum, a quebra é geralmente na sílaba tônica: *portunhol* (*português + espanhol*).

Os cruzamentos vocabulares são usados para:

- dar nome a novo produto / construir novo conceito: *chocrilhos* (*chocolate + sucrilhos*); *sorvetone* (*sorvete + panetone*); *Brasgentina* (*Brasil +*

Argentina; referente aos problemas compartilhados pelos dois países);
Belíndia (*Bélgica* + *Índia*; referente às desigualdades que fazem do Brasil um país com aspectos de primeiro e de terceiro mundo);
- expressar avaliação: *Chattoso* (assim foi conhecido, entre seus alunos, o manual de Linguística Geral de Mattoso Câmara Jr.);
- reenquadrar entidades ou coisas: houve um tempo em que alguns descontentes rebatizaram de *Chevrolata* os veículos Chevrolet; outros descontentes rebatizaram de DKH o automóvel modelo DKV, da firma Vemag.

Como se pode ver, o cruzamento vocabular é um fenômeno antigo; é também um fenômeno do qual todo falante tem experiência: o leitor não terá dificuldade em levantar outros exemplos de cruzamentos que tiveram alguma circulação e passaram ou não a fazer parte do vocabulário corrente.

Às vezes, o cruzamento vocabular confunde-se com outros fenômenos linguísticos em que ocorrem associações inesperadas de palavras: o falante que chama os produtos de beleza de *gosméticos* associando-os a *gosma*, ou entende que *vasilhame* tem a ver com garrafas... *vazias*, não cria palavras inteiramente novas; analisa palavras previamente existentes a partir de seus conhecimentos linguísticos. Esse processo é conhecido como "etimologia popular".

Classes de palavras

O estudo das classes de palavras nasce da constatação de que há em toda língua conjuntos numerosos de palavras que possuem as mesmas propriedades morfológicas e sintáticas e, portanto, podem ser descritas da mesma maneira. Os gramáticos sempre tiraram proveito disso para simplificar suas descrições da língua, e foi assim que surgiram as primeiras classificações das "partes do discurso", que falavam em substantivos e adjetivos, verbos e advérbios, preposições, conjunções e assim por diante.

Normalmente, o gramático que trata das classes de palavras, propõe uma exposição em dois momentos: primeiro, ele caracteriza a classe por sua morfologia (dizendo, por exemplo, que os substantivos são simples ou compostos, primitivos ou derivados, e que variam em gênero, número e grau), depois ele fala de funções sintáticas (dizendo, por exemplo, que a principal função do substantivo é constituir o núcleo do sujeito, do objeto e dos outros sintagmas nominais).

O estudo das classes de palavras tem sido útil. Mas tem também encontrado problemas, porque a situação idealizada pelos gramáticos – pensar que a cada classe de palavras correspondem formas e funções próprias – realiza-se apenas em parte: por exemplo, gostaríamos de poder definir o advérbio como a classe das palavras que se aplicam ao verbo, mas há muitos advérbios que não o fazem. Como se não bastasse, algumas ideias maltrabalhadas pelo ensino criaram representações equivocadas, que complicam o quadro. Tentaremos ver um pouco de tudo isso, falando de substantivos, adjetivos, verbos, pronomes, advérbios, conjunções e preposições.

O substantivo

Da mesma forma que o verbo, o adjetivo e o advérbio, o substantivo é uma classe aberta. Isso significa que novos substantivos são criados constantemente na língua, pelos mecanismos da morfologia derivacional (ver, anteriormente, seção "A morfologia derivacional").

Fala-se às vezes do substantivo como uma palavra que varia em gênero, número e grau, e a esse propósito nos parece desnecessário lembrar que o gênero, o número e o grau não foram feitos para indicar sexo, quantidade ou tamanho: o médico que diz que "a criança precisa fazer exercícios diariamente por uma meia horinha" pode perfeitamente estar falando de *um menino*, que fará *um único exercício*, por *não menos de trinta minutos*.

Às vezes, as gramáticas caracterizam determinados substantivos como "coletivos", "comuns" ou "próprios", "concretos" ou "abstratos". Se a ideia é classificar os substantivos pelo tipo de informação que trazem, há muito mais a observar do que sugerem esses rótulos; aqui chamaremos a atenção apenas para dois fatos: a oposição contável/não-contável e a possibilidade de dar formulações diferentes a uma mesma ideia, usando verbos ou substantivos de origem verbal.

Nos últimos anos, a Linguística mostrou interesse em distinguir entre os substantivos comuns aqueles que falam de realidades *contáveis* daqueles que falam de realidades *não-contáveis*. É a distinção que se faz entre *móvel* e *mobília* (diremos que numa sala há *três móveis* ou *três peças de mobília*, mas não *três mobílias*), ou entre *parente* e *parentada/parentalha* (é diferente falar de um *parente muito grande* e de uma *parentada/parentalha muito grande*). Alguns substantivos são definitivamente contáveis, outros definitivamente não-contáveis, outros ainda podem ser usados das duas maneiras: *comer um porco na janta* é diferente de *comer porco na janta*; *tomar somente café pela manhã* é diferente de *tomar somente um café pela manhã*, e assim por diante. Compensa lembrar que há mecanismos linguísticos que são especialmente apropriados para tratar de realidades não-contáveis como se fossem contáveis: *uma xícara de farinha*, *um pacote de farinha* são expressões contáveis criadas a partir do substantivo não-contável *farinha*.

Costuma-se definir o substantivo como a "palavra que designa os seres", isto é, como a palavra que designa pessoas e objetos, mas é sabido desde sempre que há substantivos que fazem referência não a seres que podemos localizar no mundo, mas às qualidades desses seres (são os substantivos abstratos), e que existem substantivos que fazem referência a fatos, processos, acontecimentos: *a explosão (do reator de Tchernobil), a pressão (da Inglaterra contra o tráfico de escravos), a inauguração (de Brasília)*. Em geral, substantivos deste último tipo são derivados de verbos (quando isso acontece, são chamados deverbais) e formam sintagmas em que toda uma oração aparece nominalizada (daí serem chamados de nominalizações).

O uso de nominalizações é um recurso estilístico importante, que pode quase sempre ser usado em alternativa a uma expressão tipicamente verbal ou oracional. Comparem-se as formulações abaixo: elas dizem essencialmente a mesma coisa. O que muda de uma para outra é a presença de mais ou menos nominalizações:

> A Inglaterra pressionou contra o tráfico; a mão de obra escrava ficou mais cara nas fazendas brasileiras.
> A mão de obra escrava ficou mais cara nas fazendas brasileiras por causa das pressões da Inglaterra contra o tráfico.
> As pressões da Inglaterra contra o tráfico provocaram o encarecimento da mão de obra escrava nas fazendas brasileiras.
> etc.

O adjetivo

Em oposição, por exemplo, ao inglês, uma língua que só tem adjetivos invariáveis, os adjetivos do português variam em gênero e número e formam o feminino e o plural usando as mesmas flexões que o substantivo. Por isso, a flexão de gênero e número não ajuda a distinguir as duas classes. Um caminho alternativo consiste em observar a flexão de grau: de fato, o que chamamos de grau do adjetivo (normal-comparativo-superlativo) e o que chamamos de grau do substantivo (normal-aumentativo-diminutivo) são coisas diferentes. Poderíamos então definir o adjetivo como a classe em que se encontram as palavras que formam um comparativo e um superlativo.

Essa linha de reflexão não leva a uma verdadeira solução, mas nos traz algumas descobertas interessantes:

- são possíveis formas de superlativo como *um vestido muito caro / uma roupa muito cara*; *caro* resulta ser um adjetivo, e esse era precisamente o resultado esperado;
- também são aceitáveis *uma pessoa muito cheia de nós pelas costas* ou *uma pessoa muito entrada em anos:* o critério leva a reconhecer *cheio de nós pelas costas* e *entrado em anos* como mais dois adjetivos ou, mais precisamente, como locuções adjetivas;
- é possível falar, no superlativo, de *uma roupa muito chique / uma pessoa muito bacana*; isso leva a reconhecer *chique* e *bacana* como adjetivos.

Nem sempre os resultados do "teste do superlativo" são tão previsíveis como esses que acabamos de falar.

- note-se que podemos dizer *Ela estava usando uma roupa muito cheguei, Ele sempre foi um sujeito muito família, Esse colega é muito banana, Ele tem um estilo muito deixa que eu chuto*. Por coerência, precisamos classificar *cheguei, família, banana* e *deixa que eu chuto* como adjetivos; o problema é que essas expressões não são sempre adjetivos: em condições "normais", *cheguei* é um verbo, *família* e *banana* são substantivos e *deixa que eu chuto* é uma sentença;
- além disso, não faz sentido dizer que *um funcionário público é muito federal* ou que *a lua é um corpo muito celeste* (assim como não faria sentido nenhum dizer que *o prédio do Banco Central é mais tridimensional do que a ponte Hercílio Luz*), apesar de as palavras sublinhadas serem adjetivos.

Em suma, o "teste do superlativo" contraria nossas intuições em dois sentidos: por um lado, leva a analisar como adjetivos coisas que não são tipicamente adjetivos; por outro lado, leva a excluir coisas que, intuitivamente, são adjetivos. Teríamos chegado à mesma conclusão se em vez do superlativo absoluto tivéssemos pensado em algum outro grau do adjetivo, como o comparativo ou o superlativo relativo.

A propósito, falar do comparativo e do superlativo como "os graus do adjetivo" não é nem um pouco exato. Há, na língua, muitas outras maneiras de expressar avaliação relativa mediante adjetivos, como mostram estes exemplos:

- *podre de rico, chique no último, enjoado a dar com pau, exigente pra chuchu / pra caramba*;
- *uma comida mais nutritiva do que gostosa*;
- *um colega muito alegre para o tanto de problemas que tem*;
- *um funcionário despreparado para a função*;
- *mais velho do que andar para frente*;
- *o mais chique de todos, mais chique do que o irmão, chiquérrimo*.

Se, em vez de entender o comparativo e o superlativo como duas formas entre outras de relativizar uma propriedade, continuamos a chamá-los de graus do adjetivo, é por um hábito que remonta nada menos que à gramática latina: em latim, o comparativo e o superlativo tinham uma flexão própria; dessa flexão, restaram em português apenas os sufixos *–íssimo*, *–érrimo* e *–ílimo*, cujo uso é, na verdade, bastante limitado.

A dificuldade de definir os adjetivos com base em sua morfologia leva naturalmente a querer tratá-los como uma **função sintática**, estabelecendo, por exemplo, que é adjetivo toda palavra que funciona como predicativo do sujeito ou toda palavra que, fazendo parte de um sintagma nominal, não constitui seu núcleo, mas localiza-se na periferia: por esses critérios, *francês* é adjetivo tanto em *o soldado francês disparou sua arma* como em *o soldado que disparou sua arma é francês*.

Estamos de novo diante de uma solução precária, porque muitas vezes é difícil decidir o que é núcleo e o que é periferia num sintagma nominal: as pessoas dão interpretações diferentes a *uma velha que é índia* e *uma índia que é velha*, mas acabam por encontrar essas mesmas interpretações em *uma velha índia*, precisamente por falta de pistas que permitam distinguir o núcleo e a periferia desses sintagmas. Além disso, há adjetivos que nunca aparecem sozinhos na posição de predicativo do sujeito, e outros que mudam de sentido quando são usados nesse contexto: dizemos, por exemplo: *estou com uma bruta dor de cabeça*, mas não *minha dor de cabeça é/está bruta*; *Gregório era um mero serviçal*, mas não *o serviçal Gregório era mero*; ainda assim, nossa intuição é que *bruta* e *mero* são adjetivos.

Para distinguir os adjetivos dos substantivos é provavelmente necessária uma solução que combine critérios morfológicos e critérios sintáticos; a menos que, apelando para o bom senso dos antigos, pensemos nessas duas classes considerando mais as semelhanças do que as diferenças. Os antigos não separavam os substantivos e os adjetivos em duas classes; preferiram tratá-los genericamente de *nomes* e falaram dos nomes como palavras que podem ter função substantiva ou adjetiva, mas sempre delimitam conjuntos de objetos do mundo por meio de propriedades (nesse sentido, "branco" separa todos os objetos que são brancos; "cavalo" separa todos os objetos que são cavalos; e "cavalo branco" separa todos os objetos que são simultaneamente brancos e cavalos). Embora antiga, essa linha de reflexão é muito instigante, mas prosseguir nela nos levaria longe demais.

O verbo

A palavra *verbo* origina-se do latim *verbum*, que significava, nada mais nada menos, "palavra". Ao chamar os verbos de "verbos", isto é, de "palavras", os romanos quiseram dizer que o verbo é a palavra por excelência, a mais rica, a de morfologia mais farta. O verbo continua sendo em português a classe de palavras que assume o maior número de formas flexionadas, o que não é novidade para ninguém. O que é menos evidente é que essa riqueza morfológica tem forte contrapartida semântica: ela faz com que, em qualquer sentença, seja reservada ao verbo a tarefa de prestar uma série de informações preciosas. Essas informações dizem respeito, no mínimo:[5]

- à **localização no tempo**: o fato descrito pela sentença é apresentado como simultâneo, anterior ou posterior ao momento da fala, ou a algum momento que pode ser estabelecido a partir de informações

presentes no contexto (assim, uma frase como *Quando eu cheguei ele já tinha saído* nos informa que a chegada é anterior ao momento da fala e que a saída é anterior à própria chegada);
- à **localização em vários mundos possíveis**: quando a criança começa uma nova brincadeira dizendo para a boneca *Agora eu era a mamãe e você era a filhinha* é a forma do verbo que nos faz passar a um mundo de fantasia, que vale enquanto dura a brincadeira;
- ao **grau de comprometimento** que o falante assume quanto à verdade da informação prestada: quando o jornal, depois de informar a prisão de alguma personagem célebre, acrescenta *Ele estaria envolvido com o crime organizado*, é de novo pelo verbo que ficamos sabendo que o envolvimento do preso com o crime organizado é apenas uma hipótese plausível, uma "versão" que está sendo "passada adiante", não uma verdade com a qual o jornalista se compromete em caráter pessoal;
- à **possibilidade de representar os fatos como acabados ou em desenvolvimento**: se alguém pronunciasse para valer uma frase como *Veio para São Paulo de carro, mas morreu num desastre durante o caminho*, essa frase soaria estranha: a razão disso é que *veio* apresenta a ação descrita na primeira sentença como acabada, e isso conflita com o que diz a segunda. O problema desaparece se substituirmos *veio* por *vinha* ou *estava vindo*. É a essa possibilidade de apresentar uma ação como acabada ou em desenvolvimento que os linguistas têm chamado de aspecto verbal.

A flexão do verbo tem a ver com todas essas informações, embora a correspondência entre as flexões e o sentido não seja exata (os exemplos dados mostram um pouco disso: a forma do imperfeito do indicativo é usada para criar um mundo de fantasia na fala da criança com a boneca, mas também indica ação em andamento na história do desastre automobilístico). Além disso, as mesmas informações que obtemos da flexão podem ser dadas por meio de perífrases ou pelo acréscimo de adjuntos (*viajo amanhã* não é menos futuro do que *viajarei amanhã*; *cheguei agorinha* não é menos passado que *acabo de chegar*).

O verbo não contribui para o conteúdo informativo da sentença somente através de suas flexões; também fornece muitas outras informações com seu radical:
- tomem-se por exemplo os verbos *ligar* e *funcionar*, aplicados a um motor: o primeiro indica uma ação que acontece num estalo; o segundo indica uma ação que pode continuar indefinidamente. É a distinção que os linguistas chamam de **momentâneo** x **durativo**;
- outra importante diferença pode ser exemplificada pelos verbos *montar* e *arrastar*, aplicados a um móvel: o primeiro indica uma ação para a qual se prevê naturalmente um fim (a montagem acaba quando todas as peças que fazem parte do móvel foram devidamente coladas, pregadas etc.); o segundo indica uma ação sem fim previsível: algum

maníaco ou um robô poderia arrastar o móvel indefinidamente. A propósito dessa distinção, os linguistas falam em **télico** e **atélico**, usando duas palavras de origem grega que indicam precisamente a propriedade de ter ou não ter um fim (*telos*, em grego, significa fim, alvo).

É também ao radical do verbo que temos de recorrer para estabelecer a **valência** do verbo, isto é, para saber quantos sintagmas nominais serão exigidos para formar, com o verbo, uma sentença completa. Considerem-se os exemplos a seguir: eles mostram que, em português, podemos ter verbos com valência de zero a quatro:

- chove, anoitece
- (1) A criança dorme
- (1) A mãe embala (2) a criança
- (1) O professor dispensou (2) o aluno (3) da aula
- (1) Maria traduziu (2) o livro (3) do português (4) para o francês

Se é o verbo que determina quantos sintagmas nominais deverão acompanhá-lo na construção da sentença, então ele é uma espécie de "sentença em potencial" ou, quem sabe, uma espécie de "molde para a construção de sentenças". Vale a pena reter essa concepção do verbo com a ideia de que o molde atribui a cada sintagma nominal previsto uma função específica, um certo modo de relacionar-se com o núcleo verbal (como agente da ação, alvo da ação, experienciador de certo sentimento etc.). Ao que tudo indica, foi a necessidade de distinguir essas "maneiras de relacionar-se com o verbo" que levou a língua a desenvolver para a sentença uma estrutura que lança mão de recursos tão disparatados como a concordância (do verbo com o sujeito), a posição (em português do Brasil, o sujeito precede normalmente o verbo, o objeto direto segue normalmente o verbo, e assim por diante) e o uso de preposições (para marcar os objetos indiretos e os adjuntos).

O pronome

A classe dos **pronomes**, como a dos advérbios, é uma das mais heterogêneas. Os gramáticos reuniram nela palavras que exercem funções muito diferentes, e procuraram lidar com o problema assim criado, trabalhando, na prática, com várias subclasses distintas de pronomes: os **pessoais**, os **possessivos**, os **demonstrativos**, os **relativos** e os **indefinidos**; poderíamos imaginar que há coesão no interior de cada uma dessas subclasses, mas isso é mais uma ilusão.

A subclasse dos **pronomes pessoais** continua sendo representada pelas gramáticas como composta de três pessoas no singular (*eu, tu, ele/ela, o/a, lhe*) e três pessoas no plural (*nós, vós, eles/elas, os/as, lhes*). De fato, o pronome *vós* só sobrevive em gêneros escritos muito formais e arcaizantes (por exemplo, algumas reedições da *Bíblia*); *tu* tem presença regional, alternando ou não com *você* (ver a seção "Variação diatópica", do capítulo "Português do Brasil", na qual o uso de *tu/você* é tratado como um caso de variação regional do português brasileiro).

Na maior parte do território brasileiro, o sistema dos pronomes pessoais inclui os pronomes-sujeito *eu, você, ele/ela, nós, vocês, eles/elas,* e *nós* alterna com *a gente*. Em registros menos formais, podemos encontrar *te* usado em correferência com *você*: (*Eu te disse para cair fora, mas você não me escutou*); também podemos encontrar *lhe* usado como objeto direto, em lugar de *o/a*: *Quem é o senhor? Eu não lhe conheço* (a forma recomendada pelos gramáticos é *Eu não o conheço*). Como seria de esperar, esses usos acabam aparecendo na fala culta e na escrita, e aí são encarados como "anomalias" a serem corrigidas.

As variedades culta e não-culta do português brasileiro compartilham a tendência a evitar o uso dos pronomes átonos, em particular os pronomes átonos em posição de objeto. Como vimos, mudanças sistemáticas que culminaram no final do século XIX tornaram praticamente regular a omissão do pronome objeto em português culto, sempre que o referente pode ser inferido do contexto (*Comprei o sanduíche e comi ali mesmo*, em vez de *Comprei o sanduíche e comi-o ali mesmo*); as variedades *substandard*, que fazem um uso ainda mais raro dos pronomes átonos, usam às vezes as formas tônicas nessa mesma posição (*Comprei o sanduíche e comi ele ali mesmo*).

A propósito dos pronomes **pessoais**, é sempre bom lembrar: as verdadeiras "pessoas do discurso" são, de fato, apenas a 1ª. e a 2ª. porque, no diálogo, apenas os papéis de locutor e interlocutor alternam entre si. Também é bom lembrar que *nós* (ou *a gente*) e *vocês* não são exatamente o plural de *eu* e *você*, no sentido de que *nós* pode significar *eu + você* ou *eu + ele(s)*, ou ainda *eu + você(s) + ele(s)*.[6] Lembre-se, ainda, de que, muitas vezes, os pronomes pessoais são usados para indeterminar (como quando se diz *É assalto de todo lado: você sai na rua e é assaltado, você põe dinheiro no banco e o banco cobra até a folha de cheque; você cai na farmácia e os remédios só sobem...*: note-se que poderíamos substituir *você* por outros indeterminadores, como *o sujeito, neguinho, o cara,* sem prejuízos para a compreensão).

Sempre a propósito de pronomes pessoais, convém abrir mão da ideia de que são sempre usados para "encurtar a frase" ou para "evitar repetições" (uma ideia presente na afirmação de que o "pro-nome" é um "substituto do nome"). É bem verdade que, em muitos casos, o pronome substitui um sintagma previamente expresso, e isso o torna um precioso mecanismo de coesão textual, já que, para interpretá-lo, somos então obrigados a procurar para ele um "antecedente". Outras vezes, porém, os pronomes de terceira pessoa desempenham outra função, muito diferente, que os torna parecidos com as variáveis da aritmética: suponha-se que o dono da loja deu ao balconista a seguinte ordem: "*Se entrar algum dinheiro, passe-o para mim*": trata-se de uma ordem muito diferente desta outra "*Se entrar algum dinheiro, passe algum dinheiro para mim*" (neste último caso, poderia tratar-se de quantias diferentes, e o mais razoável é esperar que o dono da loja queira receber todo e qualquer dinheiro que entra).

O estudo dos **indefinidos** já foi muito prejudicado pela denominação terrível que lhes deu a tradição, que acabou passando a ideia de que eles têm uma função pouco clara. Na realidade, eles exprimem relações que têm às vezes uma precisão quase matemática. Muitos deles são, de fato, **quantificadores** e como tais exprimem uma das tantas relações (inclusão, intersecção etc.) que os matemáticos estabelecem entre conjuntos. Por exemplo, dizer que *alguns brasileiros são nordestinos* equivale a dizer que o conjunto dos indivíduos que são brasileiros e o conjunto dos indivíduos que são nordestinos coincidem em parte, ou seja, que a intersecção entre esses dois conjuntos não é vazia. Muitas vezes, além de indicar uma relação de caráter "matemático", os indefinidos nos dão a ideia de determinado percurso que deve ser seguido para verificá-la: sempre que usamos *todos* (no plural), *qualquer* e *cada*, realizamos algum tipo de generalização; mas há uma diferença em dizer que "o pai deixou uma fazenda *para todos os filhos*" ("os filhos ficaram coproprietários de uma fazenda"), "*para qualquer um dos filhos*" ("um dos filhos ficou proprietário de uma fazenda") ou "*para cada filho*" ("cada um dos filhos ganhou uma fazenda"). Em suma, os indefinidos são tudo menos indefinidos. Para quem gosta de investigar os processos de construção do sentido, constituem um dos capítulos mais interessantes da gramática da língua.

Os estudos mais recentes confirmam à sua maneira duas velhas teses a respeito dos **pronomes relativos**: 1) que eles reúnem numa única palavra as funções de conjunção e de demonstrativo ou possessivo (*No aeroporto havia uma delegação esportiva que vinha da China* = *No aeroporto havia uma delegação esportiva, e essa delegação vinha da China; Atracou no porto um navio cujo nome era Mileto* = *Atracou no porto um navio, e seu nome / e o nome desse navio era Mileto*); 2) que eles são um termo (sujeito, objeto etc.) da oração subordinada que introduzem. É fácil perceber essa dupla função no português culto; no português *substandard*, ao contrário, tudo indica que o pronome relativo guardou apenas um valor de conectivo. Neste último registro, as formas *o qual* e *cujo* são praticamente desconhecidas, e são possíveis sentenças que se caracterizam pela presença de um "pronome-cópia" (*O carro que andei nele era um fusca*). A presença desse pronome-cópia mostra, precisamente, que o relativo já não é percebido como um sintagma nominal da oração que introduz.

No que diz respeito aos **demonstrativos**, continuam em uso as três formas *este, esse* e *aquele*, mas sem a nítida correspondência que a língua já chegou a estabelecer com as três pessoas do discurso (*este* = 1ª. pessoa, *esse* = 2ª. pessoa, *aquele* = 3ª pessoa); a grande oposição é hoje entre *este* + *esse* e *aquele*, o que caracteriza um sistema binário. Também deixou de ser categórico o uso de *esse* na retomada de um antecedente localizado em sentença anterior; em outras palavras, ninguém protesta se a sentença *Recebemos ontem uma circular regulamentando o uso do xerox* tiver como continuação *Esta circular é mais completa do que as anteriores* (em vez de *essa circular...*).

No sistema dos **possessivos**, encontramos o reflexo de alguns deslocamentos observados a propósito dos pronomes pessoais:

- *seu(s)/sua(s)* têm um forte concorrente em *dele/dela*;
- na variedade culta, o possessivo correspondente à segunda pessoa *você* é *seu*, mas o uso de *teu* avança cada vez mais nos usos não monitorados (assim como avança o uso de *te* e do imperativo de segunda pessoa: *Eu te falei, segura tua língua, você (é) que não quis me ouvir*);
- em correspondência com o plural *vocês*, é possível encontrar várias formas de possessivos: [*Vocês querem a casa do vovô, mas a casa é*] *mais nossa do que de vocês* poderá comutar, conforme o caso, com *mais nossa do que sua* (forma padrão), *mais nossa do que vossa, mais nossa do que suas*. As duas últimas formas têm um caráter nitidamente regional, mas parecem mostrar que a língua está (ou esteve) em busca de um possessivo específico para o pronome de segunda pessoa plural, *vocês*.

O advérbio

Muitos advérbios se enquadram sem problemas na definição etimológica de *advérbio*, que faz pensar em "proximidade ao verbo". A etimologia da palavra *advérbio*, por ser paralela à da palavra *adjetivo*, também sugere que o advérbio se aplica ao verbo como o adjetivo se aplica ao substantivo: assim como se pode dizer que a *corrida foi veloz*, pode-se dizer que *o atleta correu velozmente*. Esse modo de encarar os advérbios leva naturalmente a tratá-los como "predicados de predicados" ou "predicados de segunda ordem": do atleta, eu predico que correu, da corrida eu predico que foi veloz.

Os exemplos em que essa explicação falha são numerosos e podem ser enquadrados em vários casos diferentes:

- o advérbio não se aplica no nível do predicado, mas num outro nível qualquer. Por exemplo, o advérbio *infelizmente* costuma ser usado para qualificar todo um enunciado, e o mesmo pode acontecer com advérbios como *sinceramente, resumidamente* (*Sinceramente, não concordo; Resumidamente, esta reunião não serviu para nada*;

Infelizmente, vai haver mais reuniões); o advérbio *muito* aplica-se não só a verbos, mas também a adjetivos e advérbios (*Sofreu muito; Está muito desiludida; A questão foi tratada muito reservadamente*);
- o advérbio realiza uma função diferente da de predicar. Entre aqueles que não têm uma função predicativa, estão a) os **anguladores** (que definem o tipo de discurso a que a sentença deve ser referida para ser verdadeira: *Tecnicamente, a baleia não é um peixe, em termos de senso comum, sim*); b) os **advérbios de afirmação e negação** (*As taxas de inscrição não serão devolvidas em hipótese alguma*); c) os advérbios de **inclusão e exclusão** (*Reformou inclusive a instalação elétrica; Ele só falou com o secretário pelo telefone*).

Os advérbios de inclusão e exclusão, como *só*, exemplificam de maneira particularmente feliz um fenômeno que diz respeito a todos os advérbios, e que decorre de sua natureza de modificadores: a sentença muda de sentido conforme mudam as expressões a que o advérbio é aplicado. Pense-se no último exemplo do parágrafo anterior, e em alguns contextos em que ele poderia estar inserido:

[Contexto: ele não falou com o diretor], *só falou com o secretário pelo telefone.*
[Contexto: ele não mandou o pedido de demissão], *só falou com o secretário pelo telefone.*
[Contexto: ele não falou com o secretário pessoalmente], *só falou com o secretário pelo telefone.*

Como se pode perceber, a restrição expressa por *só* incide em segmentos diferentes da sentença, e o sentido muda precisamente por isso. Imitando um uso que nasceu na lógica, os linguistas dizem que o segmento afetado pelo modificador é o "escopo" desse modificador (no caso das três sentenças anteriores, o escopo de *só* varia: *secretário; falou com o secretário pelo telefone; pelo telefone*). A ideia é que todo advérbio tem um escopo, e a posição que o advérbio ocupa na frase pode ser importante para a identificação correta desse escopo.

A conjunção

A conjunção tem sido descrita, tradicionalmente, como uma palavra que *liga orações*. Pode ligar duas orações de mesmo nível (conjunção coordenativa) ou de níveis diferentes (conjunção subordinativa).

Classificar uma oração de subordinada equivale a dizer que ela é um termo da oração matriz em que se encaixa. Por analogia com os termos da oração simples, que são classificados como integrantes e circunstanciais, uma oração subordinada pode exercer o papel de termo integrante (e nesse caso é classificada como oração substantiva); alternativamente, pode desempenhar o papel de adjunto (caso em que é classificada como adverbial).

Essas ideias são bastante razoáveis como ponto de partida para uma reflexão sobre as conjunções: descrevem corretamente um bom número de casos e mostram a necessidade de uma subdivisão (coordenação e subordinação) que parece real. O risco, a nosso ver, é dar a essa subdivisão um peso muito maior do que ela realmente merece. Poderíamos, com efeito, ser levados a pensar que a possibilidade de estabelecer nexos entre orações passa necessariamente por uma escolha entre conjunções coordenativas e subordinativas, o que não é verdade.

Na prática, qualquer relação entre orações pode ser expressa pela coordenação, pela subordinação ou pela simples justaposição. É o que pretendemos mostrar através do próximo "texto" de nossa antologia, uma "colagem" de frases extraídas de uma aula sobre arte do paleolítico, no qual analisaremos o modo como se exprimem os nexos de causa. A análise desse material permitir-nos-á também verificar que a ideia de causa tem diferentes facetas: o que chamamos de causa pode ser uma relação que estabelecemos entre dois fatos (o segundo fato é efeito do primeiro) ou uma relação que estabelecemos entre duas afirmações (a primeira afirmação vale como argumento em favor da segunda), e assim por diante.

Antologia
Muitas maneiras de falar em causa e efeito, numa aula sobre pré-história

O que vem a seguir não é um texto real, e sim uma colagem de frases pinçadas numa aula universitária sobre arte do período paleolítico, na qual o professor defende a ideia de que essa arte tem um forte vínculo com as necessidades práticas do homem primitivo, e por isso mesmo adota um estilo realista. As frases aparecem na ordem em que foram encontradas na aula, preservando-se, assim, uma certa coerência que pareceu útil para sua compreensão. Os números indicam as linhas da transcrição original da aula.

12-26	tudo o que a gente vai dizer a respeito desse período é baseado em pesquisas... arqueológicas... é baseado em pesquisas...etnográficas
35-39	não é uma história ligadinha com todos os elos *que* a gente possa dizer olha... se desenvolveu NESte sentido... muitas vezes a gente supõe que as coisas tenham ocorrido assim... e *por isso* eu vou precisar que vocês... se dispunham [sic] a usar da imaginação
54-57	vamos tentar reconstruir a maneira de vida desse POvo *para depois* poder entender como surgiu a arte... e... *por que* surgiu um determinado estilo de arte
67-75	eles viviam basicamente da coleta eram caçadores... e viviam da coleta... isto é levava um tipo de vida nômade... *por quê?*... *porque na medida em que* acabava a caça de um lugar [...] eles também precisavam acompanhar... o a migração da caça *se não* eles iam ficar sem comer...

75-85	quanto à coleta se eles dependiam... da colheita... de... frutos... raízes que eles NÃO plantavam... que estava à disposição deles na natuREza... eles também tinham que obedecer o ciclo... vegetativo... *então existe uma época para ter uma maçã e uma outra época para ter laranja outra época para ter banana*... existem CERtas regiões onde há determinados frutos... OUtras regiões com Outros frutos... *então eles tinham que acompanhar este movimento também e por isso eram nômades e não se fixavam*... a lugar nenhum
105-107	três ou quatro citações que faziam referência exatamente a isso que estilo *mudava*... *com*... a mudança... de vida
111-122	eu preciso... me defender dos animais e eu preciso me esquentar na medida do possível... certo?... *então a arte pré-histórica só vai poder refletir*... *então a arte vai nascer em função dessa NEcessidade*... de se manter vivo... necessidade que vai se caracterizar de forma principal em termos de comida... isto é de caça... que é o que oferece... uma resistência
166-70	não é só *porque* eu preciso me vestir que eu vou fazer um vestido maravilhoso... ou que eu vou bordar... uma tela para pendurar em casa *porque* eu preciso de aquecer a casa... NÃO... é *porque* eu acho bonito
174-80	então a arte SURge não *em função de* uma necessidade de autoexpressão [...] mas Unicamente... *em função d*a necessidade de eu assegurar a caça
191-93	criar uma pessoa... ou criar uma imagem é mais ou menos a mesma coisa... *no sentido de que* nós estamos criando uma coisa nova... do nada.
199-205	e isto DEve ter dado uma sensação de poder... uma sensação... de poder... uma sensação... de domínio sobre a natureza... *que* no final das contas toda a evolução humana... não deixa de ser exatamente a evolução do domínio que o homem tem sobre a natureza
207-11	ele vai tentar usar essa criação... que ele é capaz de fazer... para garantir a caça... *pois* ele é capaz de criar algo... que se pareça muito com aquele animal que está correndo lá fora
224-226	Não tem sentido eu matar uma imagem... *que* a imagem não tem vida nem sentido... ela existe mas ela não é vivente... certo?
235-45	outras vezes... em vez da representação da flecha então da morte simBÓlica não? representada... nós íamos encontrar MARcas aqui de que flechas reais foram atiradas... então *esta seria uma das razões. a segunda razão* [...] *que nos leva a* pensar... na na arte nascendo ligada à magia... *é o fato de que* essas representações eram feitas sempre na parte escura das cavernas... MUIto no FUNdo... *de maneira que* não era de maneira alguma para ser vista
258-61	no fundo da caverna nem isso eles não poderiam ir lá orar digamos... *porque* eles não veriam a as imagens... certo?
268-70	não tem importância... ficar uma sobreposição de imagens *porque* não é para ser visto

270-77   agora a fi-na-li-da-de com que ela foi feita *não impede que* elas tenham um valor estético quer dizer que elas se mantenham até hoje [...] *porque* hoje para nós não influi o fato... delas terem sido feitas com uma finalidade mágica *porque* nós não dependemos da caça mais

361-365   hoje, para nós, *extremamente racionalistas e com um... aparelho conceitual altamente desenvolvido* é MUIto difícil a gente desenhar estritamente o que a gente vê, separar a percepção... da... do conceito.

(Fonte: Inquérito Nurc EF SP 405.)

Todas as frases de nossa "colagem" exprimem um nexo que poderíamos chamar de "causal". Ora, a primeira grande observação a ser feita é que, além do uso de conjunções como *porque*, encontramos outras formas de indicar a causa que *dispensam por completo o uso de conjunções*. Que maneiras são essas? Temos no mínimo as seguintes:

1) (65-75) a causa é dada em resposta à pergunta *por que* – a resposta é construída como uma oração subordinada causal, mas aparece justaposta à pergunta;
2) (361-5) a causa é expressa por um termo acessório da oração;
3) a causa é expressa por um adjunto de causa que contém um anafórico: esse adjunto é às vezes *por isso*, uma expressão na qual os dois ingredientes (anafórico e preposição indicando causa) aparecem nitidamente separados (75-85); outras vezes, o adjunto é *então* (75-85); uma variante é *em função dessa necessidade* (111-122);
4) a causa é expressa por um verbo: não ocorrem *provocar* e *causar*, e sim o sinônimo *mudar com* (105-7); também aparece *não impedir que*, uma forma de dizer "não causar que não" (270-7);
5) (235-245) a ideia de causa é introduzida por substantivos como *causa, motivo* e outros análogos;
6) (361-365) a causa é expressa pela conjunção *e*.

A lição a tirar é, evidentemente, que a distinção entre coordenação e subordinação é um grande problema e não uma solução, e isso vale não só para a causa, mas para qualquer tipo de nexo entre orações.

É conhecida a dificuldade de distinguir de maneira estanque as várias classes de conjunções subordinativas, porque os conceitos que elas expressam se confundem. O próprio conceito de causa se confunde frequentemente com o de tempo, como no conhecido par de exemplos "*casou e ficou grávida*" x "*ficou grávida e casou*". (Há vários exemplos disso no texto sobre arte pré-histórica que o leitor não terá dificuldade em localizar.)

O texto ilustra ainda outro tipo de superposição, já comentado: ao falar *porque*, o locutor pode estar ligando dois fatos (e neste caso apresenta um deles como causa do outro), mas pode também estar ligando duas falas; neste último caso, uma das falas é tomada como argumento para dar credibilidade à outra. É esta segunda possibilidade que vemos representada no trecho:

eles não poderiam ir lá orar   *porque*   eles não veriam as imagens...
[lá = no fundo da caverna]

Dizer que as imagens são invisíveis no fundo escuro da caverna é uma forma de argumentar a favor da hipótese de que os homens do paleolítico não iam até o fundo da caverna para orar, o que é por sua vez um argumento contra a tese de que a arte primitiva nasceu por razões religiosas.

O duplo sentido que acabamos de apontar para a palavra *porque* é o mesmo que encontramos na sentença *O criminoso voltou ao local do crime porque deixou impressões digitais na porta de vidro:* num dos sentidos, o detetive que pronuncia essa sentença diz qual foi o motivo que levou o criminoso a retornar à cena do crime; no outro, ele explica de que evidências ele, detetive, dispõe para afirmar que o criminoso retornou. O duplo sentido da palavra *porque* é um belo exemplo de como um conectivo pode desenvolver um valor tipicamente argumentativo em paralelo a um valor denotativo definido sobre uma realidade externa à linguagem.

A preposição

Muitas gramáticas dão a entender que há em português um número limitado de preposições, apresentando essas palavras na forma de uma lista fechada, em que encontramos *a, ante, até, após, com, contra, de, desde, em, entre, para, perante, por, sem, sob, sobre* e *trás*.

As definições correntes tratam a preposição como um conectivo especializado em "ligar palavras" (em oposição às conjunções, que teriam como função "ligar frases"). Nessas definições, a preposição aparece como um "instrumento gramatical", isto é, um desses numerosos recursos gramaticais cujo papel se esgota na medida em que participa da montagem da sentença, um pouco à maneira dos parafusos que prendem as peças de uma estrutura metálica. Disso, passa-se insensivelmente à ideia de que as preposições não têm significado nenhum.

O papel das preposições é um pouco mais complexo do que isso e depende em grande parte do tipo de construção sintática em que elas intervêm.

Quadro 5: Usos das preposições.

		o constituinte preposicionado tem um papel	
		essencial	acessório
o constituinte preposicionado depende de	um verbo	1 gostar <u>de praia</u>, contar <u>com os amigos</u>	2 chegar <u>de carro</u>, chegar <u>sem carro</u>
	um substantivo ou adjetivo	3 alergia <u>a camarão</u>, desgaste <u>dos pneus</u>	4 casa <u>com jardim</u>, casa <u>sem jardim</u>
	um advérbio	5 relativamente <u>à altura</u>	

Na maioria de seus usos, uma preposição é seguida imediatamente por um sintagma nominal. A construção assim formada pode depender por sua vez de um substantivo, de um adjetivo, de um verbo ou de um advérbio, e pode completar essas palavras de maneira essencial ou acrescentar-se a elas de maneira acessória. Essa divisão abre pelo menos os cinco espaços que se distinguem no quadro 5 e, nesses espaços, acontecem coisas até certo ponto diferentes.

O espaço 1 abrange as preposições que introduzem o objeto indireto dos verbos. Um trabalho antigo e extremamente rigoroso de gramatização fixou as preposições que devem ser usadas junto a cada verbo em português culto; por isso, um possível equívoco na escolha da preposição é imediatamente interpretado como sinal de incompetência, e isso faz com que as gramáticas dediquem a esse problema longos capítulos, nos quais se esclarece, por exemplo, que o verbo *assistir* "pede" a preposição *a*, e que o verbo *presenciar* não pede preposição nenhuma, ou que devemos dizer *agradeço ao amigo mais esse favor* ou *agradeço o amigo por mais esse favor*, mas não *agradeço ao amigo por mais esse favor*. Ao mesmo problema são dedicados os "dicionários de regimes de verbos".

O espaço 2 abrange por sua vez os usos de preposições que formam adjuntos adverbiais e aqui também o locutor tem uma ampla margem de escolha: *a encomenda vai chegar às / antes das / depois das / pelas / até as cinco da tarde; abriram uma sala de cinema perto / longe / atrás / em cima / embaixo / dentro / fora da galeria; o time sobrevive com / sem / por causa da torcida* etc. Neste caso, como no do espaço 4, as escolhas possíveis são muitas e significativas, e seria errado querer reduzir a preposição a um mero automatismo gramatical.

No espaço 3, encontramos os casos em que o constituinte introduzido pela preposição funciona como complemento nominal do substantivo que precede. Aqui, a escolha da preposição é mais uma vez determinada: *alergia por /a camarão, solidariedade (para) com as vítimas, medo de altura*. Novamente, a escolha da preposição é altamente previsível em português culto, e isso justifica a existência dos dicionários de regimes de substantivos e adjetivos, especializados em informar qual é a preposição que acompanha cada substantivo ou adjetivo.

É também na casa 3 que se localizam os usos de preposições que resultam de processos de nominalização; ao nominalizar orações como *Zeca agride Juca / Juca é agredido por Zeca*, obtemos sintagmas nominais como *a agressão de Zeca, a agressão de Juca, a agressão de Juca por Zeca*: Nesses casos, a preposição *de* serve, "ambiguamente", para indicar o agente ou o alvo da agressão, ao passo que a preposição *por* indica sem dúvida possível o agente.

Localizam-se no espaço 4 todos os casos em que a preposição e o substantivo que segue formam uma locução adjetiva, às vezes (mas nem sempre) equivalente a um adjetivo disponível na língua (*menino de cabelos loiros / menino loiro, menino de pele morena / menino moreno, menino de roupa rasgada / menino maltrapilho, esfarrapado, homem de quarenta anos / homem quarentão;*

homem de 42 anos e três meses / homem ? etc.); aqui, o falante pode lançar mão de várias preposições, que são escolhidas em função de seu sentido (*roupa com manga / roupa sem manga; fruta em compota / fruta para compota* etc.)

No espaço 5, localizamos termos integrantes de advérbios. Esse caso não é comum, mas convém mencioná-lo porque nos dá a oportunidade de lembrar que, ao lado das preposições listadas no começo desta seção, a língua dispõe de um número incontável de **locuções prepositivas**. Na criação de locuções prepositivas intervêm palavras de outras classes (sobretudo advérbios e substantivos) ao lado de uma ou outra das preposições listadas (geralmente *de*, *a* ou *com*). As locuções prepositivas têm um funcionamento sintático análogo ao das preposições listadas, mas dão informações bem mais ricas. Na história da língua, a criação de locuções prepositivas sempre foi um processo altamente produtivo; por exemplo, *trás* e *além* (que foram autênticas preposições quando da formação dos topônimos *Alentejo*, *Trás os Montes* e *Além-Paraíba*) foram suplantadas pelas locuções prepositivas *atrás de* e *além de*; e a dificuldade que as pessoas experimentam em usar corretamente *sob* e *sobre* na escrita pode talvez ser a contrapartida da preferência, que se nota na língua contemporânea, pelas locuções prepositivas *em cima de* e *embaixo de*.

Sintaxe

Não seria possível resumir em poucas páginas as descobertas que a Linguística fez nos últimos cinquenta anos sobre a sintaxe do português do Brasil; para isso, remetemos aos trabalhos de Miriam Lemle, Lúcia Pinheiro Lobato, Mary Kato, Mário Alberto Perini, Charlotte Chamberland Galves, Esmeralda Vailati Negrão e Carlos Mioto, citados na bibliografia. De maneiras diferentes, esses autores participaram dessas descobertas e as expõem com competência e clareza.

Ao falar de sintaxe aqui, temos um objetivo bem mais modesto: mostrar ao leitor que a sintaxe da oração vai além da imagem criada pela prática da análise sintática e dar a esse mesmo leitor alguns bons exemplos de construções sintáticas típicas do português do Brasil. É o que faremos, respectivamente, nas seções "A sintaxe da sentença: um sistema de sistemas" e "Alguns traços marcantes na sintaxe do português brasileiro". No quadro "O português do Brasil: uma 'língua de tópico?'" falamos de uma hipótese que entusiasmou os pesquisadores na década de 1970 e que, embora tenha sido descartada, ainda é um bom estímulo para reflexão.

A sintaxe da sentença: um sistema de sistemas

A maioria das pessoas confunde a sintaxe da sentença com as questões de que trata a análise sintática da escola. Mas a análise da escola estuda apenas um dos tantos níveis em que se pode falar de organização sintática da sentença. Trata-se, mais precisamente, do nível em que está em jogo a **conexidade** da sentença. Quando distingue na sentença um sujeito e um predicado, e mostra como são feitos, internamente, esses dois grandes **constituintes** (dizendo, por exemplo, que o predicado contém um verbo, e este está acompanhado por determinados complementos e adjuntos), a análise sintática produz uma representação em que a sentença é visualizada como uma árvore e toda expressão é descrita em termos de classes de palavras (como substantivo, verbo etc.) e de diferentes relações (como sujeito do verbo, objeto direto do verbo etc.). Com isso, a análise sintática tradicional mostra que todas as partes da sentença desempenham funções compatíveis com sua categoria, e é isso, em síntese, que nos garante que teremos uma sentença sintaticamente conexa, bem constituída.

Diferentes maneiras de representar a sintaxe de uma sentença

As sentenças da língua apresentam-se como palavras pronunciadas em sequência, um fato que se reflete na escrita do português, na qual as palavras são ordenadas da esquerda para a direita. Já se disse que essa "linearidade" é uma das características fundamentais da linguagem humana, mas o estudo da sintaxe começa quando, por trás da linearidade, encontramos uma estrutura um pouco mais complexa e hierarquizada. Para dar conta da estrutura sintática das sentenças, os linguistas lançam mão de diagramas, que diferem entre si conforme a intuição que pretendem capturar. Uma sentença como *Cabral descobriu o Brasil* admite, entre outras, as três representações seguintes:

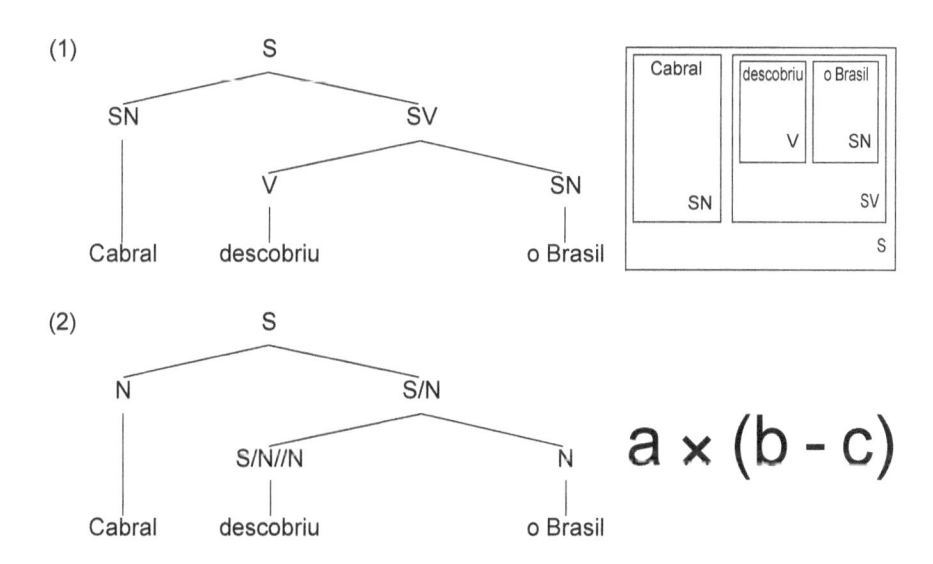

(1)
```
          S
        /   \
      SN     SV
       |    /  \
       |   V    SN
       |   |    |
    Cabral descobriu o Brasil
```

Cabral	descobriu	o Brasil
	V	SN
SN	SV	
		S

(2)
```
          S
        /   \
       N    S/N
       |   /   \
       | S/N//N  N
       |   |    |
    Cabral descobriu o Brasil
```

$a \times (b - c)$

(3)   descobriu
         ╱─────────╲
     Cabral   o Brasil

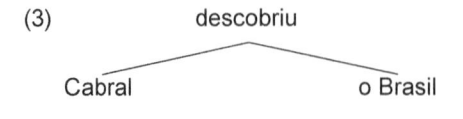

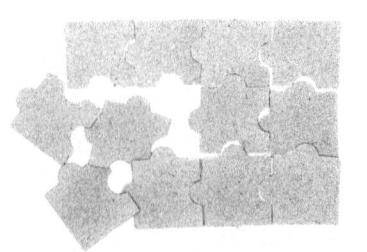

> (1) é a representação das gramáticas sintagmáticas. Divide a sentença em dois grandes blocos ou constituintes: um sintagma nominal (SN) e um sintagma verbal (SV); este por sua vez subdividido em um verbo (V) e um SN. A ideia é que entre V e o SN que o segue há "mais coesão" do que entre os dois SNs ou entre V e o SN que precede (uma analogia que ajuda a entender: um conjunto de caixas contidas em outras caixas).
> (2) é a representação usada pelas gramáticas ditas "categoriais". O segredo dessa representação são as barras oblíquas, que indicam "absorção" de uma expressão por outra. A árvore mostra que o verbo "descobriu" absorve à direita o nominal "o Brasil", e assim forma a expressão "descobriu o Brasil". Por sua vez, esta expressão "absorve" à esquerda o nominal "Cabral", formando uma sentença (uma analogia que ajuda a entender: a ordem que seguimos ao calcular o valor de uma expressão matemática).
> (3) é a representação usada pelas gramáticas "de dependência". Mostra que o verbo *descobriu* "pede" dois "actantes", no caso *Cabral* e *o Brasil*, para dar origem a uma sentença (uma analogia que ajuda a entender: as peças que faltam em um quebra-cabeça). Ao comparar essas três representações, percebemos que há estrutura por trás da linearidade e que podemos tentar explicitá-las de várias maneiras, a partir de intuições muito diferentes sobre o que garante a conexidade de uma mesma sentença.

A conexidade sintática é uma propriedade das sentenças à qual os falantes são muito sensíveis, mas é apenas um dos muitos aspectos da sentença que importam no uso real; na maioria das vezes, esperamos que a sentença, além de ser sintaticamente conexa, seja o relato linguístico de alguma coisa que acontece no mundo ou na cabeça das pessoas. Para atender a esta segunda expectativa, as sentenças estruturam-se na forma de um núcleo semântico aberto (que é em geral expresso pelo verbo) no qual vários participantes se inserem com um papel determinado: agente, paciente, instrumento, causa etc. Nesse segundo nível, também há exigências a serem respeitadas (por exemplo, em condições normais, um ser inanimado não pode aparecer como o instigador de uma ação, daí a estranheza que nos causaria uma sentença como *A pedra xingou o pastor*). A essa segunda forma de organização da sentença, que convive com a primeira, podemos chamar de **estrutura semântica**.

Por fim, as sentenças são em geral utilizadas como unidades comunicativas, e isso explica a presença, em seu interior, de um terceiro tipo de organização, em que se separam as informações que são apresentadas como "conhecidas" (ou "previamente dadas", ou "previamente disponíveis ao interlocutor") daquelas que são apresentadas como "novas", porque são fornecidas precisamente por aquela sentença. É o que podemos chamar de **estrutura informativa**.

Nos últimos anos, a ideia de que na sentença convivem três formas diferentes de estruturação tem sido uma das bandeiras da escola linguística conhecida como "funcionalismo", mas essa ideia é mais antiga. Apareceu em vários autores do início do século xx, que a explicaram, inicialmente, distinguindo três sentidos em que se pode falar de sujeito e de predicado.[7] Nos termos desses autores, há um sujeito lógico em toda sentença (o indivíduo a quem pertence a iniciativa da ação), um sujeito gramatical (a palavra que determina a concordância do verbo), e um sujeito psicológico (o "assunto" da sentença). Tomemos a sentença (i) a seguir:

(i) *Maria entregou as chaves aos dois guardas.*

Considerando que o verbo está no singular, verificamos que *Maria* é o sujeito gramatical. Por ser Maria o indivíduo que toma a iniciativa da entrega das chaves, *Maria* é o sujeito lógico; finalmente, a sentença (i) é uma boa resposta a perguntas como *O que fez Maria? E da Maria, o que é que você me diz?* Isso mostra que essa sentença é a propósito de Maria e, portanto, que *Maria* é o sujeito psicológico. Desse modo, acabamos de ver que, na sentença (i), três diferentes noções de sujeito coincidem numa mesma expressão.

Se todas as sentenças da língua fossem como (i), não haveria interesse em distinguir um sujeito gramatical, um sujeito lógico e um sujeito psicológico; mas a maioria das sentenças não são como (i) e sim como (ii), (iii) e (iv); ou seja: a situação mais comum nas sentenças da língua é aquela em que o sujeito gramatical, lógico e psicológico não coincidem, como mostram as análises (ii-a), (iii-a) e (iv-a):

(ii) *Aos dois guardas, Maria entregou as chaves.*
(ii-a) sujeito psicológico: *aos dois guardas* / sujeito lógico + sujeito gramatical: *Maria*
(iii) *As chaves foram entregues aos dois guardas por Maria.*
(iii-a) sujeito psicológico + sujeito gramatical: *as chaves* / sujeito lógico: *Maria*
(iv) *Quem entregou as chaves aos dois guardas foi Maria.*
(iv-a) sujeito psicológico + sujeito gramatical: *quem entregou as chaves* / sujeito lógico: *Maria*

Esses exemplos confirmam que toda sentença é, ao mesmo tempo, uma construção gramatical, uma construção conceitual e uma construção de caráter informativo, e que os falantes expressam essas três formas de estruturação ao mesmo tempo, utilizando recursos como a ordem das palavras, a entoação, o acento, a concordância e as preposições, para não falar de certas construções especiais (como as que aparecem em (iii) e (iv)). Tudo isso mostra que é preciso dar à sentença uma representação bem mais complexa do que a que resulta da análise sintática escolar.

Para mostrar que há mais coisas para se notar na estrutura da sentença, além da conexidade sintática, voltamos a autores hoje esquecidos, e falamos em três noções de "sujeito". Não foi por acaso. A identificação do sujeito da sentença é um dos cavalos de batalha do nosso ensino de língua materna, e muitos livros didáticos tratam indiferentemente o sujeito como "o termo com o qual o verbo concorda", como "o assunto da oração" e como "o agente da ação". Deveria ter ficado claro que essas definições não se equivalem: elas levam a chamar de sujeito coisas diferentes, a não ser em casos especialmente simples, como o do exemplo (i).

O português do Brasil: uma "língua de tópico"?

Na década de 1970, alguns estudiosos do português brasileiro que vinham pesquisando a sintaxe da sentença nos três níveis estruturais, descritos na seção "A sintaxe da sentença: um sistema de sistemas", constataram que, na fala corrente, muitos enunciados começam por um sintagma nominal diferente do sujeito e separado do resto por uma pausa, como o sintagma *A Maria* nos exemplos (i) a (iii). A esse segmento, eles chamaram de "tópico" e ao resto da sentença, de "comentário":

(i) A Maria, o carro capotou.
(ii) A Maria, eu vi ela ainda ontem / A Maria, ela não está.
(iii) A Maria, eu vi ainda ontem.

Como explicar essas construções? Às vezes é possível recuperar alguma ligação semântica ou mesmo gramatical entre o tópico e o resto da sentença; por exemplo, em (ii), ele corresponde ao objeto direto do verbo ou ao sujeito, como mostra a presença do pronome objeto *ela* (dito de maneira um pouco mais técnica, há concordância entre *Maria* e *ela*; a função sintática do pronome *ela* transfere-se "por concordância" a *Maria*); em (iii), é possível descrever *Maria* como um objeto direto deslocado, e de toda maneira *Maria* tem uma forte ligação com o verbo, porque nomeia a pessoa sobre a qual recai a ação do verbo *ver*. Contudo, em (i) não há nenhuma ligação mais clara entre Maria e o carro que capotou; no máximo, pode-se entender que a notícia do acidente "é a propósito de Maria", "tem a ver com Maria", "o carro que capotou é de Maria".

Como a construção exemplificada em (i) é muito frequente, e não pode ser explicada nem em termos de conexidade sintática, nem em termos de papéis semânticos, os estudiosos da década de 1970 lançaram a hipótese de que, ao descrever a sintaxe das orações do português do Brasil, seria possível dispensar tanto a articulação em sujeito e predicado (que tem a ver com conexidade), quanto a articulação em predicado + papéis semânticos (como agente, paciente, instrumento), bastando considerar a articulação tópico-comentário, que é de caráter informativo. Dito de outra maneira, o português falado no Brasil seria uma "língua de tópico".

Não endossamos essa hipótese. Como vimos na seção anterior, a estrutura sintática da sentença combina três articulações (que nós chamamos de gramatical, semântica e informativa, mas os termos, em si mesmos, não são muito importantes). Cada uma dessas articulações tem uma função e uma expressão próprias. Reduzir qualquer um desses níveis a outro seria uma forma de empobrecer nossa compreensão dos enunciados da língua.

Alguns traços marcantes na sintaxe do português brasileiro

A seguir, apresentamos quatro textos que exemplificam alguns fenômenos sintáticos típicos do português brasileiro. Trata-se, mais precisamente:

- das letras "Caviar?" e "Deixa a vida me levar", de Zeca Pagodinho, exemplificando o chamado "objeto nulo" e a possibilidade de usar pronomes nominativos na posição de objeto;
- do poema "Pronominais", de Oswald de Andrade (p. 131, em que se fala da pátria como colocação dos pronomes;
- das três "histórias sem fim": "Matatias", "O siri" e "As mangabas" (p. 132), exemplificando o uso existencial do verbo "ter" e as construções da oração relativa conhecidas como copiadora e cortadora.

Antologia
O caviar e a vida de Zeca Pagodinho[8]

Caviar?

Você sabe o que é caviar?
Nunca vi nem comi, eu só ouço falar
Mas você sabe o que é caviar?
Nunca vi nem comi, eu só ouço falar.

5   Caviar é comida de rico
     curioso fico,
     só sei que se come
     Na mesa de poucos
     fartura adoidado

10　Mas se olha pro lado
　　depara com a fome
　　Sou mais ovo frito,
　　farofa, torresmo
　　Pois na minha casa
15　é o que mais se consome
　　Por isso, se alguém
　　vier me perguntar
　　O que é caviar,
　　só conheço de nome.

Você sabe etc.

20　Geralmente
　　quem come esse prato
　　Tem bala na agulha
　　não é qualquer um
　　Quem sou eu
25　pra tirar essa chinfra
　　Se vivo na vala
　　pescando muçum
　　Mesmo assim
　　não reclamo da vida
30　Apesar de sofrida,
　　consigo levar
　　Um dia eu acerto
　　numa loteria
　　E dessa iguaria
35　até posso provar

　　Você sabe etc.

Deixa a vida me levar

Eu já passei por quase tudo nessa vida
Em matéria de guarida ainda espero minha vez
Confesso que sou de origem pobre
Mas meu coração é nobre, foi assim que Deus me fez

E deixa a vida me levar (vida leva eu) [3 vezes]

Sou feliz e agradeço por tudo que Deus me deu
Só posso levantar as mãos pro céu
Agradecer e ser fiel ao destino que Deus me deu
Se não tenho tudo que preciso
Com o que tenho, vivo
De mansinho, lá vou eu
Se a coisa não sai do jeito que eu quero
Também não me desespero
O negócio é deixar rolar

E aos trancos e barrancos, lá vou eu
Eu sou feliz e agradeço por tudo que Deus me deu
E deixa a vida me levar (vida leva eu) [3 vezes]

As duas letras aqui transcritas pertencem a composições de um gênero musical muito popular: o samba-pagode. Diante de sambinhas como esses, é mais fácil deixar-se levar pela facilidade da letra e pelo ritmo da música do que pensar em problemas gramaticais. Mas não é difícil concordar num ponto: embora as letras falem de personagens de origem humilde, a língua desses sambas não soa errada nem vulgar e a sintaxe é a mesma que as pessoas cultas usam numa conversa descontraída. Isso faz dessas duas letras boas amostras do português brasileiro corrente.

Ora, essa linguagem apresenta uma particularidade notável quanto à sintaxe do objeto direto: as frases "nunca vi nem comi, eu só ouço falar" respondem evidentemente à pergunta "O que é caviar?". Por isso sabemos que a personagem nunca viu caviar, nunca comeu caviar, ouviu falar de caviar. Essas respostas exemplificam um traço já mencionado do português brasileiro: a possibilidade de omitir o objeto quando ele pode ser recuperado pelo contexto. Ocorre o mesmo em "Não reclamo da vida, apesar de sofrida, consigo levar" (o que a personagem leva é a vida, e é mais uma vez o contexto, não alguma expressão explícita na sentença, que nos dá essa informação). Os linguistas cunharam para essa construção do português brasileiro o nome de "objeto nulo". Ela parece ter nascido em contextos sintáticos nos quais o objeto direto é fácil de recuperar e pode ter contribuído para o declínio dos pronomes átonos, que efetivamente soariam estranhos aqui (*não reclamo da vida, apesar de sofrida, consigo levá-la*).

O refrão da segunda música exemplifica outra possibilidade do português coloquial do Brasil: o uso dos pronomes-sujeitos em contextos sintáticos nos quais seria esperado um pronome átono: *Vida leva eu*, em vez de *Vida, leva-me* ou *Vida, me leva*. Note-se ainda, nessa segunda letra, a forma imperativa *deixa*: na linguagem coloquial, essa forma pode ser usada ao lado de *você*; além disso, alterna com *deixe*: entre *deixe você* e *deixa você*, a segunda é a mais usada, embora seja condenada pelos gramáticos.

Antologia
A pátria como colocação dos pronomes, segundo Oswald de Andrade

Pronominais

Dê-me um cigarro
Diz a gramática
Do professor e do aluno
E do mulato sabido
Mas o bom negro e o bom branco
Da Nação Brasileira
Dizem todos os dias
Deixa disso camarada
Me dá um cigarro
(Oswald de Andrade, *Pau Brasil*, 1925.)

Caricatura de Oswald de Andrade, por Sabat.

Construído como uma série de contraposições, este conhecido poema de Oswald de Andrade não tem pontuação. Se tivesse, o primeiro e o último verso poderiam estar entre aspas – pois é deles que se fala no poema com um todo, num vaivém entre usar a linguagem e falar da linguagem que em poesia é pouco comum.

Formulações de um mesmo pedido, o primeiro e o último verso se exprimem, respectivamente, na forma prescrita pela gramática e na forma consagrada pelo uso. A escolha feita pelo poeta, nesse sentido, é notável: o que ele apresenta como exemplo do uso é um caso de próclise absoluta (o pronome átono é a primeira palavra da sentença), uma construção que, ainda hoje, no século XXI, faz arrepiar muitos gramáticos quando aparece na escrita. Há também uma oposição entre gramática e uso nas pessoas do verbo: a terceira pessoa *dê*, que concorda com as expressões de tratamento mais usadas – *você* e *o senhor* –, contrasta com a segunda pessoa *dá*, que, ao lado de *você*, é considerada errada e vulgar. Notem-se as insinuações a respeito da primeira maneira de pedir: é livresca, cheira a escola, e é estranha ao modo de falar da Nação Brasileira: usá-la, para Oswald, é quase um pecado de lesa-pátria.

Incluído na coletânea *Pau Brasil*, de 1925, o poema "Pronominais" toca num dos cavalos de batalha de muitas gramáticas e num dos maiores dramas pedagógicos do país: a colocação dos pronomes átonos. Ao longo dos últimos anos, esse problema perdeu muito de sua dramaticidade e isso se deve, em parte, à crescente consciência de que, no que diz respeito aos pronomes, a própria língua dos bons escritores contemporâneos não segue a gramática. Estudos sobre a língua dos romancistas dos últimos cem anos têm mostrado que eles lidam com a colocação pronominal de maneiras muito diferentes.[9] Alguns seguem a gramática e outros preferem as colocações pronominais que as gramáticas condenam com mais veemência – por exemplo, a ênclise depois de uma negação ou em orações introduzidas por um pronome relativo (*coisas que não fazem-se*).

Antologia
Matatias, o siri e as mangabas[10]

MATATIAS – Era uma vez um velho chamado Matatias, que tinha sete filhos e sete filhas. Tendo de fazer uma viagem, fez. No meio do caminho, sentindo-se cansado, sentou, chamou os sete filhos e as sete filhas e com a voz pausada assim começou: Era uma vez um velho chamado Matatias, que tinha sete filhos e sete filhas... (E a história continua)

O SIRI – Era uma vez um grande rio e na beira do rio nasceu um coqueiro; debaixo do coqueiro tinha um siri (Você conhece siri? É primo do calango). Quando o siri menos esperava, caiu um coco na sua cabeça. O siri chorou, chorou, chorou... suas lágrimas foram correndo,

correndo, correndo... e formaram um grande rio... e na beira do rio nasceu um coqueiro; debaixo do coqueiro tinha um siri. (Você conhece siri? É primo do calango). Quando o siri menos esperava...

MANGABA – Era uma família que gostava muito de mangaba e morava num lugar que <u>tinha</u> muita mangaba. Foram todos para o mangabal e comeram mangaba... (Você sabe, mangaba faz muito sono, não é?) Então eles dormiram, dormiram, dormiram... No outro dia, quando acordaram estavam quase mortos de fome. Então comeram mangaba... comeram mangaba... comeram mangaba... comeram mangaba... (Você sabe, mangaba faz muito sono, não é?) Aí eles dormiram, dormiram...

"Matatias", "O siri" e "As mangabas" são três roteiros de "histórias sem fim", um gênero importante da literatura oral. Nessas histórias, destacamos três ocorrências da forma verbal <u>tinha</u>. Pois bem: quando se diz que *Matatias tinha sete filhos,* trata-se inequivocamente do verbo *ter* de posse (o mesmo que seria usado para dizer que *alguém <u>tem</u> muito dinheiro* ou que *uma casa <u>tem</u> muitas janelas*); quando se diz que *debaixo da pedra <u>tinha</u> um siri,* trata-se sem possibilidade de dúvida do verbo impessoal que significa existência em um lugar (no caso, o lugar que fica bem debaixo do coqueiro). O que pensar da passagem em que se diz que *a família morava em um lugar que <u>tinha</u> muita mangaba*? As duas interpretações anteriores seriam igualmente possíveis. Na menos provável, o pronome *que* é sujeito e *mangabas* é o objeto do verbo *ter* de posse; na mais provável, o verbo é impessoal e a ideia é dizer que no lugar em questão *havia* muitas mangabas. Para esta última interpretação uma forma antiga e mais clara seria: "*a família morava em um lugar em que <u>havia</u> muitas mangabas*". Como se pode notar, a diferença entre a forma antiga e a que foi efetivamente usada prende-se não só ao uso de *tinha* por *havia*, mas também à ausência da preposição *em*: *um lugar <u>que</u> tinha muita mangaba*, e não *um lugar <u>em que</u> tinha (havia) muita mangaba*. Esse tipo de oração relativa em que se suprime a preposição tem sido chamada de **relativa cortadora**. Ela é hoje uma construção muito corrente para as orações relativas que, em princípio, deveriam começar com uma preposição (*a atriz <u>que</u> mais me identifico* em vez de *a atriz <u>com que</u> mais me identifico*, *o lugar <u>que</u> nasci* em vez de *o lugar <u>em que</u> nasci*, *o tempo <u>que</u> se amarrava cachorro com linguiça* em vez de *o tempo <u>em que</u> se amarrava cachorro com linguiça*).

A construção cortadora é bem aceita na interação informal, e é provavelmente a maneira de construir orações relativas que prevalece atualmente no português brasileiro falado; no escrito, aparece com menor frequência. Há também outra maneira de construir as orações relativas, conhecidas como "copiadora" e exemplificada por *Quem perguntou de você foi a colega que eu estava com ela o outro dia*; normal em certas variedades da língua falada, a relativa copiadora é fortemente discriminada na variedade culta e na escrita.

O léxico

O português do Brasil tem um léxico de uso corrente de cerca de sessenta mil palavras.[11] É claro que esse número se refere aos usuários de português brasileiro em seu conjunto. O vocabulário que cada falante domina passivamente (isto é, que ele sabe interpretar, se for o caso) é apenas uma parte do léxico da língua, e o vocabulário que cada um utiliza, ativamente, em seus próprios enunciados é ainda mais reduzido do que esse vocabulário passivo. Os estudos de natureza estatística vêm mostrando já há algum tempo que há grande variação na frequência de uso dos vários itens de vocabulário.

Analisado do ponto de vista histórico, o léxico do português brasileiro aparece como o resultado de um longo processo, no qual muitas palavras antigas se perdem ou só sobrevivem com novas funções e novos valores, ao mesmo tempo que novas palavras vão sendo constantemente criadas. Para entender melhor esse processo, podemos distinguir no léxico do português do Brasil quatro grandes conjuntos de palavras e expressões: a) **as que remontam ao latim vulgar**, como resultado de seu desenvolvimento fonético; b) **os empréstimos** recebidos das línguas com que o português teve contato; c) **palavras eruditas**, tiradas diretamente do latim e do grego clássicos; d) **as criações vernáculas**, isto é, palavras criadas no interior da própria língua com base em palavras preexistentes.

Aqui, não falaremos das palavras do primeiro conjunto, pois elas foram um dos temas do primeiro capítulo deste livro; as seções que seguem serão dedicadas respectivamente aos empréstimos, às palavras eruditas e às criações vernáculas.

Algumas etimologias brasileiras

Lambari – O lambari é um dos peixes mais comuns nos nossos rios. É também um dos mais resistentes, já que conseguiu sobreviver à devastação ambiental, mesmo em áreas mais densamente povoadas. Como muitos outros nomes de animais brasileiros, *lambari* deriva do tupi. Mas a forma não foi sempre essa; foi inicialmente *arambary* (o *y* final indica o "i central médio", desconhecido do PB mas presente em várias línguas indígenas do Brasil; assemelha-se ao som de [i], porém realizado com a língua mais erguida, no centro da boca); que em seguida passou a *alambari* e finalmente a *lambari*. Essas mudanças têm motivações diferentes: a queda do *a* inicial é um fenômeno bastante comum na história das línguas, conhecido como aférese (foi por um processo desses que o grego *apothêkê* deu *botica* e *bodega*, e que *avó* vira *vó*). Já a passagem de -r- a -l- tem sido explicada por influência africana. Em tupi-guarani, o som [l] não existia, mas os africanos o usaram com frequência no lugar do [r] intervocálico. É por isso que a palmeira conhecida como *ouricuri* é chamada em algumas regiões *alicuri*. O etimologista que olha para o nome do lambari percebe nele as marcas de uma história de multilinguismo. (Fonte: FRANÇA, Nilcéia A., Origens do português no Brasil. *Revista de História Regional*, n. 7:1, , 2002, pp. 203-4.)

Favela – Existia em latim a palavra *faba*. Em português, seu descendente é *fava*, nome de várias espécies de plantas leguminosas, bem como de suas sementes. Do hábito de usar sementes de favas brancas e pretas para indicar voto positivo ou negativo vêm as expressões *fava preta* e *são favas contadas*. Do pouco valor dado a essas sementes, a expressão *(mandar) às favas*. A palavra latina *faba* teve dois diminutivos: *fabula* e *fabella*. A palavra latina *faba* correspondia uma forma diminutiva *fabella*, e dessa forma diminutiva originou-se o português *favela*, que até o final do século XIX, foi apenas o nome de uma árvore que produzia vagens semelhantes às da fava. Havia uma dessas árvores no alto do arraial de Canudos, bem visível a partir dos acampamentos dos soldados republicanos que, em 1897, cercaram e arrasaram aquele arraial. Quando esses soldados, tendo voltado para o Rio de Janeiro, cobraram do governo as promessas de terras com que os haviam mandado para o combate, foi-lhes dado o direito de construir suas casas no Morro da Providência, e eles o fizeram com materiais de construção improvisados. No alto do morro carioca, como no alto de Canudos, havia um pé de favela. Estavam assim reunidos todos os ingredientes necessários para que o Morro da Providência fosse rebatizado Morro da Favela, e para que a palavra *favela* ganhasse a significação que tem hoje no português do Brasil: conjunto de habitações que utilizam em sua construção materiais improvisados e abrigam moradores de baixa renda. *Favelado, favelizar, favelização* são derivados modernos de *favela*, em que está presente o mesmo sentido. Como seria de esperar, as outras línguas românicas não têm a palavra *favela*.

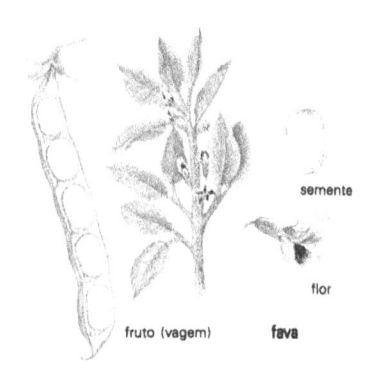

Carnaval e futebol – Nem o Carnaval, nem o futebol, duas grandes paixões nacionais, nasceram no Brasil. O futebol, em sua versão moderna, foi trazido para o Brasil pelos ingleses no final do século XIX; com o nome do jogo, *football*, entrou então para o cotidiano dos brasileiros uma lista de outras palavras: *goal, corner, goalkeeper, (center) half, (center) forward, hands, penalty*... Os puristas de plantão reagiram a essa enxurrada de estrangeirismos e propuseram substitutos que não vingaram, como *ludopédio*, que tinha a discutível vantagem de ser formado pelas raízes latinas *lud* e *ped*, significando respectivamente jogo e pé. Hoje, mais de um século depois, o vocabulário do futebol inclui palavras de procedência inglesa (como *futebol, gol* e *drible*) e palavras criadas no interior da língua (como *escanteio, falta, grande área* e *cruzamento*). A bola, além de ser chutada em todas as direções imagináveis, já foi chamada (pelos cronistas esportivos) de *bola, pelota, esfera, esférico, redonda, caroço*...

Para entender a origem da palavra *carnaval*, é preciso pensar no período do ano que vem depois dele, a quaresma. Nas quaresmas de outrora, valia a proibição de comer carne, com uma exceção talvez no terceiro domingo de quaresma (meia quaresma, em francês *mi-carême*, de onde veio o nome da festa popular da *micareta*); os cristãos praticantes de outrora despediam-se da carne na terça-feira de Carnaval, e cumpriam sua abstinência até a Páscoa. E como ninguém é de ferro, o último dia antes do jejum de preceito virou um dia de comilança, uma "terça-feira gorda" em que se dava adeus à carne por algum tempo. No latim dos primeiros cristãos, *carne levare* significava "suspender a carne".

Bonde – Quando começaram a circular, no final do século XIX, os primeiros bondes elétricos nas ruas de São Paulo e do Rio de Janeiro, o preço da passagem era duzentos réis, uma quantia à qual não correspondia nenhuma moeda em circulação. Para contornar os problemas de troco, as companhias operadoras dos bondes, a *Botanical Garden Railroad* do Rio de Janeiro e a *Light and Power* de São Paulo, mandaram fazer nos Estados Unidos cupons com cinco bilhetes, que eram vendidos ao preço de mil réis. Esses bilhetes traziam estampada a imagem do carro elétrico que hoje nós chamamos de bonde e uma mensagem em que tinha destaque a palavra *bond*, na qual as companhias se comprometiam a honrar os bilhetes de passagem, transportando seu portador. *Bond*, em inglês, significa compromisso. É uma palavra que já tinha circulado, impressa, nas cautelas das apólices de certos títulos da dívida pública que, poucos anos antes, haviam sido lançados no mercado pelo então ministro da Fazenda, Visconde de Itaboraí. É fácil imaginar o resto: os passageiros, que encontravam impressa na passagem a imagem do bonde e a palavra *bond*, logo ligaram as duas coisas, ou seja, pensaram que a palavra era o nome da coisa. Os bondes saíram de circulação no final da década de 1960; até lá, a população já tinha aprendido a distinguir vários tipos deles. Em São Paulo, ficaram famosos o *bonde-cara-dura* e o *bonde-camarão*. Andar num desses era o sonho de todo caipira; uma toada famosa de viola composta por Cornélio Pires chama-se precisamente *O bonde-camarão*. Nela, um interiorano conta o choque cultural que foi, para ele, andar de bonde na cidade grande.

Banzo – Essa palavra tem origem no quicongo *mbanzu*, "pensamento", ou no quimbundo *mbonzo*, "saudade", "paixão". No Brasil, ela entrou logo para o campo semântico das relações entre a casa-grande e a senzala para indicar um estado de espírito que frequentemente tomava conta dos negros: a profunda depressão causada pelo exílio e pela inserção forçada numa cultura diferente. O banzo levava ao suicídio muitos escravos, particularmente escravos de senhores menos cruéis; muitos desses suicídios foram por afogamento, uma forma que procurava a água como um meio de refazer, às avessas, o caminho de volta para a terra-mãe África. Quase em contraponto à palavra *saudade*, que a grande tradição literária portuguesa carregou de conotações, a palavra *banzo* descreve um sentimento de perda "inventado" no Brasil.

Os empréstimos

O enriquecimento do vocabulário através de empréstimos é atestado desde as épocas mais antigas. O próprio latim vulgar já havia assimilado e difundido palavras de outras línguas (por exemplo, o grego *parabolé*, que deu origem a *palavra*, ou o germânico *saipo*, antepassado de *sabão*).

Bem antes que o português se constituísse como uma língua, entre os séculos V e VII, os falares românicos usados ao norte do rio Douro receberam das **línguas germânicas** faladas pelos suevos e pelos visigodos as palavras *escaramuça, dardo, elmo, espora, espeto, feltro, fresco, guerra, liso, morno, rico, roupa, sopa, trégua, trepar, trotar*. A partir do século VII, do **árabe**, vieram, entre outras, *acelga, açoite, alfaiate, alambique, alcatrão, álcool, alecrim, alface, alfafa, algodão, alicate, almofada, almôndega, alvará, arroz, azeite, azeitona, cáfila, cânfora, ceifar, cenoura, elixir, enxaqueca, enxoval, giz, laranja, limão, refém, tâmara, tremoço, xadrez, chafariz, xarope*.

Os vários dialetos do **espanhol** foram uma fonte importante de empréstimos desde o português antigo, e a influência castelhana marcou profundamente o português entre 1580 e 1640, quando Portugal esteve sob o domínio espanhol. Entre as palavras que devem ser atribuídas a essas influências milenares estão *quadrilha, baunilha, cordilheira, mantilha, fandango, pastilha, pelota* etc.

Passando às línguas românicas faladas fora da Ibéria, a influência do **provençal** foi importante no período do trovadorismo (*trovador, trovar, cobra*[12]) e muitas vozes do **italiano** foram incorporados ao português durante a Renascença e nos séculos seguintes (*gazeta, partitura, solfejar, afresco, arcada, serenata, pelagra, libreto...*), mas a língua românica que mais influenciou o léxico português foi o **francês**, que, em diferentes momentos, transferiu para o português termos ligados à guerra (*florete, plantão, sargento, pelotão, marechal, pistola, fuzilada*), à cultura filosófica e literária (*romance, enciclopédia, libertário, romantismo*) e à tecnologia (*compasso, engrenar/ engrenagem, esmeril, guidom, mecha, pinça, placa, torniquete, turquesa...*).

Muitas palavras do português brasileiro que têm sua origem em línguas estrangeiras chegaram ao Brasil através do português europeu. Não poderia ter sido de outro modo, porque durante todo o período colonial, os contatos do Brasil passavam obrigatoriamente por Portugal. Entrementes, na situação de multilinguismo que caracterizou o Brasil-Colônia, o português teve uma convivência estreita com as línguas indígenas e africanas, e seu vocabulário enriqueceu-se enormemente nesse contato. No léxico do português do Brasil, há uma quantidade enorme de vozes que derivam de línguas indígenas: elas representam todas as grandes famílias linguísticas que existiram no passado no território brasileiro, mas há um predomínio acentuado de vozes de origem tupi, e, entre estas últimas, das que designam a fauna (*minhoca, surubim, surucucu...*), a flora (*mandioca, aipim, macaxeira...*), a alimentação (*mingau...*) e a habitação (*maloca, oca, carioca...*). Quanto às palavras de origem africana, a predominância é das que têm origem no quimbundo, como *angu, tutu, binga, milonga, mocambo*.

Jacques Raimundo e o vocabulário do engenho colonial de cana

De todos os autores que escreveram sobre a história americana da língua portuguesa, Jacques Raimundo é provavelmente o que tratou com mais carinho da criação de novas palavras e expressões num ambiente marcado pela presença do indígena e do negro no período colonial. De seu livro *A língua portuguesa no Brasil*, retiramos a passagem a seguir sobre a cultura e a língua dos engenhos de açúcar. A respeito desse texto, não há nada a explicar, mas talvez seja oportuno preparar o leitor para uma surpresa: as dificuldades de leitura não provêm do vocabulário criado no Brasil dos séculos XVI e XVII, que o autor explica com elegância e clareza; provêm, sim, de palavras autenticamente portuguesas que hoje precisamos procurar no dicionário. Damos ao lado a significação de algumas dessas palavras.

A morada do sesmeiro, a *casa-grande*, de aspecto solarengo, sombria e acaçapada, à frente ou ao lado alargava-se num telheiro espaçoso sobre grossas colunas ou balaustradas: era a *varanda*; mas teve logo outro nome que se recolheu ao gentio: *copiar* ou *copiá*. Esta mesma palavra serviu ainda a

sesmeiro: o indivíduo que recebeu uma sesmaria

designar uma sorte de capélio ou caramanchão, coberto de latadas floridas. O aumento da criadagem, em geral *moleques* ou *mucamas*, muita vez exigiu que se estendesse a casa solarenga para trás, e à nova construção chamou-se *puxado*. Fizera-se do particípio passivo um substantivo, emprestando-se-lhe uma significação desconhecida em Portugal.

Engenho, a máquina ou maquinismo que se inventou a fim de beneficiar uma indústria, passou a designar o estabelecimento em que se cultivava a cana e se fabricava o açúcar; *engenheiro* foi também o dono ou senhor de engenho. *Engenhoca*, de ardil ou armadilha, foi o pequeno engenho que se destinava especialmente ao fabrico do açúcar e da aguardente de cana, e preferiu-se até como sinônimo desta.

Nos engenhos, onde o trabalho se multiplicava, aproveitando-se da cana quanto lhe tornasse lucrativa a indústria, adotaram-se vários termos ou criaram-se outros com o auxílio da justaposição: *feitor-mor*, o lugar-tenente do senhor do engenho; *mestre do açúcar*, o que dirigia a fabricação do açúcar; *soto-mestre* ou *banqueiro*, o imediato do mestre; *ajuda-banqueiro* ou *soto-banqueiro*, o auxiliar do banqueiro. *Carapina* foi a colaboração do gentio ou do caboclo, seu descendente, para nomear o carpinteiro. Segundo os cargos ou funções, ou conforme os objetos ou utensílios, exigiam-se outros termos: *caixeiro* não era apenas o indivíduo que punha nas caixas de madeira o açúcar, mas ainda o que na cidade, como preposto do patrão, recebia as caixas e negociava com elas; *caldeira* era a vasilha grande, feita de cobre, na qual se purgava ao fogo o sumo da cana, e *caldeireiro* quem se ocupava do serviço da purga; *taxa* era outra vasilha, também de cobre, na qual se cozia o caldo purificado e *taxeiro* quem cuidava de vigiá-la durante o cozimento. Ao sumo da cana, passada na moenda, chamava-se *caldo*, antes mesmo de cozido, e depois de cozido *melado*, em vez de *melaço* à melhor ou à certa. Ao açúcar, consoante as castas, deram-se vários nomes e citam-se aqui alguns: primeiro o *branco* e o *mascavado*; desta palavra, ao modo de outros particípios como *pagado* e *pago*, fez-se a forma *mascavo*. A um segundo tipo do branco chamou-se *redondo*, o que se diferençava do fino por ser um pouco menos alvo, parecendo que o epíteto fora devido a transmontanos que diziam *redonda* da aguardente fraca, ou de segunda qualidade, mas completa quanto ao preparo. Assim, é de crer-se que o adjetivo conservava um velho sentido do seu étimo *rotundus*, o de completo ou acabado. A outro tipo chamou-se *branco-batido* ou apenas batido; a outro *mel* e *remel* ao que escorria do batido.

(Fonte: Raimundo, Jacques. *A língua portuguesa no Brasil*: expressão, penetração, unidade e estado atual. Rio de Janeiro: Imprensa Nacional, 1941, pp. 46-8.)

solarengo: que lembra por sua aparência um solar, isto é, uma casa nobre

acaçapado: acachapado, de pouca altura

gentio: os indígenas

capélio: cobertura

latada: treliça de paus, apoiada em postes, que serve de suporte a uma videira, ou a qualquer tipo de trepadeira

ansmontanos: portugueses da região de Trás-os-Montes, ou implesmente portugueses

Nota: os itálicos são do original.

A partir do século XIX, o fenômeno a ser observado, no que diz respeito aos empréstimos vocabulares, é a assimilação de vocábulos trazidos pelos imigrantes europeus e asiáticos. Lembramos, apenas para exemplificar, a origem italiana de *pizza* e *tchau*, a origem alemã de *vina* (do alemão *wiener*, nome que os paranaenses dão a um certo tipo de salsicha), o polonês *pessanka* (que designa os ovos pintados para festejar a Páscoa), o japonês *sushi* (um tipo de bolinho de arroz), o hebraico *bar mitzvah* (a cerimônia que celebra a maturidade do menino judeu e a obrigação de cumprir os rituais religiosos).

A forte presença de palavras indígenas e africanas e de termos trazidos pelos imigrantes a partir do século XIX é um dos traços que distinguem o português do Brasil e o português de Portugal. Mas, olhando para a história dos empréstimos que o português brasileiro recebeu de línguas europeias a partir do século XIX, outra diferença também aparece: com a vinda ao Brasil da família real portuguesa (1808) e, particularmente, com a independência, Portugal deixou de ser o intermediário obrigatório da assimilação desses empréstimos e, assim, Brasil e Portugal começaram a divergir não só por terem sofrido influências diferentes, mas também pela maneira como reagiram a elas. No século XIX, o Brasil foi um grande importador de tecnologia inglesa: para dar apenas um exemplo, a construção das linhas ferroviárias ficou a cargo de companhias chamadas *São Paulo Railway* (que operou entre São Paulo e Santos) ou *Great Western of Brazil Railway* (que operou no Nordeste brasileiro a partir do Recife[13]), a iluminação e a tração dos bondes de cidades como São Paulo e Rio de Janeiro foram implantadas por companhias como a canadense *Light and Power*. No século XX, o Brasil fez sua industrialização sob forte influência americana e, nas últimas décadas, aderiu cada vez mais a uma economia de mercado globalizada, cuja língua é o inglês. Os valores desse mundo globalizado de expressão inglesa estão cada vez mais presentes no dia a dia dos brasileiros; assim, não é de estranhar que o inglês seja hoje em dia uma língua prestigiada, que fornece um número sem precedentes de empréstimos. O Brasil tem mostrado uma receptividade muito grande em relação a palavras inglesas que, adaptadas ou não na escrita e na pronúncia, são logo assimiladas ao uso comum. É uma situação diferente em parte daquela que se observa em Portugal, onde os modelos europeus, particularmente os franceses, continuam prevalecendo. Aliás, em Portugal, a resistência a empréstimos considerados desnecessários tem sido forte. Dois exemplos bastarão para marcar essa diferença: sobre as palavras inglesas *computer* e *freezer*, o português do Brasil criou *computador* e *frízer*. O português europeu tem *ordenador* (criado a partir do francês *ordinateur*) e *arca frigorífica* (criado a partir de elementos vernáculos).

O estudo dos empréstimos, das condições em que são transmitidos, da maneira como são assimilados e das reações iradas que provocam em certas pessoas é um dos capítulos mais fascinantes da história de qualquer língua. Não podemos aprofundar aqui esse assunto, mas, ao encerrar esta seção, parece-nos oportuno reafirmar que o empréstimo é um fenômeno antigo e normal em qualquer língua, dando dois exemplos de como sua história costuma ser mais complexa do que parece.

Primeiro exemplo: a palavra *novela*. Essa palavra foi originalmente italiana (*novella*, que indicava uma narrativa breve) e passou ao português para designar um certo tipo de narrativa de ficção, popularizada pelo romantismo literário e menos complexa que o romance. No Brasil do século xx, *novela* passou a indicar o gênero narrativo em que investiram algumas redes de televisão (particularmente a TV Globo), que logo se tornou uma "curtição" nacional e grande produto de exportação. Hoje, os italianos importam as novelas brasileiras e as chamam de *novelas*, sem perceber que estão usando uma velha palavra italiana.

Segundo exemplo: nos últimos anos, o português recebeu do inglês a palavra *comando*, usada para designar grupos paramilitares especialmente treinados para ações de guerra em território inimigo. Embora essa palavra tenha vindo do inglês *commando*, ela é uma velha palavra portuguesa, que passou ao inglês no final do século xix, na África do Sul, durante a Guerra dos Bôeres: nesse período, os proprietários de terras de origem holandesa e seus aliados portugueses armavam grupos de paramilitares que aterrorizavam com suas incursões os sul-africanos que lutavam pela autonomia e contra a escravatura.

Gregório de Mattos e as palavras de origem indígena

A fidalguia da Colônia

Há cousa como ver um Paiaiá
Mui prezado de ser Caramuru
Descendente de sangue de Tatu
Cujo torpe idioma é cobé pá.

A linha feminina é carimá
Moqueca, pititinga caruru
Mingau de puba, e vinho de caju
Pisado num pilão de Piraguá.

A masculina é um Aricobé
Cuja filha Cobé c'um branco Paí
Dormiu no promontório de Passé.

Branco era um marau, que veio aqui,
Ela era uma Índia de Maré
Cobé pá, Aricobé, Cobé Paí.

Gregório de Mattos Guerra
(1633-1696).

paiaiá – indígena do grupo dos paiaiás, que habitava o sertão baiano na região hoje correspondente a Jacobina. / Pajé.
caramuru – peixe da família dos murenídeos, moreia. (Mas também nome da personagem histórica Caramuru e, por extensão, branco importante...).
sangue de tatu – um tipo de terra roxa, de cor viva, como a que se encontra em algumas regiões em que teve sucesso o cultivo do café.
Cobé-pá – língua indígena hoje extinta, falada na época pela tribo cobé, que vivia nos arredores de Salvador.
carimã – bolo de farinha de mandioca.
moqueca – guisado de peixe (a palavra vem do quimbundo).
pititinga – manjuba e, por extensão, peixe miúdo.
caruru – planta alimentar; prato afro-brasileiro que tem como ingredientes o quiabo, o camarão seco e a cebola.
Cobé – nome que o poeta aplica a todos os indígenas (o termo tupi não se havia ainda generalizado para esse fim).
Piraguá – localidade da região Nordeste.
marau – malandro, embrulhão.

Gregório de Mattos, o maior poeta brasileiro do século XVII, escreveu sátiras famosas que lhe valeram o apelido de "Boca do Inferno". As vítimas de seu sarcasmo são às vezes personagens ilustres da época, como é o caso neste soneto, em que se fala de um *caramuru* (isto é, um dos "principais da terra"), com a intenção de ridicularizá-lo por sua origem mestiça. Em oposição ao conceito tradicional de fidalguia, que se define pelo vínculo de sangue com antepassados ilustres (fidalgo = filho de algo), o poeta zomba dos nobres da Colônia por sua cor, por sua origem mestiça e por representarem uma cultura que não consegue igualar-se à portuguesa (notem-se, por exemplo, as alusões à papa de mandioca fermentada, que tem origem na culinária indígena, ou o vinho de caju esmagado no pilão, um arremedo do vinho pisado em lagar).

No projeto de desqualificar uma classe social lembrando sua origem mestiça, os termos indígenas e africanos assumem um papel importante: chocam por sua sonoridade estranha e carecem à primeira vista de qualquer sentido (note-se o último verso, no qual a repetição de alguns desses nomes vale como uma amostra de que as línguas indígenas são "torpes", isto é, conotam parvoíce ou "ofendem os bons costumes").

O argumento de Gregório de Mattos contra as línguas indígenas nada mais é do que o velho e surrado preconceito que levou os gregos a considerar bárbaros (isto é, "gagos") todos os povos que não falavam sua língua e, certamente, essa atitude era compartilhada por outras pessoas na Colônia. Por isso, um poema como "A fidalguia da Colônia" sugere reflexões muito sérias. Poderíamos, por exemplo, nos perguntar se pode existir sátira sem preconceito e se um grande poeta tem o direito de ser preconceituoso.

Aqui, parece-nos mais importante insistir numa observação bem mais modesta: há, no poema, um punhado de palavras indígenas que desempenham um papel importante. Se essas palavras eram compreensíveis para os leitores do século XVII, podemos concluir que eram correntes no português brasileiro de então. Assim, contrariando os propósitos do poema, a linguagem em que foi escrito atesta o caráter mestiço da língua da colônia.

Jorge de Lima e *Os poemas negros*

Jorge de Lima nasceu em 1895 em União dos Palmares (AL), próximo à Serra da Barriga, onde existiu no século XVII o Quilombo dos Palmares. Viveu em Maceió e no Rio de Janeiro. Médico e político, ganhou fama instantânea como autor do poema *Essa nega Fulô*, que foi extremamente popular, tornando-se inclusive tema de canções e quadros. *Essa nega Fulô* é apenas um dos poemas em que o poeta trata do negro, num tom bem diferente do de Castro Alves. Com a mesma sensibilidade com que tratou a figura humana do negro, Jorge de Lima procurou explorar poeticamente sua linguagem, um fato até certo ponto novo na literatura brasileira. Não só sua poesia negra utiliza vários termos de origem africana – *Benedito Calunga*, transcrito a seguir é um bom exemplo disso –, mas também é sensível à maneira como o português era pronunciado pelos afros: *Fulô* nada mais é do que a palavra portuguesa *flor*, modificada por influência de línguas cuja estrutura silábica só permite sequências de consoante + vogal.

quimbungo: ente fabuloso da mitologia afro-brasileira, trazido pelos bantos e popularizado na literatura oral; ser fantástico, meio homem, meio animal, de cabeça enorme e com um buraco nas costas, que se abre quando abaixa a cabeça e fecha quando levanta. [do quimbundo *kimbungu*, 'lobo', em cruzamento com *kibungu*, 'esperto'].

minhocão: ser fantástico que vive no rio São Francisco, com a forma de serpente gigantesca, ou peixe, ou metade peixe, metade serpente, ou pássaro branco enorme com pescoço comprido que assusta os pescadores e navegantes, virando os barcos; pode também mover-se por baixo da terra, como uma minhoca, e fazer desmoronar os barrancos, casas e roças.

amuxilar: chicotear; da palavra *amuxã*, aquele que brande o chicote (*ixâ*).

Benedito <u>Calunga</u>

Bendito-Calunga
calunga-ê
não pertence ao <u>papa-fumo</u>
nem ao <u>quimbungo</u>
nem ao <u>pé de garrafa</u>
nem ao <u>minhocão</u>.
Bendito-Calungacalunga-ê
não pertence a nenhuma <u>ocaia</u>
nem a nenhum tati,
nem mesmo a <u>Iemanjá</u>
nem mesmo a Iemanjá,
Bendito-Calunga
calunga-ê
Não pertence ao Senhor
que o lanhou de surra
e o marcou com ferro de gado
e prendeu com <u>lubambo</u> nos pés
Benedito Calunga
pertence ao <u>banzo</u>
que o libertou
pertence ao banzo
que o <u>amuxilou</u>,
que o alforriou
para sempre
em <u>Xangô</u>
Hum–Hum

calunga: entidade sobrenatural que se manifesta como força da natureza, principalmente ligada ao mar.

papa-fumo: berbigão ou libélula.

pé de garrafa: personagem mitológica invisível, cuja voz desnorteia os caçadores, e que deixa pegadas em forma de fundo de garrafa.

Iemanjá: na África, orixá do rio Ogun; no Brasil, no candomblé e em outras seitas, orixá da água salgada.

ocaia: amásia, amante, mulher, quase esposa.

tati: homem.

lubambo: corrente de ferro que prendia os condenados pelo pé; trapaça; agitação. [do quimbundo *lubambu*]

banzo: sentimento de profunda apatia causada pela desculturação, que levava os escravos negros ao suicídio.

Xangô: orixá ioruba; culto afro-brasileiro ioruba; local onde se realiza esse culto, terreiro.

As palavras eruditas

Numa passagem anterior deste livro, relacionamos a formação de palavras como *óculos* e *plano* com o trabalho dos escritores dos períodos humanista e clássico e lembramos que essas palavras foram criadas diretamente a partir de formas latinas que já haviam dado origem a outras palavras, *olhos* e *dedo*.[14] Por sua origem comum, *olho* e *óculos* são palavras **cognatas**; pela diferença nos processos de formação e na forma resultante são **formas divergentes**. *Dígito* e *óculos* são, por sua vez, **formas eruditas**: o material usado para formá-las foi encontrado por seus criadores nas línguas clássicas – uma iniciativa então ao alcance de qualquer estudioso. O conhecimento das línguas clássicas (pelo menos do latim) foi por muito tempo uma condição à qual todo cientista teria de sujeitar-se. Hoje não é mais assim, mas os cientistas continuam recorrendo a materiais retirados daquelas línguas para enriquecer suas próprias terminologias.

Passemos a exemplos mais recentes. Como parte da conscientização ecológica das últimas décadas, a população de algumas cidades acostumou-se a separar dois tipos de lixo: o *biodegradável* e o *não-biodegradável*; a busca de novas fontes de energia fez surgir o conceito de *biomassa*; para dar conta das diferentes formas de vida próprias de determinados *habitats* (por exemplo, a floresta amazônica) criou-se a noção de *biodiversidade*; a velha preocupação com a longevidade colocou em moda a alimentação *macrobiótica*. O desenvolvimento de técnicas para a fabricação de aparelhos hospitalares deu um primeiro sentido à palavra *bioengenharia*, mas essa mesma palavra adquiriu um segundo, tão logo se descobriu a possibilidade de criar organismos diferenciados mediante a manipulação de sua estrutura genética. Nenhuma dessas criações tem mais de cinquenta anos – um tempo insignificante em matéria de línguas naturais. Todas utilizam o radical *bio*, que é de origem grega e faz referência a diferentes noções de vida. É pouco provável que os inventores dessas palavras conhecessem a fundo o grego antigo, e isso de certo os distingue dos renascentistas. Aliás, é quase certo que muitas dessas palavras foram criadas por imitação do inglês ou de outra língua contemporânea, e certamente as novas formas só se firmam e se mantêm porque a língua já dispõe de um bom número de termos científicos em que o mesmo radical *bio* é compreendido como uma unidade à parte (como os já não tão recentes *antibiótico, biologia, biópsia, biosfera, micróbio* etc.). Mesmo assim, essas palavras são eruditas por sua origem. Isso apenas mostra que não é tão simples separar as formações eruditas dos empréstimos e das criações vernáculas. Seja como for, o processo aqui descrito tem sido muito produtivo nas últimas décadas; por isso os dicionários mais atentos ao funcionamento real da língua têm se preocupado em listar, além das palavras, também segmentos menores que a palavra, que os falantes reconhecem como unidades significativas.[15]

As palavras de formação vernácula

Seria um grande erro subestimar a importância histórica do empréstimo e da formação erudita como fatores de formação do léxico da língua, mas uma parte considerável do léxico do português brasileiro (provavelmente a maior) foi criada a partir da língua falada todos os dias, à medida que os falantes iam formando combinações novas de materiais lexicais previamente existentes, dos quais tinham um conhecimento vernáculo. Os recursos mais usados nessas criações são os da morfologia derivacional, isto é, a prefixação, a sufixação e a derivação parassintética – recursos que continuam disponíveis, como vimos na seção "Morfologia".

Numa perspectiva histórica, compensa lembrar que cada época teve seus prefixos e sufixos preferidos. Isso significa que, embora sejamos geralmente capazes de reconhecer os prefixos e sufixos presentes numa determinada palavra da língua, alguns foram mais usados em certas épocas do que em outras. Alguns são bastante recentes: por exemplo, as últimas décadas do século XX marcaram o triunfo dos prefixos *mini-* e *micro-*: *mini-* foi lançado com a palavra *minissaia* e formou em seguida uma quantidade de outros derivados (*minimercado, minipãozinho, minibar, minidicionário, minivã, minicaminhão*); mais antigo na língua, o prefixo *micro-* voltou à evidência com o advento dos microcomputadores, especializando-se como um termo dedicado ao *hardware* eletrônico e computacional e, assim, entrou na derivação de *microcâmera, micropartícula, micro-ondas, microchip*; entre os sufixos produtivos de nosso tempo estão *–eiro* (que forma palavras indicando dedicação a um tipo de atividade: *micreiro, metaleiro, computeiro*), *–ista* (indicando especialidade profissional: *acupunturista, manobrista, frentista, capista, tecladista*) e *–oso* (*modernoso, chicoso*).

É claro que é sempre possível formar palavras novas por mecanismos que, estritamente falando, não são os da morfologia derivacional. Como já vimos, o português do Brasil conhece um adjetivo curioso: *cheguei* (*uma roupa meio cheguei, um par de brincos muito cheguei*). Trata-se, é claro, de uma voz do verbo *chegar* que mudou de classe, por um processo que é chamado **conversão** ou **derivação imprópria**. Encontramos também casos como o da voz verbal *disque* (escrita às vezes *disk*) que, reinterpretada como uma unidade significativa à parte, formou *disque-pizza, disque-denúncia, disque-sushi, disque-galeto...* Trata-se, nesse segundo caso, do fenômeno da **composição**, no qual podemos classificar também formações como *x-salada, x-egg, x-maionese, x-tudo* etc.: nestas últimas formas, frequentes hoje na fala e nos cartazes, a letra *x* é, se assim se pode dizer, o que restou da palavra inglesa *cheeseburger*, que de resto foi interpretada como significando um tipo de sanduíche quente, feito com um certo tipo de pão (o pão de hambúrguer); obviamente, esse *x* (pronunciado 'chis') já não evoca a ideia de queijo – haja vista a possibilidade de se pedir um *x-queijo*. Um último processo é o cruzamento vocabular, de que tratamos em quadro à parte, na p. 107.

Da composição, passa-se, quase imperceptivelmente, para a formação de expressões complexas, e dessas para o capítulo dos idiomatismos. O que caracteriza estes últimos é o fato de que, embora contenham apenas palavras conhecidas, resultam em formações cuja significação é até certo ponto imprevisível. Pense-se, por exemplo, em *barriga da perna, costas da mão, peito do pé, coxinha da asa*: o mínimo que se pode dizer é que *barriga, costas, peito* e *coxinha* assumem nessas expressões um sentido muito particular, que seria difícil reencontrar em outros usos correntes. Na mesma linha, pode-se dizer que as expressões "*chutar o balde*" ou "*dar com o rabo na cerca*" não fazem referência a nenhum balde, rabo ou cerca. Obviamente, essas expressões significam como um todo, e ter consciência disso é um dos aspectos de nosso conhecimento da língua. Há um quê de frase feita também nas expressões "*surdo como uma porta*", "*teimoso como uma mula*", "*molhado como um pinto*", "*enrugado como um maracujá de gaveta*", "*contente que nem pinto no lixo*" e outras análogas: nada faria prever que os termos de comparação usados para a surdez, a teimosia etc. seriam precisamente a porta, a mula, etc., mas a língua escolheu essas combinações em vez de outras, e é disso também que nosso conhecimento da língua dá conta.

> É sempre difícil estabelecer a origem exata de expressões idiomáticas como "o tempo do onça", "a casa da mãe Joana" ou "cor de buraco na cerca"; em alguns casos, porém, a origem é pública e conhecida. "Conversa pra boi dormir" nasceu em 1938 como parte da letra da marchinha carnavalesca *Touradas de Madri*, do compositor João de Barros, popularmente conhecido como Braguinha. Nessa marcha, uma personagem masculina conta que se apaixonou por uma espanhola, que quase o obrigou a tocar castanholas e virar toureiro. Mas o apaixonado arrepende-se em tempo, volta para o Brasil e, reavaliando a experiência, decide que tudo não passou de conversa fiada, "conversa mole pra boi dormir". Naquele tempo, as marchas de Carnaval movimentavam a indústria do rádio e das gravações de discos. A popularidade da marchinha, que caiu logo no gosto popular, fez o resto.

Campos "marginais" do léxico: a antroponímia, a toponímia e os nomes de marcas

Há uma velha ideia segundo a qual o fato de nunca ter ouvido um ou outro nome próprio não demonstra desconhecimento da língua. Ela é provavelmente o motivo que leva muitos linguistas a se desinteressarem pelo estudo dos nomes de pessoas. Na realidade, como falantes, sabemos muitas coisas sobre nomes próprios, sejam eles prenomes, sobrenomes, nomes de lugares, nomes de marcas etc.

A história dos prenomes usados no português do Brasil atravessou as mesmas etapas que a história da própria língua. Além dos prenomes que o português herdou do latim (como *Antônio, Marcos, Cecília, Cláudia*) ou recebeu de povos que habitaram a Ibéria na Idade Média (principalmente nomes germânicos como *Diego, Diogo, Guilherme, Roberto* e *Rogério*), é possível encontrar prenomes de origem indígena (*Moacir, Jurandir, Maíra*) e africana (*Janaína*).

Na realidade, o português do Brasil tem sido grande importador de prenomes estrangeiros, um fenômeno para o qual devem ter contribuído fortemente a imigração, a Segunda Guerra Mundial, a influência do cinema e a mídia. Incluem-se aí desde importações de línguas românicas como *Ivone, Giselle, Mercedes, Gianluca,* até nomes de personagens históricas americanas como *Washington, Jefferson, Lincoln, Lindbergh* e nomes de celebridades como *Jacqueline, Diana, Michael Jackson* e *Elton John*. Nem sempre essa importação de nomes ocorre sem percalços: *Andréia* é imitado do italiano *Andrea*, que é nome de homem; *Paola*, outro nome imitado do italiano, é no mais das vezes pronunciado [pa'ola], com mudança na posição do acento. Isso para não falar das complicações que acabam resultando da grafia dos nomes estrangeiros: como no caso de <Wesley> que acaba sendo pronunciado [vɛzi'lej].

Para formar nomes de pessoa, o português do Brasil recorre frequentemente a um processo curioso, que consiste em formar o prenome dos filhos combinando segmentos dos nomes dos pais: o casal Norberto e Walnice poderá ter um filho camado *Norval*, e uma filha chamada *Walnora*. *Jucélia* é o nome possível de uma menina cujos pais são *Jurandir* e *Célia*.

Um traço bem vivo do português brasileiro é que não soa inadequado reduzir o nome próprio a um **hipocorístico**: *Carlos* vira *Caco* (mais antigamente *Calu*), *Eduardo* vira *Edu, Dudu* ou *Duda, Joana* e *Gilberta* passam, respectivamente a *Jô* e a *Gil*. Hipocorísticos desse tipo podem acompanhar a pessoa até a morte, e não choca encontrá-los inclusive nos anúncios fúnebres dos jornais ("*Faleceu ontem, aos 83 anos, dona Etelvina Chagas (Vivi). O enterro será às 14 horas de hoje no Cemitério da Saudade*"). Outro fato notável é que o nome próprio pode sofrer todas as modificações de grau: *Fausto Silva* é o *Faustão; Isaura Garcia,* a *Isaurinha* etc.

Na **toponímia** brasileira é enorme a quantidade de nomes de origem indígena. Muitos desses nomes descrevem a maneira como os indígenas representavam o relevo, a vegetação ou o clima de certas localidades, por isso é preocupante pensar que *Cumbica* (o nome da localidade em que se situa o aeroporto internacional de São Paulo) significa "nuvem baixa" e que o nome *Itaorna* significa "chão que treme", "chão pouco firme" (lamentavelmente, foi numa praia com esse nome que se construiu a primeira usina atômica do país, no litoral do estado do Rio de Janeiro). Menos gravemente, nomes como *Jundiaí* ou *Jaguariúna* aludem a rios outrora habitados por bagres (*jundiás*) ou visitados por onças negras (panteras) (*jaguar* + *una* = onça negra; *jaguar* + *una* + *i* = rios das onças negras).

O grande número de localidades cujo nome é uma lexia complexa, como *Santo Antônio do Pinhal* ou *Santa Rita do Passa Quatro* é o resultado de uma lei do Estado Novo, que criou a obrigação de distinguir, mediante um adjunto, as denominações geográficas que se aplicavam a mais de um lugar. É assim que temos hoje *Santa Rita do Passa Quatro* oposto a *Santa Rita do Sapucaí*. Porém, historicamente, foi mais frequente o fenômeno contrário – a abreviação das denominações antigas: *(freguesia de) Nossa Senhora da Conceição das Campinas > Campinas*.

Uma área pouco estudada, mas socialmente importante do léxico são os **nomes de marcas**. São comuns em português do Brasil os nomes de marca que juntam o produto e a cidade, como *Pirapar*, *Caterpira* (*Piracicaba* + *parafusos*, *Caterpillar* + *Piracicaba*), *Campneus*, (*Campinas* + *pneus*), *Videocamp* (*Video* + *Campinas*) e talvez *Unicamp* (*Universidade* + *Campinas*). Seja como for, o português do Brasil tem exibido nessa área uma criatividade muito grande, produzindo denominações que agregam outros sentidos ao nome da empresa. Aplicado a um restaurante, o nome *Feijão e companhia* funciona em dois níveis: no do cardápio sugere que o restaurante oferece tudo aquilo que se espera encontrar com uma boa feijoada; no da freguesia, convida a ir ao mesmo restaurante bem acompanhado. E o dono de motel que chamou seu estabelecimento *Antes à Tarde do que Nunca* não queria apenas dar a entender que o motel estaria aberto à tarde; quis também convidar os potenciais usuários a não desperdiçarem nenhuma das oportunidades que restam: *sans le savoir*, ele estava retomando um velho tema da cultura ocidental, já explorado por vários poetas desde que foi lançado por Horácio: o *carpe diem*.

A língua portuguesa: "última flor do Lácio"

Para muitos brasileiros, o texto que melhor expressa o apreço pela língua portuguesa é o soneto "Última flor do Lácio" do poeta parnasiano Olavo Bilac (1865 – 1918). Bilac foi um profundo conhecedor da língua, tendo inclusive escrito, no fim da vida, um dicionário de sinônimos que se perdeu.

O soneto fala da língua portuguesa na perspectiva de alguém que conviveu com ela como falante e como poeta; também traz uma série de alusões históricas que tocam – muito indiretamente, é verdade – em episódios através dos quais a língua se enriqueceu.

O verso que provocou mais discussões foi o primeiro, pela dificuldade de decidir o que Bilac entendia por *última* e *inculta*. O português é sem dúvida uma "flor do Lácio", pois desenvolveu-se a partir do latim (a língua do Lácio), mas não foi cronologicamente o *último* desses desenvolvimentos, já que o romeno, outra língua neolatina, só se constituiu no século XV. Quanto ao adjetivo *inculta*, já se pensou que Bilac queria ressaltar o fato de que o latim levado às colônias romanas não foi o da grande literatura, e sim o do povo. É possível. Também é possível que Bilac, como poeta, visse na língua portuguesa um material bruto a ser trabalhado, de acordo com uma ideia que expôs certa vez numa conferência: "os homens fazem a língua, e não a língua os homens".

> Última flor do Lácio inculta e bela
> És a um tempo esplendor e sepultura:
> Ouro nativo que na ganga impura
> A bruta mina entre os cascalhos vela...
>
> Amo-te assim, desconhecida e obscura,
> Tuba de alto clangor, lira singela,
> Que tens o tom e o silvo da procela,
> E o arrolo da saudade e da ternura!
>
> Amo teu viço agreste e teu aroma
> De virgens silvas e de oceano largo!
> Amo-te ó rude e doloroso idioma,
>
> Em que da voz materna ouvi: "meu filho"
> E em que Camões chorou, no exílio amargo,
> O gênio sem ventura e o amor sem brilho!

Seja como for, a visão que Bilac expressa da língua em "Última flor do Lácio" é bastante complexa e atormentada. Nada que lembre o triunfalismo destes três versos do renascentista Antônio Ferreira (1528-1569): "Floresça, cante, ouça-se e viva / A portuguesa língua, e já onde for, / Senhora vá de si, soberba e altiva!"

Notas

[1] Para uma exposição didática, ver G. Chierchia, Semântica, Campinas, Editora da Unicamp, 2003; Mioto et al., Novo Manual de Sintaxe, Florianópolis, Insular, 2004.

[2] Como terá notado o leitor, a nasalidade da vogal é indicada pelo til (<~>) acima dela. As vogais (/ɪ/, /ɛ/, /ɐ/, /ʊ/, /ɔ/), quando nasalizadas, não se diferenciam de /ĩ/, /ẽ/, /ã/, /ũ/ e /õ/.

[3] Essa análise foi proposta por Mattoso Câmara Jr. (1970). As diferentes realizações fonéticas de *canto* podem ser assim representadas [kantʊ], [kãntʊ] e [kãtʊ].

[4] No mais, as africadas são marca registrada de alguns empréstimos, como *pizza, match point, gadget* e *dijei (DJ)*.

[5] Quando trata das informações consideradas, a linguística fala em 'tempo', 'modo' e 'aspecto'; os dois primeiros termos são de uso corrente também nas gramáticas. Evitamos esses termos de propósito, porque são frequentemente fonte de confusão.

[6] Um uso de *nós* que exclui terminantemente o interlocutor e os amigos do interlocutor é expresso na exclamação "Nós quem, cara pálida?".

[7] Entre esses autores estão Sweet (1891) e Paul (1880). Mais recentemente, lembraríamos Halliday (1966-67) e Daneš (1974).

[8] As duas letras foram sucesso na voz do cantor Zeca Pagodinho; as fontes que consultamos atribuem a primeira a "autor desconhecido" e a segunda a Serginho Meriti.

[9] Ver A. Schei, A colocação pronominal do português Brasileiro: a língua literária, São Paulo, Humanitas, 2003.

[10] Dados retirados de uma pesquisa da Faculdade de Educação da Universidade de São Paulo. Acessado em: <http://www.ifolclore.com.br/brinc/v_historiasemfim.htm>.

[11] 62.800 é, mais precisamente, o número de verbetes presentes no dicionário que tomamos aqui como referência, o *Dicionário de usos do português do Brasil* (DUP), de F. S. Borba (Dicionário de usos do português do Brasil, São Paulo, Ática, 2002). Nossa escolha desse dicionário justifica-se por ser um dicionário de usos. O número de verbetes de qualquer dicionário reflete decisões relativas aos propósitos e à estrutura do próprio dicionário: 1) de que fatos linguísticos trata; 2) que estrutura adota para os verbetes; 3) como representa a homonímia e a polissemia das palavras etc. Por isso, para entender o que significa de fato o número que fornecemos aqui, convém que o leitor folheie o DUP.

[12] Com o sentido de par de versos.

[13] Uma economia fortemente dependente do capital inglês fez com que se multiplicassem em várias regiões do Brasil as agências de bancos ingleses, as firmas de importação inglesas e até mesmo os clubes, hospitais e cemitérios ingleses. Ver a título de exemplo, Gilberto Freire (Ingleses no Brasil: aspectos da influência britânica sobre a vida, paisagem e cultura do Brasil, Rio de Janeiro, José Olympio, 1984), e, para mais informações, o site http://www.fundaj.gov.br.

[14] *Dígito* entrou na língua no século XVI, como um termo técnico de astronomia (indicava uma unidade de medida usada para descrever os eclipses). O uso da mesma palavra como termo de informática é da segunda metade do século XX.

[15] Por exemplo, no *Aurélio do século XXI* e no *Houaiss*, -bio e bio- são verbetes à parte.

Português do Brasil: a variação que vemos e a variação que esquecemos de ver

Já se disse várias vezes que o português do Brasil é uma língua uniforme. Sua uniformidade foi afirmada e elogiada por pessoas de diferentes formações – escritores, historiadores e linguistas. Mas a uniformidade do português brasileiro é em grande parte um mito, para o qual contribuíram 1) uma certa forma de nacionalismo; 2) uma visão limitada do fenômeno linguístico, que só consegue levar em conta a língua culta; e 3) uma certa insensibilidade para a variação, contrapartida do fato de que os falantes se adaptam naturalmente a diferentes contextos de fala.

Nas próximas páginas, procuraremos mostrar que o português brasileiro não é uma língua uniforme; e tentaremos convencer o leitor de que essa ideia, além de falsa, é pouco interessante, porque nos torna incapazes de lidar com situações que afetam correntemente o uso da língua e seu ensino. Partiremos do princípio de que a variação linguística é um fenômeno normal, que, por manifestar-se de várias formas, leva os estudiosos a falar em **variação** diacrônica, variação diatópica, variação diastrática e variação diamésica. Essas expressões são à primeira vista estranhas, mas um pouco de etimologia mostrará ao leitor que elas são, no fundo, bastante transparentes.

Variação diacrônica

Todas as línguas estão sujeitas à **variação diacrônica** (etimologicamente: aquela que se dá *através do tempo*). Já vimos que as línguas têm uma **história externa** (que diz respeito à maneira como evoluem ao longo do tempo em suas funções sociais e em suas relações com determinada comunidade linguística) e uma **história interna** (que diz respeito às mudanças que vão ocorrendo em sua gramática – fonologia, morfologia, sintaxe – e em seu léxico). No primeiro capítulo deste livro ("Um pouco de história: origens e expansão do português"), vimos um pouco da história externa da língua portuguesa ao estudar sua formação como língua românica e sua difusão pelas terras descobertas pelos portugueses, e vimos alguns detalhes de sua história interna quando estudamos as propriedades linguísticas de textos de diferentes épocas. Tudo isso deve ter dado a ideia de que a variação diacrônica das línguas se dá sempre num espaço de séculos. Nem sempre é assim.

A variação diacrônica é às vezes percebida comparando gerações. Por exemplo, todos nós conhecemos gírias que, embora compreensíveis, soam "antigas", e também é comum o caso de gírias compreensíveis somente aos mais velhos ou aos mais novos. Assim, muitos paulistas de hoje simplesmente não compreendem a expressão *estar de bonde*, que, no contexto do namoro à antiga, significava "estar com a namorada"; ao mesmo campo semântico do namoro de outros tempos pertencia também o substantivo *footing*, que indicava a prática dos adolescentes de passear a pé, em grupo, em local público, para ver adolescentes do outro sexo e ser visto por eles (elas). E, para ficar no capítulo do namoro, muitos pais que tinham filhos adolescentes na década de 1990 tiveram sérias dificuldades para entender o significado do verbo *ficar*, que representava um modo de relacionar-se com o sexo oposto estranho à sua experiência.

Embora seja mais comum encontrar inovações na gíria e em outras áreas do léxico, é possível encontrá-las também no domínio da gramática e em outras variedades da fala ou da escrita. As construções *"dar uma de sonso"* e *"dar uma de Jânio Quadros"* soavam estranhas quando apareceram há cerca de meio século; uma variante mais familiar, mas não exatamente equivalente, era então "bancar o sonso", "fazer-se de sonso", "agir como Jânio Quadros". Hoje "dar uma de..." é de uso corrente na fala coloquial e haveria muito a dizer sobre os matizes de sentido que transmite. Mais recentemente, outra construção sintática, *"amanhã vamos estar mandando seu cartão para o endereço que o senhor acaba de indicar"*, chamou a atenção de muitos profissionais da linguagem (professores, jornalistas, escritores, gramáticos...). Sobre essa construção já se disse de tudo: que ela é desnecessária; que ela é indispensável; que ela foi criada pelas telefonistas do telemarketing; que ela já existia na Idade Média; que é mais um estrangeirismo, pois foi criada por imitação do inglês; que é uma construção vernácula, inteiramente previsível no português do Brasil. Aqui, interessa simplesmente apontá-la como uma construção que se tornou corrente nos últimos anos, ou seja, um fato de "variação diacrônica" que percebemos sem voltar ao passado.

Um caso muito particular de variação diacrônica é a **gramaticalização**, isto é, o processo pelo qual uma palavra de sentido pleno assume funções gramaticais: um exemplo clássico de gramaticalização em português é a formação do pronome *você*: como todos sabem, essa palavra remonta a *Vossa Mercê*, via *Vosmecê*. Era, na origem, uma expressão de tratamento, como *Vossa Majestade* ou *Vossa Excelência*; hoje é um pronome pessoal, e nessa função suplantou o antigo pronome de segunda pessoa *tu*, numa grande área do território brasileiro. O processo inverso à gramaticalização é a **lexicalização**: este último processo acontece, por exemplo, quando dizemos que um trabalho apresenta vários *senões*, ou quando pedimos a alguém que deixe de *entretantos* e passe aos *finalmentes*. Como todos sabem, *entretanto* é geralmente uma conjunção e *finalmente* é geralmente um advérbio; mas no uso que estamos descrevendo aqui essas palavras significam respectivamente "considerações, ressalvas" e "conclusões, decisões". Essas palavras foram transformadas em substantivos que indicam as fases de um debate, como mostra, de resto, a aplicação do artigo e a desinência do plural.

Seja como for, convém pensar na língua não como uma forma que foi estabelecida em caráter definitivo em algum momento do passado, quem sabe por decisão de uma assembleia de sábios, mas sim como uma realidade dinâmica, que está por natureza em constante mudança.

Não só a língua que falamos hoje é o resultado de muitas inovações ocorridas em épocas diferentes; na língua que falamos hoje convivem palavras e construções que remontam a épocas diferentes. Às vezes, o uso de uma língua mais antiga torna-se a opção mais ou menos consciente de alguns falantes ou escritores. Foi essa a opção de escritores como Euclides da Cunha e Alberto de Oliveira, que recorreram em suas obras a uma sintaxe e a um vocabulário inspirados em autores portugueses que haviam vivido dois ou três séculos antes, como uma forma de enriquecer seu próprio estilo. Talvez porque sempre recorrem a exemplos buscados nos "grandes escritores", os gramáticos também tendem a construir representações da língua que apresentam uma defasagem considerável em relação ao uso corrente. Independentemente disso tudo, a língua muda.

Antologia
Anúncios na imprensa

Para dar uma ideia de como o PB mudou nos últimos duzentos anos, vale a pena ler estes dois anúncios do século XIX.[1] Muito do que eles dizem só faz sentido no contexto em que foram escritos, por isso, se quisermos compreendê-los mais completamente, teremos que recuperar um contexto diferente do nosso, o do Brasil escravagista. Além de nos trazerem importantes informações históricas sobre a época em que foram escritos, anúncios como esses nos dão também muitas informações sobre a língua da época e é principalmente a esse aspecto que daremos atenção aqui.

São Paulo, 1830

Hontem pela manhãa se me enviou um negro do gentio de Guinè, muito boçal, e trajado à maneira dos que vem em comboi, e se me dice, foi pegado, vagando como perdido. Por intérprete apenas pude colher que ainda não era baptisado, e que saindo a lenhar se perdeu: queira por tanto V.m. inserir este annuncio em sua folha, a fim de apparecer dono, sobre o que declaro, que se não apparecer por 15 dias, contados da publicação da folha, heide remetel-o á Provedoria dos Resíduos; a quem pertence o conhecimento das coisas de que se conhece o dono. – São Paulo 9 de Abril de 1830. – O Juiz de Paz Supplente da Freguezia da Sè – José da Silva Merceanna.

(Fonte: *O Farol Paulistano*, 24 de abril de 1830.)

Esse texto exemplifica um tipo de anúncio que se publicou fartamente em todos os jornais do país até ser abolido o regime escravocrata. Nele, informa-se a captura de um negro fugido a fim de que o dono possa tomar as providências necessárias para recuperá-lo. Outro tipo de anúncio ainda mais comum no período era aquele em que o proprietário informava a fuga de escravos e prometia uma recompensa a quem os levasse de volta ou informasse seu paradeiro. Hoje choca-nos a maneira como esses anúncios falam dos escravos: eles são invariavelmente descritos pelas suas características físicas, com indicação de um genótipo (é para isso que se cita no anúncio acima a origem no *gentio da Guiné*) e uma atenção muito exata a traços como cicatrizes, idade, vestimentas e grau de aculturação (a necessidade de um intérprete mostra que o escravo não sabe falar português, e a qualificação de *boçal* indica por sua vez que ele não assimilou a cultura dos senhores, e é possivelmente nativo da África). Choca mais ainda, no texto, verificar que um dos destinos possíveis para o escravo é a Provedoria de Resíduos, essa curiosa repartição pública que cuida *das coisas de que não se sabe dono*: não poderia haver manifestação mais significativa do fato de que os escravos eram então tratados como propriedades e coisas. Todos esses aspectos que nos chocam no início do século XXI fazem desse tipo de texto um importante material histórico, sobre o qual haveria muito mais a dizer.

A análise linguística do texto leva a resultados menos impressionantes, mas não menos significativos. Não podemos fazer vistas grossas ao fato de que o anúncio foi redigido por um juiz e que é um exemplo típico de língua escrita. É então com a língua escrita de hoje que esse anúncio de 1830 precisa ser comparado, mais particularmente com os nossos classificados. As diferenças são consideráveis. Nele, encontramos características dos gêneros jornalísticos que hoje qualificamos como "notícia", "carta do leitor" e "comunicação/informação à praça", e a sintaxe do texto soa pesada devido a um uso dos clíticos que hoje seria evitado. Notem-se as construções como *se me enviou um negro* e *coisas de que se não sabe dono*; na última delas, o pronome clítico é separado do verbo pela negação. Essas construções são conhecidas como "apossínclise clássica" e, como o nome indica, têm hoje um sabor arcaico e literário; a chance de que apareçam num jornal é nula.

Sem ser incompreensível, o vocabulário do anúncio de 1830 soa antigo ou remete a situações que já não são familiares: tome-se por exemplo a palavra *comboi(o)*: a acepção que conta é "conjunto de animais ou pessoas que se deslocam próximos uns dos outros, demandando um mesmo destino", numa evidente alusão ao fato de que os escravos chegavam acorrentados às terras brasileiras; a palavra *boçal*, que sobreviveu como expressão de xingamento, era, na época, um termo técnico, que indicava um dos tantos estágios da aculturação dos escravos: *boçal* designava o negro-novo, o negro recém-chegado da África, que ainda não tinha aprendido a atuar no papel que lhe era reservado na sociedade brasileira, o oposto de *boçal* era *ladino*, que hoje qualifica o indivíduo "cheio de manhas", mas na época indicava o escravo parcialmente aculturado. Muitas outras palavras presentes no anúncio, embora compreensíveis, não seriam hoje a opção óbvia num jornal: em vez de *trajado, colher, lenhar, a quem pertence o conhecimento das coisas*, diríamos mais provavelmente *vestido, apurar / verificar, cortar lenha* e *quem é competente para tratar das coisas*.

Paranaguá, PR 1854
AO BARATO
SOARES & MAVIGNIER
RUA DA ORDEM N° 1 EM PARANAGUÁ

Esta nova loja de fazendas acaba de receber pelo vapor Maracanã o seguinte: Chales de touquim; leques de madreperola e de marfim, bengallas d' unicorne; mantelletes guarnecidas de filó e rendas de seda; paletós de cassa e filó bordado, para s.^{ras} e meninas; camisinhas inteiramente modernas, infeitadas com rendas de seda; sedas lavradas e de xadrês; nobrezas furta-cores e preta; tapetes para sophás; chapéos de sol; ditos de mollas para cabeça; toucados para s^{ras}; grinaldas francezas; camisas ditas, peitos para camisas; merinós setins de cores; gravatinhas de touquim para s^{ras}; panno de linho para lencóes com 10 palmos de largura; véos pretos, sarja espanholla e franceza. Além d' estas fazendas, encontra-se na mesma casa um extraordinário e variado sortimento de fazendas grossas e de gosto; chapéos e calçados para homens e s^{ras} e artigos de armarinho.

(Fonte: *O 19 de dezembro*, 22 de abril de 1854.)

Esse texto nos mostra, mais uma vez, que muita coisa mudou na linguagem publicitária, desde o século XIX até hoje. Como anúncio, ele nos parece hoje insuportavelmente longo, aliás a propaganda deixou há tempo de enumerar em seus textos os itens disponíveis para venda (uma função que foi assumida pelos *folders* e catálogos e que, mesmo quando não dispensa de todo o texto escrito, recorre mais amplamente à imagem). As estratégias usadas para valorizar a mercadoria (a chegada do último vapor, o caráter absolutamente moderno das blusas, a procedência francesa ou espanhola de alguns artigos, o nome afrancesado de outros) soa no mínimo *demodé* em nossos dias. Mas fixemo-nos mais atentamente na língua do texto: só o dicionário nos salvará, se quisermos entender hoje o que é um *xale* ou uma gravatinha de toquim, uma nobreza furta-cor ou um merinó.² Onde o anúncio fala em *sarja, tapetes para sofás, paletós para senhoras*, falaríamos mais prosaicamente em *brim, capas e casacos*. O caso das *camisinhas enfeitadas com renda de seda* e dos *chapéus de mola* chega a ser hilariante, porque a palavra *camisinha* se especializou nas últimas décadas para indicar os preservativos masculinos de borracha (quem pensaria em enfeitá-los com renda de seda?) e a ideia de adornar um chapéu com uma *mola* faz pensar em um chapéu que balança na cabeça de quem o usa. Na realidade as molas de que fala o anúncio não passam de grampos que se usam para prender um chapéu mais leve ao cabelo, e as camisinhas são, como sugere a morfologia da palavra, camisas de formato pequeno, camisas para mulheres, isto é, blusas.

> Para quem pensa que a antiguidade da língua desse anúncio é só uma questão de léxico, uma surpresa: as palavras *ditos* e *ditas* estão em uso anafórico, isto é, tiram seu sentido de uma expressão que apareceu antes no anúncio. Recoloquemos essas palavras em seu contexto, para entender melhor:
>
> *chapéus de sol, <u>ditos</u> de molas para cabeça;*
> *grinaldas francesas; camisas <u>ditas</u>*
>
> Quem escreveu o anúncio usou *ditos* para não repetir *chapéus*, e usou *ditas* para não repetir *francesas*. Trata-se de usos que hoje só seriam admitidos nas escrituras dos cartórios.

Variação diatópica

Por **variação diatópica** (do grego *dia* = através de; *topos* = lugar) entendem-se as diferenças que uma mesma língua apresenta na dimensão do espaço, quando é falada em diferentes regiões de um mesmo país ou em diferentes países.

Português europeu e português do Brasil

Quando se fala da língua portuguesa como um todo, o estudo da variação diatópica leva, antes de mais nada, a comparar as variedades de português faladas na Europa (Portugal, Madeira, Açores), na África (Angola, Moçambique, Guiné-Bissau etc.), na América Latina (Brasil) e na Ásia (Goa, Macau etc.); por razões históricas e políticas, a maioria dos estudos feitos nessa linha tem procurado comparar as línguas das antigas colônias (inclusive o Brasil) com a língua de Portugal. Uma questão que surge frequentemente nesse contexto é se Portugal e as antigas colônias falam a mesma língua; sentimentos nacionalistas ligados ao processo de descolonização levam a realçar as diferenças (como no caso do Brasil e dos países africanos); ao passo que a preocupação de distinguir-se de outros países vizinhos leva a valorizar as raízes portuguesas (como no caso de Timor-Leste).

Obviamente, as diferenças entre o português do Brasil (PB) e o português europeu (PE) são muitas; lembremos, de passagem, as mais marcantes:

- no domínio dos sons, o PE se caracteriza pelo enfraquecimento das sílabas pretônicas, pela pronúncia do /R/ como vibrante múltipla, pelo fato de que o /l/, em posição final de sílaba, tem pronúncia velarizada, e não é substituído pela semivogal /w/;

- ao contrário do PB, que os perdeu quase por completo, a sintaxe do PE usa regularmente os pronomes clíticos, com diferenças importantes quanto à sua colocação (como mostra o fato sempre lembrado de que em PB, mas não em PE, é possível ter o clítico em primeira posição absoluta de frase: *Me dá um cigarro*);
- como efeito do enfraquecimento do sistema de clíticos, o PB usa abundantemente a construção conhecida como "objeto nulo", que o PE evita;
- o PE usa *si* como anafórico de expressões de tratamento: *Senhor Doutor, esta carta é para si*; ao passo que em PB se repete a expressão de tratamento: *Doutor, esta carta é para o senhor*;
- o PE constrói as perífrases progressivas usando, ao lado do verbo *estar*, a preposição *a* + o infinitivo; o PB usa *estar* + gerúndio: PE *não estou a perceber* / PB *não estou entendendo*;
- o PE exprime a condição usando o indicativo (*Se eu sabia, eu vinha*), uma construção que em PB culto é discriminada;
- as diferenças de vocabulário são numerosas; dizem respeito em princípio a todas as classes morfossintáticas: verbos (*aquecer / esquentar, arrefecer / esfriar, conduzir / guiar, reformar / aposentar*), adjetivos (*parvo / bobo, nabo* (feminino *naba*) */ barbeiro* (feminino *barbeira*, com o sentido de "mau motorista"), *giro* (feminino *gira*) */ legal* (no sentido que esta palavra assumiu há tempo na linguagem familiar), *castanho / marrom)*, e sobretudo substantivos. É a esta última classe que pertencem os casos listados a seguir, entre os quais não poderiam faltar os sempre citados *comboio* e *rapariga*:

    grossista / atacadista
    cerveja de pressão / chope
    paragem de ônibus / ponto (ou *parada*) *de ônibus*
    peão / pedestre
    pastilha elástica / goma de mascar, chiclete
    rapariga / moça
    reformado / aposentado
    sida / aids
    tira-cápsulas / saca-rolhas ou *abridor de garrafas*
    tubo de escape / escapamento
    lombo / filé mignon
    comboio / trem
    ecrã / telinha da televisão ou *tela do cinema*
    atendedor automático / secretária eletrônica
    carrinha / utilitário ou *perua*
    casa de banho / banheiro
    banheiro (fem. *banheira*) */ salva-vidas* (na piscina ou no mar)
    e outros;[3]
- o PB tem aceito uma série de empréstimos de origem americana, para designar artefatos que o PE designa mediante palavras criadas no interior da própria língua: um bom exemplo é a palavra brasileira *frízer* que, em PE, é *arca frigorífica*.

Uma diferença esquecida entre o português brasileiro e o português europeu: as colocações

Nem todas as diferenças entre o PE e o PB resultam do fato de que essas duas variedades têm repertórios de palavras diferentes. As expressões que seguem são formadas por palavras que existem tanto em português europeu como em português brasileiro; o que muda é a possibilidade de usar juntas essas palavras numa ou noutra variedade. Indicar essas diferenças, que são conhecidas como "diferenças de colocação", é uma parte importante do trabalho dos dicionaristas.
(Fonte: VALENTE, R. S. *Diferenças e similaridades colocacionais entre o português brasileiro e o português europeu*: estudo baseado na noção de função lexical da teoria Sentido/Texto. Dep. de Linguística e Tradução da Universidade de Montreal, 2002. Mimeo.)

PE	PB e PE	PB
feito um burro	teimoso como uma mula	que nem a mulher do piolho
como uma gralha	falar pelos cotovelos	mais que o homem da cobra
a troco de reza	comprar por uma pechincha na bacia das almas	por uma micharia / ninharia
a potes	chover a cântaros	canivetes
como os trovões	feio de doer	como a mulher do guarda
para além do estúpido	surdo como uma porta	feito um muro
pescar um marido	arranjar um marido	fisgar um marido
pela medida grande	apanhar	como cachorro sem dono
como um pisco	comer	como um passarinho
como um prego	dormir como uma pedra	como um gato de hotel

Mas afinal, o português do Brasil e o português europeu são duas línguas diferentes? As respostas a essa pergunta variaram ao longo do tempo: os primeiros dialetólogos portugueses não hesitaram em tratar o português do Brasil como um dialeto (por exemplo, Leite de Vasconcelos); os maiores filólogos brasileiros insistiram na profunda unidade das duas variedades (por exemplo, Serafim da Silva Neto (1957)); ao contrário, muitos linguistas falam hoje em línguas diferentes (por exemplo, Roberts e Kato (1993) e Galves (2001)).

Não tentaremos dizer aqui quem tem razão, por três motivos: (a) os interesses desses autores e os conceitos de língua que eles usaram são diferentes ou, como diriam os filósofos da ciência, "incomensuráveis"; (b) provavelmente todos esses autores estão certos no seu respectivo ponto de vista; (c) neste livro, interessa-nos, principalmente, falar da variação diatópica que se observa no português do Brasil, tema dos próximos parágrafos.

A variação regional no português do Brasil

Quando se fala de variação diatópica do português brasileiro, a primeira observação a fazer é que, se tomarmos como termo de comparação a variação regional das línguas faladas na Europa (inclusive o português europeu), o Brasil fala uma língua muito uniforme em todo o seu território; a variação não afeta aspectos substanciais do sistema fonológico e sintático da língua, e assim não admira que o gaúcho possa ser compreendido pelo amazonense, ou o mato-grossense pelo nordestino. Seria, porém, um erro pensar que a variação regional simplesmente não existe. A melhor prova disso é que, com boa margem de acerto, é possível adivinhar a procedência geográfica das pessoas pela maneira como falam; e já faz alguns séculos que certas variedades regionais foram claramente identificadas (uma delas é o "paulista"). Também seria um erro concluir que, por ser relativamente uniforme do ponto de vista diatópico, o português brasileiro é uniforme sob outros aspectos (por exemplo, o diastrático e o diamésico), como veremos mais adiante.

**O boletim de ocorrência do juiz de fora
Francisco Lourenço de Almeida**

O trecho que segue foi estudado pelo professor Gilvan Müller de Oliveira (2004), em um trabalho sobre a história da língua portuguesa no Brasil meridional, e faz parte de um documento policial escrito em 1816 na cidade de Desterro (hoje Florianópolis):

> encontramos /
> pelas onze horas mais ou menos da /
> mesma noite na Rua do Vinagre junto /
> à porta de um tal Fayal, bem de fronte /
> da travessa que toma para a Rua Augusta /
> uns oito vultos, dois ou trez dos quaes com /
> borretinas do uniforme de cavallaria /
> de S. Paulo, ao presente destacada nesta V^a
> [corroído]

> os mais vestidos de ponxes com chapeos /
> desabados, os quaes fomos reconhecer da par- /
> te da Justiça, como era da nossa obrigação /
> declarando serem soldados do Regim^{to} /
> d. São Paulo – como com effeito erão, e se /
> conhecerão pela diferença e singularidad.^{e}
> da sua voz e pronúncia – que ali se acha - /
> vão com licença do seu Then.^{e} Cor.^{El} comand.^{Te}
>
> (Fonte: MIRANDA, F. G.; SARAIVA, J. P. A.; VIEIRA, S. F. *Ofícios dos juízes de fora para o presidente da província* (1814-1821). Florianópolis: Núcleo de Estudos Portugueses, 1996. Série Filológica.)

São Paulo foi a capital de uma extensa região ao sul do Brasil, da qual se emanciparam, uma depois da outra, as regiões que hoje correspondem ao Rio Grande do Sul, Santa Catarina e Paraná. Foi também um entreposto importante no fornecimento de charque e muares, usados nas lavras de ouro e pedrarias de Minas Gerais. Nessas circunstâncias, não estranha que alguns soldados "paulistas" estivessem em Desterro em 1815, com conhecimento de seu superior, quando foram surpreendidos por uma ronda noturna da polícia local.

Esse documento interessa à história do português brasileiro pela clareza com que mostra que, no fim do período colonial, na região sul, o falar paulista era reconhecido como uma variedade bem caracterizada do português brasileiro.

Vamos apontar em seguida alguns casos de variação diatópica do PB, mas, antes, são necessárias algumas advertências:

- em primeiro lugar, não podemos esquecer que o Brasil tem sido e ainda é um país de grandes migrações internas. Não faz muito tempo que a agricultura conquistou a região do cerrado e algumas áreas da Amazônia que, até então, eram consideradas não cultiváveis, ou só eram lembradas pela extração de madeira; os agentes dessa ocupação são colonos do Sudeste e do Sul; anteriores a isso, já mencionamos as grandes migrações de nordestinos ocasionadas pelo crescimento da construção civil em São Paulo, pela construção de Brasília (décadas de 1950 e 1960) e, mais antigamente ainda (final do século XIX), pelo ciclo da borracha. Tudo isso dá à variação diatópica do português brasileiro um dinamismo que falta em outros países e é comum encontrar em regiões que receberam fortes contingentes de migração interna variedades linguísticas de procedências diferentes, entre as quais acabam se criando diferenças de *status* e prestígio;[4]

A ocupação da Amazônia no século XX foi acompanhada pela destruição da vegetação nativa. Grandes áreas de floresta foram queimadas para facilitar a extração de madeira e a implantação da pecuária, com danos irreversíveis para o meio ambiente.

Representações recíprocas de falares brasileiros

É próprio da caricatura "carregar" em alguns traços da pessoa que retrata, produzindo assim uma imagem propositalmente distorcida. Uma caricatura é, por definição, uma representação infiel (e nesse sentido desrespeitosa) do objeto retratado. Não admira, assim, que a ideia de caricatura seja evocada neste trecho, em que a linguista Adair Palácios fala, em tom de desabafo, sobre a maneira como são representadas, no sul do país, as variedades de português faladas no Nordeste:

> Quando se quer caricaturar o dialeto nordestino, especialmente em programas humorísticos de rádio e TV, observa-se a aplicação da regra de abaixamento das vogais, a inserção de itens lexicais típicos, como "aperriado", "bichinho", "oxente", e ainda uma curva de entonação final descendente e prolongada do tipo foi não (⌒). Tomadas essas providências tem-se a impressão de caracterizar bem a fala do Nordeste. Só que essa caracterização soa tão artificial aos ouvidos do falante daquele dialeto, como autêntica aos ouvidos do imitador
> (PALÁCIOS, Adair. Apud. ALVES, Maria Pacheco. Atitudes linguísticas de nordestinos em São Paulo. Campinas, 1979. Dissertação (Mestrado) – Unicamp.).

Quem escreve é uma cientista competente e respeitada, que dedicou boa parte da vida ao estudo das línguas indígenas de sua região. Seu desabafo nos faz lembrar que há muito mais riqueza e variedade nas falas nordestinas do que imagina a maioria das pessoas que vivem no Sul. Querer enquadrar à força todas essas variedades numa mesma descrição é, mal comparando, tão incorreto como chamar a todo nordestino de baiano.

Infelizmente, essa imagem distorcida da realidade linguística regional (não só do nordeste) é aquela que prevalece nos grandes meios de comunicação, particularmente na televisão. Isso se aplica não só aos programas humorísticos, mas também às novelas, mesmo quando são montadas com grande investimento de recursos e com a preocupação de reproduzir corretamente o ambiente físico e as características de época.

- nem sempre é fácil separar o que é diatópico do que é diastrático (diferentes camadas sociais). O que queremos dizer com isso é que, como regra geral, os traços tipicamente regionais aparecem com mais nitidez nas falas mais informais, as mesmas que permitem o uso de variedades não-padrão. Em contextos mais formais, os falantes tendem a seguir uma norma que pode ultrapassar o estritamente regional: valha como exemplo a tendência da escola para reprimir o uso do chamado "erre caipira" na região central do estado de São Paulo, onde essa pronúncia ainda é corrente na comunicação informal;
- lembre-se, por fim, que entre as obras em que basearemos nossa lista de fenômenos linguísticos regionais, são mais frequentes aquelas que estudam o dialeto de uma determinada localidade, do que aquelas que delimitam com precisão a área em que ocorre um determinado fenômeno linguístico. Tome-se como único exemplo um livro que marcou época, com méritos indiscutíveis, *O dialeto caipira na região de Piracicaba*, de Ada Natal Rodrigues (1974): esse livro faz uma análise cuidadosa e à sua maneira completa da fala de um município do estado de São Paulo que era então considerado uma espécie de "capital do dialeto caipira", mas não se preocupa em delimitar as áreas, não necessariamente coincidentes, em que prevalecem os diferentes traços do "dialeto caipira": o erre retroflexo, a troca de [ʎ] por [j], a queda do erre final dos substantivos e verbos etc.

Dialeto caipira

A imagem do caipira costuma ser associada ao seu modo de falar, caracterizado principalmente pelo erre retroflexo, pela queda do erre em fins de palavra (*começá* por *começar*; *querê* por *querer*), pela queda do ele em fins de palavra (ou sua pronúncia como erre retroflexo) e pela pronúncia como erre retroflexo do ele em fins de sílaba (*animar* ou *animá* por *animal*; *vortá* por *voltar* etc.). Vale lembrar também que os "caipiras" não estão presentes apenas no interior do estado de São Paulo, mas também no norte do Paraná e em boa parte de Minas Gerais.

Além do jeito de falar, o caipira também evoca todo um imaginário sobre a vida do campo e uma cultura musical muito rica, que goza há algum tempo de projeção nacional: trata-se das modas de viola, ou música sertaneja, ou ainda música raiz.

São músicas que tratam da vida no campo, de amor e de "causos". Um exemplo é a música "Couro de Boi", de Teddy Vieira e Palmeira, que já foi gravada nas vozes de Tonico e Tinoco, Sérgio Reis e outros:

Couro de boi

Conheço um velho ditado desde os tempos dos
zagais, um pai trata deis fio, deis fio num trata um pai,
sentindo o peso dos anos, sem podê mais trabaiá,
um veio peão estradeiro, com seu fio foi morá,
o rapaiz era casado, e a muié deu de impricá,
você mande o veio imbora, se não quisé que eu vá,
o rapaiz coração duro, com o veinho foi falá:
para o senhor se mudá, meu pai eu vim lhe pedi,
hoje aqui da minha casa, o sinhô tem que saí,
leva esse couro de boi, que eu acabei de curti,
pra lhe servi de cuberta aonde o sinhô durmi.
O pobre veio calado, pegou o couro e saiu
Seu neto de oito ano, que aquela cena assistiu
Correu atrais do avô, seu palitó sacudiu
Metade daquele couro, chorando ele pediu
O veinho comovido, pra não vê o neto chorando
Cortou o couro no meio, e pro netinho foi dando
O menino chegou em casa, seu pai foi lhe perguntando
Pra que você qué este couro, que seu avô ia levando
Disse o menino ao pai, um dia vou me casar
O senhor vai ficá veio, e comigo vem morá
Pode ser que aconteça, de nois não se cumbiná
Essa metade do couro, vou dar pro senhor leva

Almeida Jr.
Caipira picando fumo.

Almeida Jr.
O violeiro.

Feitas todas essas ressalvas, podemos citar agora alguns fatos que costumam ser lembrados como exemplos de variação diatópica do português brasileiro. Como seria de esperar, muitos desses fenômenos dizem respeito ao léxico, no qual encontramos, no mínimo, as seguintes situações:

- a mesma realidade é expressa, conforme a região, por palavras diferentes:
lanternagem / funilaria
macaxeira / aipim / mandioca
negócio / venda
geleia de frutas / chimia

- as duas variedades regionais têm palavras com a mesma forma, mas com sentidos diferentes:
  quitanda (em geral: "mercearia", "tenda" / Minas Gerais: "conjunto de iguarias doces e salgadas feitas com massa de farinha"); *feira* (em geral: "reunião de vendedores" / região Norte: "sacola em que se transportam gêneros").

Vocabulário amazônico

A região amazônica é muito conhecida por suas riquezas naturais, pela sua biodiversidade; é também nessa região que encontramos o maior número de povos indígenas. Mas a região amazônica também apresenta uma enorme riqueza folclórica, com grande número de personagens e histórias populares. Nos livros organizados por Simões e Golder (1995), foram coletadas algumas dessas estórias, relativas à Amazônia paraense. Elas estão permeadas de vozes de origem indígena, mas também de vozes de origem portuguesa, que podem soar um pouco antigas. Isso se deve à forma como transcorreu a ocupação

Representação de Santarém, em 1849.

Vaqueiro de Marajó, por Percy Lau.

da região. A presença indígena sempre foi uma constante e a assimilação das palavras desses povos não poderia deixar de ocorrer. Contudo, Belém, por exemplo, recebeu contingentes de açorianos a partir de 1677; além disso, em Belém, capital da então província do Grão-Pará, encontrava-se como governador ninguém menos que Francisco Xavier de Mendonça Furtado, irmão do Marquês de Pombal, o que fez com que essa região fosse por muito tempo pró-Portugal.

A partir de 1877, com o ciclo da borracha, aproximadamente trezentos mil nordestinos migraram para lá. Tudo isso contribuiu para que a região amazônica guardasse em seu vocabulário, o mesmo em que se recontam suas lendas e mitos, palavras originárias de várias fontes, desde o elemento claramente indígena, até um

Embarcação típica da Amazônia, conhecida como "vaticano". Ilustração de Percy Lau.

português arcaizante, passando por criações e usos regionais. A amostra a seguir, baseada principalmente em Oliveira (2001), traz um pouco dessa diversidade:

Atorá: espécie de utensílio usado para o transporte de farinha, frutas e legumes e outros gêneros de alimento.

> **Bamburrada**: repleta; cheia.
> **Bilha**: moringa; pequena moringa de barro com gargalo estreito, destinada a guardar a água a ser consumida.
> **Bobó**: pulmão.
> **Carimbé**: mingau feito de farinha fina.
> **Catombão**: saliência disforme, de grande proporção, que se forma nas costas; corcunda.
> **Corera**: os restos da mandioca que, por serem muito grossos, não passam na peneira, destinando-se ao preparo de um mingau chamado "carimã".
> **Fut**: diabo.
> **Jito**: pequeno.
> **Madeira**: pênis; o mesmo que espada; chapuleta; vergalho.
> **Marmota**: aparição sobrenatural; pode também significar ação engraçada performatizada por alguém.
> **Mina**: porção; grande quantidade de.
> **Mutuã**: caça; animal caçado.
> **Pitiú**: cheiro forte e enjoativo.
> **Porronca**: cigarro feito pelo próprio fumante, que coloca uma pequena porção de fumo sobre papelote ou folha seca; depois de enrolado como se fosse um cigarro, está pronto para ser queimado em uma das extremidades.
> **Vaticano**: grande embarcação fluvial a vapor.

Fixemo-nos, porém, nos fatos de ordem fonológica e morfossintática: o caráter regional das variedades do PB é marcado, entre outros, pelos seguintes traços de pronúncia:

- palatalização de /s/ e /z/ finais de sílaba e de palavra:
  <mais> pronunciado [majʃ], <rapaz> pronunciado [Ra'pajʃ], etc.
  área: marca registrada da fala carioca, mas encontrável de fato no Espírito Santo, em algumas regiões de Minas Gerais e em certos falares do Pará, do Amazonas e também de Pernambuco (Recife).
- realização de /s/ final como /h/
  <mais> pronunciado [majh]
  área: regiões do Nordeste e do Rio de Janeiro.
- realização de /v/ e /ʒ/ como /h/ em início de palavra
  <vamos> pronunciado [hamʊ]
  <gente> pronunciado [hẽtʃɪ]
  área: regiões do Nordeste, principalmente no Ceará.
- diferentes realizações do /R/ (o <r> de *carro*):
  apical múltipla na região Sul (*churrasco, espeto corrido* e *chimarrão* na voz dos gaúchos);
  uvular [ʁ] na pronúncia carioca (['kaʁʊ]);
  fricativa velar surda [h] no resto do país.

- ausência da palatização de /t/ e /d/:
  a palatização (<dente, pratinho, disco> pronunciados [ˈdẽtʃɪ], [praˈtʃiɲʊ], [ˈdʒiskʊ]) é fenômeno generalizado em todo o território brasileiro, com exceção do interior de São Paulo e da região Sul (<leite quente> pronunciado [ˈlejte ˈkẽte]); encontrado também em regiões de Pernambuco, do Ceará, do Maranhão e do Piauí.
- palatização de /t/, /d/ antes de /a/ e /o/ por meio de um /j/ anterior:
  <oito, muito> pronunciados [ˈojtʃʊ], [ˈmũjtʃʊ]
  área: em regiões do sertão, Pernambuco, Paraíba e Mato Grosso
- pronúncias [o] e [e] em final de palavra:
  <leite quente> pronunciado [ˈlejte ˈkẽte]
  área: região Sul e interior de São Paulo. A não ser nesta área, a oposição /e/-/i/ se neutraliza em posição pós-tônica; idem para /o/-/u/.
- "entonação descendente":
  <sei não> pronunciado com um "contorno descendente longo"
  área: o Nordeste, acima do estado da Bahia.
- abertura das vogais pré-tônicas:
  <decente> pronunciado [dɛˈsẽtʃɪ]
  área: Nordeste.
- pronúncia retroflexa do /r/, ex. <porta> pronunciado [ˈpɔɻtɐ]:
  área: essa pronúncia é uma das características do "dialeto caipira", que costuma ser associado à região não costeira de colonização mais antiga, em São Paulo. A pronúncia retroflexa do /r/, como de resto muitas outras características do dialeto caipira, alcançam de fato algumas regiões do sul de Minas Gerais, do Mato Grosso, do norte do Paraná, de Goiás e de Tocantins. A mesma pronúncia é dada no "dialeto caipira" ao primeiro [l] de <álcool> e ao [l] de <sol> e de <animal>.
- pronúncia como [w] ou [ɫ] do -l que fecha sílaba:
  a primeira pronúncia é generalizada pelo Brasil afora, o que leva à confusão de palavras como *mal* e *mau*, e a grafias erradas como <autofalante> e <altomóvel>. A segunda pronúncia é encontrada no Sul. Outros falares regionais, entre eles o dialeto caipira, apresentam uma terceira alternativa de pronúncia, que é a queda pura e simples do /l/ final.
- queda do -r final dos infinitivos verbais / queda do -r final dos substantivos:
  <andar>, <lugar>, <flor>, <morador> pronunciados respectivamente [ãˈda] e [luˈga], [flo], [moraˈdo] ou [mɔraˈdo]
  área: Minas Gerais, São Paulo e Espírito Santo.
- pronúncia do fonema /ʎ/:
  áreas: na região do "dialeto caipira" e em muitas outras, a pronúncia é [j]: "filho" [fijo], "milho" [mijo]; nessas regiões, uma reação de hipercorreção leva eventualmente a pronunciar *desentupidor de pia* como *desentupidor de pilha*. Em outras regiões (parte do Nordeste), a pronúncia é [l]: *mulher* pronunciado [muˈlɛ].

Observem-se ainda os seguintes fatos de caráter morfossintático:
- uso ou omissão dos artigos definidos antes de nomes próprios e dos nomes de parentesco:
  o assunto de que mais se falou na casa de mainha / da mãe foi o casamento de /do Luís
  área: a omissão se dá acima da isoglossa de Nascentes (assim podemos chamar a linha que liga a foz do Rio Macuri, entre a Bahia e o Espírito Santo, e a cidade de Mato Grosso, na divisa com a Bolívia).
- uso de *tu* e *você* como pronomes de segunda pessoa:
  há, no total, em PB, três formas de expressar a segunda pessoa: (i) pronome *tu* + verbo de segunda pessoa: *tu és / tu vais*; (ii) pronome *tu* + verbo de terceira pessoa: *tu é / tu vai*; (iii) pronome *você* e verbo de terceira pessoa: *você é / você vai*. Uma ou outra das duas primeiras soluções prevalece conforme a região nos três estados da região Sul. Na fala carioca, encontramos a segunda e a terceira. Nas regiões Norte e Nordeste também encontramos (i) e (ii). A solução com *você* + verbo de 3ª pessoa prevalece no restante do país.[5]
- tendência a omitir o pronome reflexivo com verbos pronominais:
  Já tinha acontecido antes, por isso não preocupei (em vez de *me preocupei*)
  área: fenômeno que está ampliando sua área, a partir de Minas Gerais.[6]

A lista de fenômenos que acabamos de apresentar é incompleta: haveria muito mais coisas a estudar, sobretudo no campo da sintaxe, do léxico e da fraseologia, e, aqui, o máximo que podemos fazer é deixar claro que nosso levantamento não vai além de um pequeno conjunto de fatos sempre lembrados. De resto, o leitor terá notado que, ao tratar da localização e extensão dos fenômenos lembrados, o fizemos de maneira muito imprecisa. Como a maioria dos trabalhos que tratam de variação diatópica, não delimitamos com clareza a área geográfica do fenômeno considerado. Seria desejável ir além, mas, infelizmente, a localização exata dos vários fenômenos que caracterizam variedades regionais do PB depende, ainda, de um esforço considerável de pesquisa coletiva.

Os atlas linguísticos do português do Brasil

Demarcar a área em que acontece um determinado fenômeno linguístico, traçar no mapa as **isoglossas**, isto é, as divisas das áreas em que a língua é uniforme com respeito a determinado fenômeno, e comparar a extensão geográfica dos vários fenômenos são tarefas que fazem parte de um programa bem mais ambicioso: a elaboração dos atlas linguísticos. Um atlas linguístico tem, além disso, o objetivo de delimitar as variedades regionais de uma língua, localizando suas divisas ao longo das principais isoglossas. Para algumas línguas europeias, existem atlas que dão conta de sua variação em todo o território em que são faladas. É o caso, por exemplo, do francês, que ganhou seu primeiro atlas no início do século XX. Para a península ibérica, chegou a ser feito *in loco* todo o trabalho de pesquisa necessário para a elaboração do ALPI (Atlas Linguístico da Península Ibérica), que abrangerá inclusive o português e o galego. Mas a elaboração do ALPI sofreu muitos percalços. Somente o primeiro volume foi publicado, e a continuação dos trabalhos precisou ser assumida por uma universidade canadense.[7]

O primeiro mapa das variedades do português brasileiro

Na primeira metade do século XX, apareceram no Brasil vários trabalhos que tratavam de uma variedade regional específica do português brasileiro: *O dialeto caipira*, de Amadeu Amaral (sobre São Paulo – 1920/2. ed. 1953), *O linguajar carioca*, de Antenor Nascentes (1922), *A linguagem dos cantadores*, de Clóvis Monteiro (sobre o Ceará – 1934), *A língua do Nordeste*, de Mário Marroquim (sobre Alagoas e Pernambuco – 1938), *Alguns aspectos da fonética sul-riograndense* de Elpídio Ferreira Paes (1938), *O falar mineiro* e *Os estudos de dialetologia portuguesa*, de J. A. Teixeira (sobre Goiás – 1944). Foi numa dessas obras, a de Nascentes, que apareceu o primeiro mapa das variedades regionais do português brasileiro de que temos conhecimento.

No contexto do livro, o mapa visava apenas a localizar geograficamente o carioca, distinguido-o como uma variedade do fluminense, mas nem por isso o mapa é pobre em surpresas. Note-se que:

- há uma separação principal entre Norte e Sul, estabelecida por uma linha (ou mais precisamente, uma faixa) que vai, de acordo com Antenor Nascentes, "da foz do rio Macuri, entre o Espírito Santo e a Bahia, até a cidade de Mato Grosso, no estado de mesmo nome, passando cerca de Teófilo Ottoni, Minas Novas, Bocaiúva, Pirapora, Serra da Mata da Corda, Carmo do Paranaíba, rio Paranaíba, rio São Marcos, Arrependidos, Santa Luzia, Pirenópolis, Rio das Almas, Pilar, foz do rio dos Araés, Cuiabá e Mato Grosso".[8] As características da fala que justificam a divisão são a pronúncia das vogais protônicas (abertas ao norte, fechadas no sul), e a "cadência";
- os nomes de algumas variedades linguísticas evocam nomes de estados, mas a área dos dialetos não coincide com o território desses estados: o amazonense é falado no Amazonas, Pará e Acre; o baiano, o fluminense e o sulista ocupam grandes áreas de Minas, restringindo o mineiro ao centro do estado etc.;
- há no centro do país uma grande área (aproximadamente do tamanho da França) qualificada de "incaracterística";
- não se fazem distinções no interior do sulista e do nordestino.

Se Nascentes o fizesse hoje, o mapa seria com certeza muito diferente: as informações que temos desmentem a uniformidade do nordestino e do sulista, e o fenômeno que ele chamou intuitivamente de "cadência" seria provavelmente explicado em termos mais exatos, por exemplo, como uma diferença no modo de obter isocronia na fala.

Mas o que realmente tornou desatualizado o mapa de Nascentes foram as profundas mudanças ocorridas no país: hoje, outros pontos de referência seriam usados para traçar a linha Macuri–Mato Grosso, que passa a poucos quilômetros de Brasília; não há mais "territórios incaracterísticos", mas sim territórios que sofreram rápidas transformações, e foram alvo de uma migração interna às vezes descontrolada.

Algumas das divisórias traçadas por Nascentes coincidem com as divisas dos novos estados de Tocantins e Mato Grosso do Sul e não é de surpreender que assim seja: esses novos estados são diferentes de Mato Grosso e Goiás não só por suas características físicas, mas também por razões de colonização, história e cultura. Não é absurdo pensar que algumas dessas diferenças tenham tido reflexo na linguagem e que Antenor Nascentes, que percorreu o Brasil "do Oiapoque ao Xuí, do Recife a Cuiabá", pesquisando as diferenças de fala, tenha percebido tudo isso.

Seja como for, a divisão proposta por Nascentes continua sendo um marco na história linguística do Brasil: 1) por ter fornecido um diagnóstico importante da geografia do português brasileiro nos anos 1950; 2) por ser ao mesmo tempo abrangente e clara; e 3) porque fez germinar a ideia de um atlas linguístico brasileiro.

Nota: As palavras *protônicas* e *Xuí* foram grafadas como no texto de Nascentes. *Protônica* é o mesmo que *pré-tônica*, mas com o prefixo grego; em *Xuí*, o uso da letra "x" visava provavelmente a indicar a origem indígena do topônimo.

No Brasil, a ideia de um atlas linguístico de abrangência nacional foi cogitada pela primeira vez em 1922, quando o filólogo Antenor Nascentes lançou o livro *O linguajar carioca* (ver o quadro "O primeiro mapa das variedades do português brasileiro", na p. 170). A ideia reaparece na segunda edição do mesmo livro em 1953. Trabalhando com os recursos da época (ou seja, fazendo do ouvido e da memória seus principais instrumentos e recolhendo informações de maneira impressionista, em viagem pelo país), Antenor Nascentes separou no Brasil dois grandes grupos de falares – os do Norte, compreendendo o amazônico e o nordestino, e os do Sul, compreendendo o baiano, o mineiro, o fluminense e o "sulista". Segundo Nascentes, a principal divisão justificava-se por dois critérios: (1) "a cadência" e (2) "a existência de protônicas [sic] abertas em vocábulos que não sejam diminutivos nem advérbios em –mente".[9]

O projeto de um atlas linguístico brasileiro é, portanto, antigo, e sempre foi considerado prioritário pelos linguistas brasileiros, mas esbarrou em dificuldades de organização e, sobretudo, de custos: para elaborar um atlas linguístico é preciso estabelecer no território a ser estudado uma rede de pontos, em cada um dos quais as várias características da linguagem que o atlas pretende representar serão pesquisadas mediante entrevistas à população; é fácil imaginar os custos de deslocar equipes de pesquisadores que deveriam realizar suas entrevistas em milhares de pontos do território nacional.

Diante das dificuldades de um atlas linguístico para o Brasil como um todo, o que prevaleceu na segunda metade do século passado em matéria de geografia linguística foram os atlas regionais. Entre 1960 e 2002 foram publicados os seguintes:

Atlas prévio dos falares baianos, Nélson Rossi, 1960-1962 (publicado em 1964);
Esboço de um atlas linguístico de Minas Gerais, Mário Zaggari, 1977;
Atlas linguístico da Paraíba, Maria do Socorro Aragão, 1984;
Atlas linguístico de Sergipe, Carlota Ferreira, 1987;
Atlas linguístico do Paraná, Vanderci de Andrade Aguilera, 1990;
Atlas linguístico e etnológico da região Sul, Walter Koch, 2002.

Elaborados por equipes diferentes, num período de mais de quarenta anos, esses atlas não procuram responder de maneira exata às mesmas perguntas (por exemplo, os últimos mostram a preocupação de associar a descrição linguística à descrição da cultura da região) e não usam exatamente as mesmas metodologias. São, contudo, as fontes mais importantes de que dispomos para visualizar a distribuição regional de muitos fenômenos linguísticos e trazem informações altamente confiáveis, e às vezes surpreendentes, para o tipo de problemas que se propuseram a equacionar.

Hoje, a ideia de um atlas linguístico de abrangência nacional está mais viva do que nunca. Essa iniciativa foi relançada com toda força no seminário "Caminhos e Perspectivas para a Geolinguística no Brasil", realizado em Salvador, na Universidade Federal da Bahia, em novembro de 1996. Nesse seminário, que contou com a participação de dialetólogos brasileiros ligados aos principais projetos de atlas linguísticos regionais e de dialetólogos estrangeiros interessados na geolinguística das línguas românicas, foi lançado o Projeto AliB, que tem por objetivo "descrever a realidade linguística do Brasil, no que tange à língua portuguesa, com enfoque prioritário na identificação de diferenças diatópicas – fônicas, morfossináticas e léxico-semânticas".

A elaboração de atlas linguísticos conta hoje com um aliado poderoso: a informática; há equipes de linguistas trabalhando na elaboração de atlas desse tipo nos seguintes estados: Acre, Amazonas, Ceará, Maranhão, Pará, Rio Grande do Norte, São Paulo, Mato Grosso do Sul e Rio de Janeiro, e qualquer pessoa pode informar-se detalhadamente sobre o andamento dos trabalhos do Projeto AliB, acessando o site www.alib.kit.net. Aliás, foi nesse site que encontramos muitas das informações apresentadas nesta seção.

O atlas prévio dos falares baianos

O primeiro atlas linguístico publicado no Brasil é o *Atlas prévio dos falares bahianos*, de Nélson Rossi.

Veio a público em 1964 pelo Instituto Nacional do Livro, como resultado de uma pesquisa de vários anos, que envolveu uma equipe de 25 pesquisadores. Compõe-se de um livro de introdução e de cerca de 200 mapas de grande formato que descrevem a realidade linguística do território estudado.

O *Atlas* de Nélson Rossi refere-se ao *estado* da Bahia e não propriamente ao conjunto dos dialetos baianos que – de acordo com as observações feitas alguns anos antes por Antenor Nascentes, são falados não só naquele estado, mas também no norte de Minas Gerais, em Tocantins e Alagoas.

Para mapear linguisticamente a área estudada, Nélson Rossi e sua equipe selecionaram (evitando os grandes centros) um total de 50 pontos a serem pesquisados – povoados, vilas e cidades distribuídas de modo a representar todas as áreas fisiográficas do estado (sertão do São Francisco, nordeste, litoral norte, recôncavo, zona do cacau etc.). Nesses pontos, os pesquisadores realizaram entrevistas cujo objetivo era conhecer as denominações para certas realidades. Por exemplo, os entrevistados deveriam dizer como é chamado o boi de cor branca e preta (carta 132), e deram respostas como *pintado, maringa, pavanês, mestiço, tingido, tinto, chuviscado, mouro, couro de raposa, raposado, lavrado, pampo, malhado, manchado, chitado* e *borralho*.

O *Atlas* é extremamente cuidadoso no registrar pequenas diferenças de pronúncia, distinguindo, por exemplo as pronúncias [pisiˈne], [pisĩˈne] e [pĩsĩˈne] (as diferenças são de nasalização).

O *Atlas* de Nélson Rossi reserva a seus leitores uma série de surpresas; por exemplo, na carta dedicada aos nomes populares para óculos, é possível encontrar formas parecidas com *pincenê* (que remonta à palavra francesa, *pince-nez*) e *luneta* (que na língua padrão descreve um tipo pequeno de telescópio); na carta dedicada aos agasalhos de inverno é possível encontrar as denominações *cachinê, cachicó, fichu* e *boa*, que remontam ao francês *cache-nez, cache-col, fichu* e *boa*.

Reproduzimos a seguir as informações da carta 65, uma das mais regulares, que traz as denominações da galinha-d'angola. Alguns detalhes fonéticos foram omitidos para melhor visualização do mapa.

— SITUAÇÃO EM 1-7-1960 —

● cocá ■ quenquém

◇ guiné ◉ galinha-d'angola

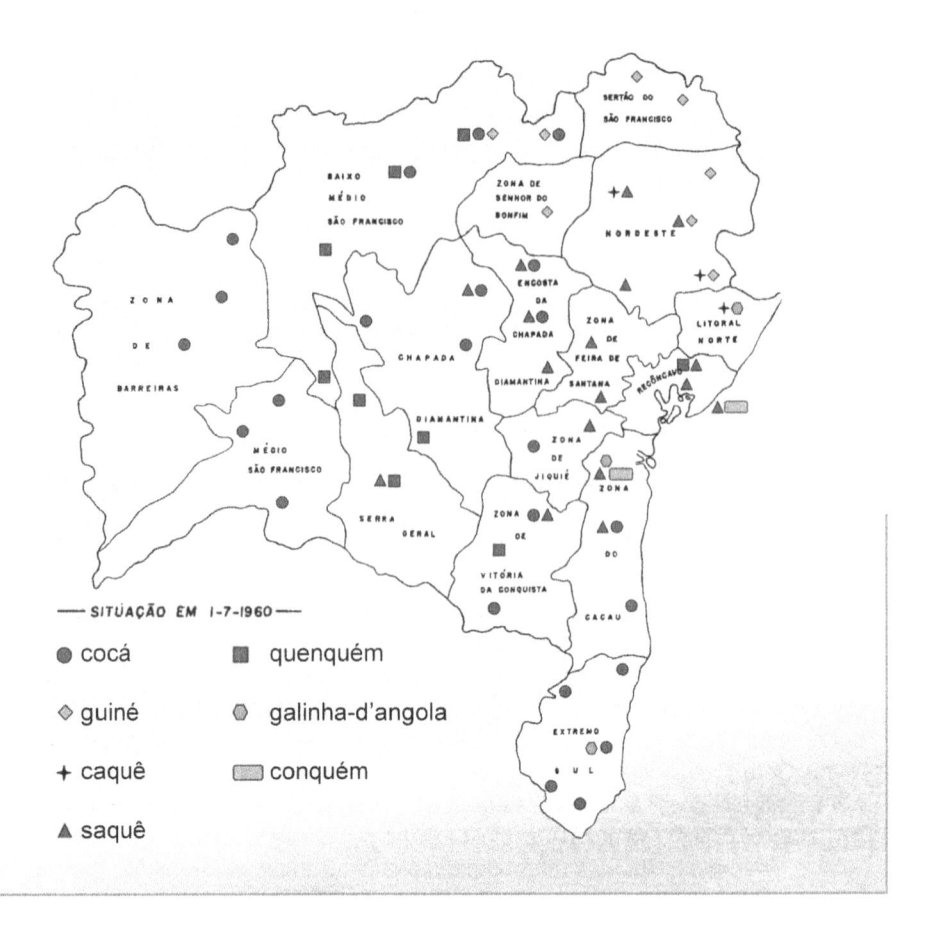

+ caquê ▭ conquém

▲ saquê

Algumas amostras de um dialeto de transição: português/espanhol

Quando se fala de transição entre espanhol e português, as pessoas pensam imediatamente no *portunhol*, que é uma distorção deliberada mediante a qual os falantes de uma das duas línguas tentam aproximar-se da outra. O portunhol não é, nesse sentido, o vernáculo de ninguém. Há, contudo, na região noroeste do Uruguai alguns falares vernaculares que combinam traços das duas línguas ibéricas. Esses falares são conhecidos localmente como *carimbão*, *basaño* ou simplesmente *brasilero*. Nessa região foi sempre muito forte a penetração de brasileiros vindos do Rio Grande do Sul, e ela foi a última a receber colonos uruguaios. No final da década de 1980, o linguista uruguaio Adolfo Elizaincín e seus colaboradores (1987) descreveram algumas dessas variedades. Do material que ele levantou na época, transcrevemos (utilizando o Alfabeto Fonético Internacional) o trecho que segue, no qual o entrevistado, um adolescente, explica como ajuda o pai nos trabalhos do campo:

> de'pos ke 'ʃego d is'kola vo pa u 'kampu, aʒu'da meu paj
> a'ʃudo a Reco'Re 'kampo. 'este... 'pongo alam'brado, alam'bremo,
> a'ʃudo 'eli alam'bra.
> des'po 'kuando 'moRe al'gum ani'mal a'sudo eli a kueri'á i le'gemo pra
> as, pra a 'stansja.
> i des'pos tra'ʃemos as 'baka ke re'sejn 'deru) 'kria pa... pra orde'ɲa i
> des'po tra'Semos us ter'nura
> [sic] pa as 'kaza pa 'otro 'dia di ma'ɲa orde'ɲa.
>
> Depois que chego da escola vou para o campo ajudar meu pai.
> Ajudo a recorrer campo. Isso. Ponho alambrado, alambramos, ajudo ele a alambrar.
> depois, quando morre algum animal ajudo ele a courear e chegamos para as para a estância
> E depois trazemos as vacas que recém deram cria pa... para ordenhar e depois trazemos os terneiros para as casa para outro dia de manhã ordenhar.
>
> Deixamos ao leitor a tarefa de confirmar que a gramática desse dialeto (assim como muitos traços de sua fonética) é portuguesa.

Variação diastrática

A principal conclusão da seção "Variação diatópica" é que, no Brasil, não encontramos verdadeiros **dialetos** no sentido diatópico do termo. Encontramos, em compensação, uma séria diferença entre o português falado pela parte mais escolarizada da população (que, não por acaso, é também a parte mais rica ou menos pobre) e pela parte menos escolarizada. É o fenômeno que os linguistas chamam de **variação diastrática** (etimologicamente: o tipo de variação que se encontra quando se comparam diferentes estratos de uma população). Referida às vezes como "português subpadrão" ou "português *substandard*", a variedade de português falada pela população menos escolarizada foi descrita por vários estudiosos, entre eles Castilho,[10] que enumera assim suas principais características:

Fonética
- queda ou nasalização da vogal átona inicial: *incelença* por *excelência*;
- queda de material fonético posterior à vogal tônica: *figo* por *fígado*, *Ciço* por *Cícero*, *centimo* por *centímetro*;
- perda da distinção entre vogal e ditongo antes de palatal: *pexe* por *peixe*;
- monotongação de ditongos crescentes em posição final: *sustança* por *substância*;
- uso de [j] por [ʎ]: ['fojɐ] em vez de ['foʎɐ];

Morfologia
- perda do –s da desinência da primeira pessoa plural: *nóis cantamo*, *nóis cantemo* por *nós cantamos*;
- anteposição do advérbio de comparação a adjetivos que já são comparativos: *mais mió* em vez de *melhor*;

Sintaxe:
- uso de uma única marca de plural nos sintagmas nominais complexos e ausência de marca de concordância na 3ª pessoa do plural do verbo, particularmente com sujeito posposto (*os doce mais bonito são / é para as visita. Quando chegou os bombeiro já não tinha mais nada pra fazer*);
- negação redundante com indefinidos negativos (*ninguém não sabia*);
- aparecimento de um segundo advérbio de negação depois do verbo e eventual queda do advérbio de negação anteposto: *não vem não* ou *vem não*;
- a oração relativa adota as construções conhecidas como cortadora ou copiadora: *a casa que eu morei* ou *a casa que eu morei nela* (em vez da construção padrão *a casa em que morei*);
- uso dos pronomes do caso reto na posição de objeto: *eu vi ele, a mulher xingou eu*.

Por razões tanto pedagógicas como científicas, é importante perceber que as formas e construções do português *substandard* fazem parte de uma variedade de língua que tem uma gramática própria, e que essa gramática permite uma comunicação muito eficaz. No português subpadrão que se fala no Brasil, a conjugação verbal reduziu-se, é verdade, a duas formas:

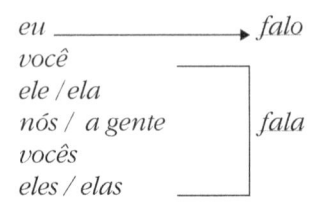

```
eu ─────────────▶ falo
você         ─────
ele / ela
nós / a gente     } fala
vocês
eles / elas
```

Comparado com a representação da gramática normativa, que traz seis formas e seis pronomes diferentes, esse paradigma verbal tem tudo para parecer pobre. Mas o inglês e o francês falado também usam só duas ou três formas, e ninguém se lembraria de dizer que isso é um problema para aquelas línguas. Note-se que a variante subpadrão que distingue *nóis cantamo* de *nóis cantemo* consegue distinguir morfologicamente dois tempos do verbo (o presente e o pretérito perfeito), uma diferença importante que o português brasileiro culto não consegue marcar e que o português europeu marca por uma distinção de nasalidade.

Em suma, quando tratamos de qualquer variante *substandard* do português brasileiro, estamos diante de outro código, e não de erros devidos às limitações mentais dos indivíduos que o empregam. Do ponto de vista pedagógico, é fundamental perceber que os alunos que chegam à escola falando uma variante subpadrão precisam aprender a variedade culta como uma espécie de língua estrangeira; isso não significa que essas crianças devam ser poupadas do aprendizado da língua padrão, cujo valor cultural é inegável; significa apenas que a criança que sempre falou *calipe*, para chegar a escrever <*eucalipto*>, terá de aprender essa palavra como uma palavra nova e, portanto, terá de dar dois passos em vez de apenas um. Infelizmente, muitos de nossos mestres de primeiras letras não param para pensar nesse tipo de dificuldade; com isso, é possível que acabem gastando muita energia no uso de estratégias pedagógicas equivocadas ou que tendam a subestimar a capacidade de seus alunos, quando o problema é outro.

As variedades subpadrão de uma língua têm poucas chances de aparecer na escrita, por isso, se quisermos encontrar exemplos escritos de português subpadrão, teremos de procurá-los ou em entrevistas feitas pelos linguistas, precisamente com a finalidade de registrar sua existência, ou em trabalhos de autores que a utilizaram para fins estéticos (por exemplo, para caracterizar determinados tipos humanos). Damos a seguir um exemplo de cada caso: o primeiro é a transcrição de uma entrevista feita com um adolescente de Goiânia, que viu um colega ser baleado pela polícia militar, durante uma batida na favela; no outro, aparecem as letras de dois sambas de Adoniran Barbosa.

Antologia
Entrevista sociolinguística com menino de rua de Goiânia

Entrevista sociolinguística com menino de rua de Goiânia
Antecedentes da pesquisadora: urbano
Antecedentes do menino: 'rurbano'[11]
Estilo: semimonitorado
Evento de oralidade

Pesquisadora: Você quer contar como os policiais mataram o Adauto?
Menino: Nóis tava dormino lá em casa, às treis hora da manhã, i os PM chegaro, deu um tiro na porta, pegô na perna do "fulano" aí em seguida ez arrebentô a porta, aí deu oto tiro, pegô na cabeça do Adauto, ez viro que tinha

acertado o Adauto. Falaro: "Vamo saí fora que certô o menino aqui"... saiu tudo correno os policiais, aí desci de cima do armário, corri na porta pa ve se eu via o número da viatura déze mas num consegui, voltei lá o Adauto já tava quase parano o coração dele, fiz massage nele, consegui deixá ele viveno mais um poco, foi eu... foi eu e o "fulano" buscá socorro pra ele.
Pesquisadora: E onde vocês foram?
Menino: Nóis fomo nu'a casa, lá em frente, aí o home deu sistença pra nós.
Pesquisadora: É? Levou o menino pro hospital?
Menino: Levou os dois.
Pesquisadora: Ah, e aí?
Menino: Aí eu fui dormi lá no horto, aí no oto dia que eu vim aqui na Catedral e contei pro povo aqui, aí fui no hospital c'a tia, aí vi o Adauto lá no CTI.[12]

Esse texto é a transcrição de uma entrevista oral, utilizando o alfabeto e as convenções gráficas correntes do português escrito, por isso é mais fácil ler as falas da pesquisadora, que se expressa na variedade padrão. Alguma coisa da fala do menino se perde numa transcrição desse tipo, mas ainda assim as diferenças são notáveis. O quadro a seguir resume as diferenças que encontramos numa comparação ponto a ponto.

Formas típicas da variante-padrão (fala da pesquisadora)	Formas típicas da variante não-padrão (fala do menino)
os infinitivos terminam em –r	o –r final dos infinitivos não é pronunciado: deixá viveno, buscá socorro
a desinência da 3ª pessoa do singular do pretérito perfeito é –ou: levou	a desinência da 3ª pessoa do singular do pretérito perfeito é –ô: pegô, arrebentô
a desinência da 3ª pessoa do plural do pretérito perfeito é –aram: mataram	a desinência da 3ª pessoa do plural do pretérito perfeito é –aro: falaro
aparece a contração (preposição + artigo) pro	aparecem como contrações de preposições + artigos nu'a, (em + uma), pro (para + o), c'a (com + a)

Notem-se ainda, na fala do menino, os seguintes traços, típicos da fala não-padrão:
- as formas tava, sistença, oto, massage e home;
- os gerúndios terminam em –no: dormino, viveno; a construção consegui deixá ele viveno (com o pronome ele em função de objeto direto);
- a ausência de concordância entre o sujeito e o verbo (saiu tudo correno os policiais);
- o uso da preposição em depois do verbo ir (fomo numa casa).

Antologia
Duas letras de Adoniran Barbosa

Samba do Arnesto

O Arnesto nos convidô
Prum samba ele mora no Brás
Nóis fumo mas não encontremo ninguém
Nois vortemo cuma baita de uma reiva
Da outra veiz nóis num vai mais

No outro dia encontremo co Arnesto
Que pidiu descurpa mas nóis não aceitemus
Isso não se faz Arnesto
Nóis não se importa
Mas você devia ter ponhado um recado na porta

Um recado ansim ói:
ói turma, num deu pra esperá
Aduvido que isso não faz má
Num tem importância
Num faz má

Assinado em cruiz porque num sei escrevê

Arnesto

Saudosa maloca

Se o sinhô não está lembrado
Dá licença de contá
Que aqui onde agora está
Este adifício alto
Era uma casa velha
Um palacete assobradado
Foi aqui seu moço
Que eu, Mato Grosso e o Joca
Construímos nossa maloca
Mas um dia
Nem quero me lembrá
Veio os homens cas ferramentas
O dono mandô derrubá.
Peguemo tudo as nossas coisa
E fumos pro meio da rua
Apreciá a demolição
Que tristeza que eu sentia
Cada taubua que caía
Doía no coração
Mato Grosso quis gritá
Mas em cima eu falei
Os home tá coa razão
Nóis arranja outro lugá
Só se conformemos
Quando o Joca falô
Deus dá o frio conforme o cobertor
E hoje nóis pega paia
Nas grama do jardim
E pra esquecê
Nós cantemos assim

Saudosa maloca
Maloca querida
Dim dim donde nóis passemo
os dias feliz de nossa vida.

Muitas características linguísticas destas duas letras de Adoniran Barbosa já foram encontradas no depoimento do menino de Goiânia, e o leitor não terá dificuldade em reconhecê-las. Notem-se, além disso *cobertô* e *lugá*, que apontam para uma tendência para suprimir o *–r* em fim de palavra também no caso dos substantivos; *encontremo, vortemo, aceitemo* e outras formas de pretérito perfeito distintas das formas correspondentes do presente do indicativo (em português padrão isso não acontece); concordâncias como *nóis arranja outro lugar*, em que um verbo de terceira pessoa do singular concorda com um pronome de primeira pessoa do plural. Note-se ainda a sentença *nóis não se importa*, manifestação de uma sintaxe em que o *se* é o único pronome reflexivo.

Variação diamésica

No balanço das dimensões ao longo das quais as línguas podem variar, ao lado da variação no tempo, no espaço e por níveis de escolaridade (ou econômicos), não poderia faltar uma dimensão que é às vezes esquecida e que se refere aos vários veículos ou meios de expressão que a língua utiliza. Em paralelo com os adjetivos *diacrônica, diatópica* e *diastrática*, que foram utilizados e definidos em parágrafos anteriores, podemos denominar esse tipo de variação de **variação diamésica** (etimologicamente: variação associada ao uso de diferentes meios ou veículos).

O falado e o escrito

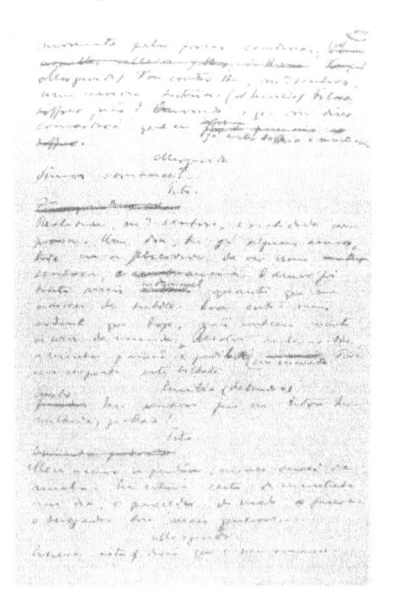

A ilustração ao lado, extraída de Silva (2003), reproduz uma página do manuscrito de "Linha reta e linha curva", conto de Machado de Assis. As emendas e rasuras que os grandes escritores fizeram em seus manuscritos têm chamado a atenção dos críticos e dos historiadores da literatura, como um meio importante de entender o processo de criação literária. Mas emendar textos escritos é algo que todos fazemos ao redigir. O objetivo é então chegar a um texto correto, fiel ao nosso pensamento e possivelmente elegante, que só será lido em sua forma final. Na forma final dos textos escritos (à diferença do que acontece com os textos falados), as tentativas de redação que foram abandonadas não aparecem.

A variação diamésica compreende, antes de mais nada, as profundas diferenças que se observam entre a língua falada e a língua escrita. Uma longa tradição escolar acostumou as pessoas a vigiar a escrita e a dar menos atenção à fala, por isso muita gente pensa que fala da mesma forma que escreve. Na fala, as pessoas dizem coisas como *"né"*, *"ocêis"*, *"disséro"*, *"téquinico"*, pensando que dizem *"não é"*, *"vocês"*, *"disseram"*, *"técnico"*. Mas a diferença entre o escrito e o falado vai muito além dos fenômenos que dizem respeito à forma das palavras. Entre o escrito e o falado, há uma diferença irredutível de planejamento.

Quando produzimos um texto escrito podemos pensar previamente sua estrutura em partes, podemos decidir em que ordem essas partes serão dispostas, podemos avaliar formulações alternativas. Se, com tudo isso, o texto escrito ainda nos parecer inadequado, podemos corrigi-lo e modificá-lo, e o resultado final, para aqueles que têm alguma habilidade na escrita, é normalmente um texto que se desenrola linearmente e quase não apresenta retornos e redundâncias. Além disso, o texto escrito é tipicamente um texto que terá de falar por si e que não supõe por parte do seu destinatário um conhecimento muito exato da situação em que foi produzido (a menos que essa situação seja descrita no próprio texto).

Bem diferente é o caso dos textos falados: eles podem tirar partido da situação de fala de várias maneiras (por exemplo, dispensando a necessidade de descrever os objetos e pessoas que estão presentes na atenção dos interlocutores); além disso, os textos tipicamente falados são planejados à medida que são produzidos, por isso o mais comum é encontrar neles um grande número de reformulações sucessivas e sempre parciais de um mesmo conteúdo: uma mesma informação que foi apresentada inicialmente de forma incompleta ou inexata vai sendo reapresentada em seguida de maneira mais pertinente, num processo de correções, acréscimos e reformulações que não tem a ver com as sentenças bem acabadas e totalmente explícitas que os gramáticos costumam usar em seus exemplos. Em oposição ao desenvolvimento "retilíneo" do texto escrito, já se disse que o desenvolvimento mais típico dos textos falados traça uma espécie de espiral que atropela a si própria.

É claro que, por língua falada, entendemos aqui a língua verdadeiramente falada: nem toda mensagem que nos chega pelo ouvido (e não pelos olhos) é na verdade uma mensagem falada: o telejornal, os discursos das convenções políticas, as conversas telefônicas com que nos atormenta o telemarketing, por exemplo, são exemplos de língua lida, isto é, de língua que foi escrita para ser posteriormente falada, e suas características são outras.

É muito difícil, não só para os leigos, mas também para os especialistas, pensar qualquer aspecto das grandes línguas ocidentais sem evocar, de maneira automática, uma de tantas representações tradicionais, construídas em sua maioria com base na língua escrita. Essas representações tradicionais costumam trazer respostas prontas para as perguntas do estudioso, o que é confortável, mas não levam necessariamente a novas descobertas. Devido a essa situação, e ao peso que os textos escritos sempre tiveram na elaboração de modelos para a atividade linguística, as especificidades da língua falada ficaram, por muito tempo, invisíveis. Um passo gigantesco para reverter essa situação, no Brasil, foi dado com o Projeto da Gramática do Português Falado, uma grande iniciativa de pesquisa coletiva, idealizada e coordenada pelo linguista brasileiro Ataliba Teixeira de Castilho. Esse projeto já produziu vários volumes de estudos preliminares, em que se descrevem diversas características da língua falada,[13] mas seu final, prometido para breve, será uma grande gramática de consulta, que dará à sociedade brasileira uma representação fiel da língua que ela fala e permitirá reformular o ensino em bases mais objetivas.

Antologia
Uma transcrição direta da língua falada

Uma boa maneira de perceber a enorme diferença que há entre a língua escrita e a língua verdadeiramente falada consiste em ler uma transcrição não editada de um autêntico episódio de fala. É o que se propõe na leitura que segue. Trata-se de um trecho de entrevista gravada pelos pesquisadores do Projeto de Estudo da Norma Urbana Culta (Nurc), um vasto projeto que começou no final dos anos 1960, e que visava a determinar como falam as pessoas cultas das grandes cidades brasileiras. Da entrevista participam duas pesquisadoras e uma informante, e o tema são as experiências da informante em matéria de espetáculos (teatro, televisão, cinema); no trecho selecionado, a informante narra um episódio que marcou sua adolescência: a participação como membro do corpo de baile num espetáculo em que uma companhia russa apresentou o balé "O pássaro de fogo". Para maior facilidade de leitura, numeramos os turnos (T1, T2... T15); as duas documentadoras e a informante são identificadas, respectivamente, pelas siglas 'Doc A' e 'Doc B' e 'Inf'.

(T1) Inf   como 'Hair' você já imaginou para ((ruído de garganta)) para fazer a peça 'Hair' quanta gente que não foi... éh éh não foi éh preparada ali... porque o grupo que trabalha em 'Hair' é enorme né?... você não assistiu? você assistiu né?
(T2) Doc A   uhn uhn
(T3) Doc B   assisti
(T4) Inf   tenho impressão que ali levou tanto tempo de ensaio... bom eu quando tinha uns dezoito quinze a dezoito anos eu estudei balê... e tive oportunidade de trabalhar fazer uma cena com o o o balê russo... eu era alu/ aluna da Maria Ulineva... então para mim era uma noviDAde né? teatro porque só estudando estudando estudando quando chegou o balê russo aqui em São Paulo eles pediram que as alunas do do do da Prefeitura que éramos nós... aquele grupo TOdo fosse fazer cena num num num dos números que eles apresentaram era 'Pássaro de Fogo' me parece... eu achei aquilo horroroso viu? me chocou tremendamente porque... éh por detrás dos bastidores é Uma coisa horrível né?... é tudo tão... parece tão tão mascarado sei lá e quando aparece em cena o público vê uma coisa totalmente bonita né?... aquelas luzes... quer dizer aquilo me chocou era tão criança eu me lembro que eu... já achava... diferente o Municipal era LINdo maraviLHOso visto do lado de cá né?
(T5) Doc A   uhn uhn
(T6) Inf   do outro lado
(T7) Doc A   e qual é esse outro lado a que a senhora se refere?
(T8) Inf   eu digo os camarins a preparação toda para entrar... principalmente no no corpo de baile né? de... que o pessoal todo tem que se exercitar e mudar muito de roupa... eu ach ... quer dizer eu tive pouco pouco tempo eu estudei acho que uns três anos balê três ou quatro... e não tive assim apresentação em teatros nem nada... depois eu larguei mas nessa vez que o Balê Russo veio para cá que nós fomos fazer fundo com eles para eles... eu achei aquilo me chocou... sei lá achei... por detrás dos bastidores uma coisa medonha uma baGUNça treMENda... aquelas cenas que eles mudam rapidamente quer dizer é um mundo de gente a trabalhar né?... e a atrapalhar também ((risos))
(T9) Doc A   e onde é que as bailarinas se trocavam se maquiavam? há um lugar específico ou não?
(T10) Inf   sim tem os camarins né? e lá nos camarins é a coisa mais bagunçada que tem... ((risos)) é roupa é uma correria danada é sei lá eu achei aquilo me chocou tanto viu... porque a gente vê tão bonito né?

(T11) Doc B   uhn
(T12) Inf   eu achei... mas eu tive pouco tempo viu com... com essa parte assim de balê eu... eu estudei mas não me apresentei quase nada... apesar de gostar muito... ter gostado né? ((risos))
(T13) Doc A   escuta Dona I. passando assim mais agora para o campo de filme... eu queria saber qual o tipo de o que mais chama atenção da senhora no que diz respeito a cinema? não é? eu sei que a senhora já a senhora já disse que não gosta de drama gosta de comédia
(T14) Inf   comédia
(T15) Doc A   porque de drama já chega a vida tá? ((risos))
              (inquérito Nurc DID SP 234)

Embora a entrevistada seja uma pessoa lúcida e articulada, o texto é de difícil leitura, precisamente porque não foi escrito para ser lido. Como é típico na fala, encontramos nele:

- "falsos começos": *eu era alu...* (T4);
- "marcas de hesitação": por exemplo, as repetições "*estudando, estudando*", "*o o o*", "*num, num*" (T4);
- muitas reformulações: fixemo-nos no trecho em que a entrevistada explica o que mais impressionou a informante em sua participação no espetáculo:

    .... me chocou tremendamente
    aquilo me chocou,
    ....me chocou, sei lá

eu achei	aquilo		horroroso,
eu achei	aquilo,		
.... achei	por trás dos bastidores		uma coisa medonha,
			uma bagunça tremenda

  É necessário "compactar" todos esses trechos para entender que a impressão mais marcante resultou da visão do que acontecia atrás dos bastidores; e que a cena impressionante nos bastidores é a agitação de pessoas que precisam, ao mesmo tempo, treinar movimentos e trocar de roupa;
- partículas como *né, viu*?;
- expressões como *(eu) acho* ou *sei lá*;
- expressões intercaladas, como *bom* (T4) ou *agora* (T13).

Todos esses aspectos desapareceriam se a informante estivesse produzindo um texto escrito, e de fato dificultam nossa leitura da transcrição do diálogo. Na língua falada, porém, eles são necessários e altamente funcionais:

- as reformulações resultam do fato de que a fala é planejada e executada "em tempo real", isto é, ao mesmo tempo em que é produzida; por sua vez, o ouvinte sabe que as informações trazidas por enunciados sucessivos de um texto falado precisam ser processadas cumulativamente;

- partículas como *né* e *viu* são uma forma de monitorar a atenção do interlocutor à medida que o diálogo se desenrola, garantindo, por assim dizer, que ele não "desligou". Têm a mesma função que, numa conversação telefônica, seria reservada a perguntas como "você está aí? você está me ouvindo?" (tecnicamente, esse controle de que "a ligação não caiu" é conhecido como "função fática");
- expressões intercaladas como *bom* ou *agora* (T4 e T13) anunciam uma mudança de tópico e nesse sentido têm um papel que corresponde, na escrita, ao do recuo da linha;
- usando expressões como *eu acho* ou *sei lá*, a informante procura evitar que suas opiniões sejam tomadas como excessivamente categóricas, ou inegociáveis, o que poderia ser interpretado como uma forma de arrogância, passando uma imagem negativa de quem fala;
- quanto às repetições que interpretamos como marcas de hesitação (pausas cheias), elas evitam um silêncio que poderia ser interpretado pelo interlocutor como final de turno: recorrendo a elas, a informante consegue "segurar" o turno, que de outro modo seria facilmente "capturado" por um interlocutor mais interessado e afoito.

Os gêneros

Todas essas observações convergem para um mesmo ponto: a ideia de que existe uma "gramática do falado", que não coincide com a "gramática do escrito". Essa é uma das principais descobertas feitas desde que se começou a explorar a variação diamésica das línguas, mas não é a única. Na variação diamésica podemos também enquadrar outro importante fator de variação da língua: o gênero discursivo. Conforme o gênero a que pertencem, os textos, sejam eles falados ou escritos, apresentam um vocabulário e uma gramática próprios.

Ao falar em gêneros aqui, não estamos pensando em gêneros literários, mas sim em tipos de textos que podem ser encontrados na vida de todos os dias, e que se caracterizam por ter determinadas funções e por ter como autores e receptores indivíduos que compartilham interesses mais ou menos previsíveis. Perguntemo-nos, por exemplo: como é a língua do discurso político? Como é a língua da burocracia? Como é a língua que se escreve nos jornais e nas grandes revistas de informação e entretenimento? Como são escritos os ensaios "científicos" (entre eles, as teses e dissertações ligadas aos graus acadêmicos e à carreira universitária)? Como se exprimem os usuários do e-mail e dos grupos de *chat* que surgiram depois do advento do computador? Como são apresentadas as informações nas páginas da internet?

Não há necessidade de análises aprofundadas para perceber que esses diferentes gêneros têm uma tradição própria e utilizam uma linguagem fortemente marcada pela natureza do veículo adotado em sua transmissão.

Um bom exemplo disso é o tratamento que eles dão àquilo que poderíamos chamar de informações complementares: uma tese universitária pode incluir informações complementares como anexo (no final) ou como nota de rodapé; no texto principal, as mesmas informações seriam interpretadas como digressões, e obrigariam a mobilizar um ou outro dos recursos linguísticos que se usam para assinalar as digressões e para justificá-las num texto (do tipo "*vamos agora tratar de um assunto ligado a nosso tema principal... voltamos agora ao tema principal de nosso estudo*"); o jornal e a revista de entretenimento, por sua vez, podem transformar as digressões em *boxes*, isto é, caixas que trazem textos marginais relacionados, mas independentes (do tipo "para entender o episódio" ou "saiba mais sobre este assunto"); nas páginas da internet a possibilidade de abrir um número indeterminado de "janelas" ou "links" faz com que o leitor-usuário se situe desde os primeiros cliques em pleno hipertexto.

Todos esses gêneros, além de ter marcas exteriores próprias, e de obedecer a convenções interpretativas próprias, fazem também um uso muito particular da língua, chegando às vezes a desenvolver uma sublíngua exclusiva. A sublíngua de um gênero caracteriza-se normalmente não só pela frequência maior de certas palavras, reflexo de uma inevitável concentração em determinados temas, mas pode ser marcada também pela alta frequência de construções gramaticais que não seriam comuns em outros gêneros. De novo, estamos falando de coisas que pertencem à nossa experiência diária: talvez o leitor se lembre da primeira vez que precisou ler um boletim de ocorrência policial (e ficou pasmado em ver que seu carro não *vinha na mão*, mas *procedia pela mão de direção*, ou que todo indivíduo de comportamento suspeito foi imediatamente reclassificado como um *elemento*); ou talvez o leitor se lembre da primeira vez que precisou ler o manual que, segundo dizem, "orienta" o preenchimento da declaração do imposto de renda para pessoas físicas e achou que estava lendo um texto em língua estrangeira: são situações pelas quais muita gente já passou e que têm em comum uma sensação de estranhamento causada pela linguagem. Esse "choque" é o melhor sintoma de como é difícil lidar com a variação diamésica da língua.

Antologia
Trechos da ata da 93ª reunião do Copom, 17-18/4/2004

Para entender melhor como os gêneros utilizam uma língua por assim dizer "própria", propomos ao leitor a leitura de alguns parágrafos de "economês". Eles foram extraídos de um documento bem mais longo, a ata da 93ª. Reunião do Copom, o órgão do Banco Central do Brasil que responde pelo controle da inflação no país, e que tem sido responsável por uma série de decisões polêmicas sobre um número que afeta a vida de todos nós: a taxa de juros.

Evolução recente da inflação

4. No atacado, observou-se estabilidade na evolução do IPA, ao variar 0,75% em janeiro, ante 0,74 do mês anterior. Esse comportamento foi resultante do recuo nos preços agrícolas e da continuidade da elevação nos preços industriais. O IPA-agrícola registrou variação de –034% em janeiro, após alta de 0,59% em dezembro, refletindo, principalmente, as quedas nos preços do grupo animais e derivados (aves, bovinos, leite e ovos), que mais que compensaram as elevações nos itens alimentos *in natura*, café e feijão. A variação dos preços industriais atingiu 1,2%, ante 0,8% em dezembro, mostrando elevação pelo terceiro mês consecutivo. Esse grupo é afetado pela elevação nos preços de commodities, movimento que se reflete na elevação do índice de preços no atacado tanto pelo seu efeito direto nos preços de bens de produtos, como pelo encarecimento dos produtos finais. Nesse sentido, destacaram-se no resultado do IPA industrial de janeiro as altas observadas na indústria metalúrgica (ferro, aço e derivados e metais não ferrosos), química (matérias plásticas, fertilizantes e outros) e material de transporte. No ramo tecidos, vestuário e calçados, a variação mensal estabilizou-se, mas continuou elevada pelo terceiro mês consecutivo, ainda refletindo os efeitos do aumento do preço do algodão.

....

6. A variação do núcleo para o IPCA em janeiro, calculado pelo método das médias aparadas, também mostrou-se estável em patamar alto, assinalando variação de 0,73 ante 0,72 em dezembro. A variação acumulada nos últimos doze meses atingiu 10,47%. A mesma medida, quando calculada sem o procedimento de suavização de itens preestabelecidos, apresentou aceleração pelo terceiro mês seguido, tendo variado 0,63% em janeiro ante 0,54% nos últimos doze meses.

7. A variação para o núcleo de inflação para o IPC-Br, calculado pela Fundação Getúlio Vargas (FGV) pelo método das médias aparadas simétricas, elevou-se a 0,65% em janeiro, ante 0,46% em dezembro, acumulando alta de 8,89% nos últimos doze meses.

8. O impacto do arrefecimento recente dos preços da alimentação – refletindo o início da safra e a desaceleração dos preços *in natura* – tende a atenuar os efeitos de pressões que ainda persistem sobre os índices de preços em fevereiro. Nos índices de preços no atacado, esse movimento ainda é percebido pelos resultados parciais divulgados até o momento, devendo a queda dos preços agrícolas intensificar-se ao longo do mês. Por outro lado, a evolução dos preços industriais deve continuar refletindo, principalmente, os reajustes de insumos utilizados pelo setor. Em relação ao IPCA deverão contrapor-se a evolução favorável dos preços da alimentação, de maneira destacada, os efeitos dos reajustes de preços no grupo educação, dos planos de saúde e das tarifas de ligações telefônicas de fixo para móvel.

O documento em questão foi um dos primeiros textos oficiais de seu gênero produzidos depois que Luiz Inácio Lula da Silva se elegeu presidente, e desencadeou uma série de críticas de intelectuais de esquerda que esperavam que a nova administração adotasse um discurso menos técnico e mais compreensível para a população. Como era de esperar, essas pessoas deixaram marcada sua irritação com o abuso de expressões técnicas que poderiam, em princípio, significar qualquer coisa (como *o método das médias aparadas simétricas* ou *o procedimento de suavização de itens preestabelecidos*). Poderiam igualmente ter notado o uso do latinismo *in natura* e de outros possíveis latinismos como a preposição *ante* e a forma participial *(é) resultante*. Basta correr os olhos pelo texto para ver que ele usa e abusa de números e siglas, estas últimas tratadas como substantivos de pleno direito, sofrendo eventualmente a aplicação de restritivos (*o IPC-agrícola*, *o IPC-industrial*). Esses recursos contribuem para uma certa concisão, mas também contribuem para tornar o texto bastante opaco para o leigo.

Se quiséssemos caracterizar melhor a "sintaxe do economês" a partir deste texto, haveria muito mais a observar: 1) o uso constante de parênteses para introduzir subclassificações (*...indústria metalúrgica (ferro, aço e derivados e metais não ferrosos)...*); 2) a aplicação de sintagmas nominais determinantes ao substantivo determinado, sem a mediação da preposição (*o ramo tecidos, vestuário e calçados* em vez de *o ramo de tecidos, vestuário e calçados*); 3) e a alta incidência de orações reduzidas de gerúndio *(a variação mensal continuou elevada [...] <u>refletindo os efeitos do aumento do algodão</u>, o IPC-Br elevou-se a 0,65% em janeiro, ante 0,46% em dezembro, <u>acumulando alta de 8,89%</u>)*.

Acima de tudo, o que marca este texto é o chamado "estilo nominal". Com efeito, na maioria das sentenças do texto, o verbo tem pouco ou nenhum valor informativo (é altamente previsível) e limita-se em última análise a introduzir o substantivo que é o verdadeiro responsável por dar alguma informação (*registrou variação* = *variou*, *mostrou elevação* = *subiu*, e assim por diante). Um bom teste para reconhecer o tanto de economês que há nesse trecho consiste em tentar traduzi-lo para o português comum: em português comum, o estilo nominal é normalmente evitado; por isso, a primeira frase do texto, que retranscrevemos aqui em (i), soaria mais ou menos como (ii):

(i) "No atacado, observou-se estabilidade na evolução do IPA, ao variar 0,75% em janeiro, ante 0,74% do mês anterior";
(ii) Em janeiro, os preços subiram 0,75% no atacado; em dezembro tinham subido 0,74%; o aumento foi praticamente o mesmo.

A variação na variação

Encerramos este capítulo sobre variação propondo ao leitor mais duas leituras de textos. Com isso, pretendemos levá-lo a fazer conosco duas constatações importantes. A primeira é que a variação diacrônica, diatópica, diastrática e diamésica **convivem**: elas não são características que possam ser aplicadas em separado a alguns textos e não a outros. Assim, qualquer produção verbal é simultaneamente marcada do ponto de vista diacrônico, diatópico, diastrático e diamésico. Para mostrar como isso acontece, propomos que o leitor se detenha antes de mais nada na letra de um rap que fez sucesso entre os jovens, nos primeiríssimos anos do século XXI, "Terceira opção", cantado pelo grupo Trilha Sonora do Gueto.

Antologia
A terceira opção* da *Trilha Sonora do Gueto

Celular, óktoc na mão, do zé povim
é uma arma poderosa nisso eu acredito sim
embocamo num assalto de pistola e matraca
e eu grudei logo o gerente com a quadrada engatilhada
o meu parceiro com a matraca dominava o salão
zé povim era mato tudo deitado no chão
nóis achava que é o seguinte que o baguio tava aguentado
mó engano sangue bom, tava memo era secado
tinha Rota tava o GOE a PM mais o GAP
tava tipo aquela fita que cê viu na reportagem
e eu grudado cum refém, comecei raciocinar
os motivos que fizeram eu no crime ingressar
residente do Capão, ser humano pique jão

que não teve uma cultura uma boa educação
morador de uma favela que aprendeu morrer por ela
nêgo, né comédia não, sofredor que num dá guela
voltando para a real, eu me vi logo enquadrado
me lembrei ni um minuto que eu tava ni um assalto
escutava a gritaria "vamô pega e lixar
vagabundo não tem vaga nesse mundo que Deus dá"
veja bem comé as coisas ninguém tinha coração
Só eu, e Deus sabia da minha situação
eu peguei minha quadrada fui pra guerra cum o sistema
só que pá é o seguinte sempre existe um dilema
a vida traiçoeira me pregou uma lição
eu só tinha 2 minuto pa vivê 3 opção
se eu saísse pelo fundo eu morria assassinado
se eu vazasse pela frente pelos bico era lixado
e a 3ª opção, era eu engatilhar
a quadrada na cabeça e eu mesmo me matar
só que Deus tava presente acredite eu não me engano
em fração de 2 segundos eu bolei aquele plano
'Aí xará, é o seguinte eu só vou me entregar
quando aquele sem futuro do Datena vim filmar
tô ligado que prucêis, eu não valo um real
só que cê seis invadi, o refém vai passa mal
ele tá todo borrado té mijado tá com medo
tá pagando até com juros o racismo e o preconceito',
derrepente, pa pa caraío que tiroteio
fiquei com a cabeça à mil bateu um desespero
Parece que é hoje, quando eu da cena lembro
minha roupa cheia de sangue eu algemado móó veneno
lixado pelos bico, com ajuda dos gambé
desacerto no crime eu tô ligado qual que é
um dia é da caça o outro do caçador
ditado que meu pai já herdara do meu vô
quando eu era pivete, me lembro ele dizia
que um homem moral sempre entra numa fria
mas só que eu cresci desandei virei ladrão
eu só tinha 18 quando eu fui pra detenção

'Aí choque, a rua tá daquele jeito ó. Uma pá de mano armado não enxerga um palmo à frente do nariz. Pensa que é superladrão, super-herói. Só que aí jão, São Paulo não é Hollywood, os cara tá iludido. O diabo dá o pé pa sugar até a alma. Sorte que eu tenho uns parceiro lado a lado comigo aí pra debater minha loucura morô'.

Cês devem tá achando que isso é ibope
ibope é trabalhar, eu em cana eu era loque
os manos na ventana gritava 'vai morrer
triagem na cadeia se não tiver proceder'
foi lá que eu conheci a tal da rua 10
também foi lá que eu li, a história de Moisés
o tempo foi passando, eu fui me adaptando
e quando eu fui notar já passará 7 anos
bem que meu pai dizia 'filho o tempo é rei
tentei te dar o melhor me desculpe se eu falhei'
aquilo na minha mente, batia tipo Tyson
viver na detenção, tem que ser homem de aço
o homem só é grande, quando ele se ajoelha
diante do senhor pra tomar puxão de orelha
naquela madrugada eu não consegui dormir
fazendo um castelo liberdade vem ni mim
o tempo foi passando, meu corpo foi cansando
o dia clareando na sequência eu fui deitando

(Colagem: *Mas se eu sair daqui eu vou mudar
Dá meu revolver enquanto Cristo não vem
*Mas se eu sair daqui eu vou mudar)

Poucas páginas atrás, analisamos a letra de duas canções de Adoniran Barbosa. Isso nos permitiu observar mais de perto uma variedade de língua que tem servido de meio de comunicação para uma ampla faixa da população urbana e suburbana de São Paulo. Na época, o sucesso das músicas de Adoniran Barbosa deu visibilidade a essa língua, cujas chances de aparecer na "grande" literatura (e mesmo nas letras da música popular) sempre foram pequenas. Hoje em dia, as letras de rap utilizam uma linguagem parecida com a de Adoniran, mas que, do ponto de vista diamésico, é profundamente diferente.

O rap é executado sem variação de melodia e com uma leitura altamente cadenciada. Como é fácil verificar por esta letra, os versos das letras de rap não têm necessariamente o mesmo número de sílabas (na nossa amostra o número de sílabas varia entre 13 e 16), de modo que o efeito de cadência tem de ser obtido mediante uma leitura que "encontra" os acentos (o final e o do meio do verso) em intervalos de tempo regulares. Bastaria esse tipo de leitura "forçada" para mostrar que temos aqui um tipo de letra musical bem diferente do que foi usado por Adoniran Barbosa ou na música caipira ou no samba carioca de morro. Mas as diferenças são também de temática, pois o rap fala frequentemente da violência urbana pela voz das pessoas que a vivem – e tudo isso tem reflexos linguísticos óbvios.

O que chama mais imediatamente a atenção nesta verdadeira "trilha sonora do gueto" são, como sempre, as peculiaridades de tipo lexical que causam problemas de compreensão para o falante de português padrão: *matraca* ("metralhadora"), *quadrada* ("pistola"), *gambé* ("policial militar"), *sangue-bom* (que é na verdade um vocativo por meio do qual o locutor, negro, representa seu interlocutor como outro negro); mas, como sempre, isso não é tudo: há peculiaridades relativas à pronúncia, às formas e à sintaxe. No que diz respeito à fonética, a grafia <baguio> (por <bagulho>) mostra a tendência a substituir o som [ʎ] por [j], a grafia <num> (por <não>) mostra que no advérbio de negação o ditongo nasal se reduziu à vogal nasal [ũ]. Também há muito a observar no que diz respeito às formas das palavras: muitas são mais breves do que no PB padrão, como é o caso de *mó* (= *maior*), *tô*, *tava* (= *estou*, *estava*), *seis* (= *vocês*), *pa* (= *para*) etc. As formas *prucêis* (em vez de *para vocês*), *né comédia* (*não é comédia*) contêm contrações que não seriam autorizadas em PB padrão; em compensação *eu tava ni um assalto* evita a contração onde o PB padrão a autorizaria (compare-se *eu estava num assalto*). Uma forma digna de referência especial é encontrada na frase em que o locutor conta como se safou de morrer recorrendo à cobertura da imprensa, exigindo a presença de um conhecido repórter policial: *eu só vou me entregar quando... o Datena vim filmar*. Nessa frase, *vim* é nada mais nada menos que *vier*, o futuro do subjuntivo do verbo *vir*, terceira pessoa. No processo pelo qual *vim* assume essa função, combinam-se dois fenômenos próprios do PB não-padrão: a tendência a formar futuros do subjuntivo usando o tema do presente e não do pretérito (que leva a *se ele desfazer o contrato, vai pagar uma multa*) e o uso de *vim* por *vir*, como infinitivo (*ele não quis vim hoje, ele vai vim amanhã*). A característica sintática mais importante é o uso limitado de sentenças subordinadas, que de resto se reduzem a poucos tipos: relativas, integrantes, temporais. Essa pobreza de subordinadas é a contrapartida de um processo de composição em que os limites da sentença tendem a coincidir com os limites do verso, e a maneira mais usada de juntar sentenças é a justaposição.

Antologia
Dois modelos de carta comercial
da década de 1940

Os últimos textos que comentaremos neste capítulo são dois modelos de carta comercial extraídos de um manual de redação da década de 1940. Eles foram incluídos aqui para lembrar que cada gênero textual tem uma dinâmica própria, evoluindo num ritmo que pode ser mais lento ou mais rápido que o ritmo médio da língua. Isso é óbvio para quem tem tempo e paciência para observar um pouco o que acontece com a linguagem ao seu redor. Pensemos nas mudanças que afetaram alguns gêneros verbais nos últimos anos. No Brasil contemporâneo, as décadas do regime militar e da abertura viram desaparecer os últimos líderes populistas, e os novos recursos técnicos disponíveis fizeram desaparecer o comício em praça pública e a passeata, que foram substituídos pela carreata, pelos debates televisionados e sobretudo pela propaganda televisiva dos horários eleitorais. É óbvio que a linguagem da propaganda política não é hoje a mesma que já foi em outros tempos.

Exemplos igualmente impressionantes de mudança da linguagem de um gênero podem ser encontrados na propaganda. Hoje, esperamos que uma boa propaganda nos conte uma história fictícia da qual participamos, e isso leva a usar uma linguagem figurada, geralmente metafórica. Nos anúncios criados há cem anos, encontramos, ao lado de ilustrações que procuram impressionar por sua qualidade artística (no limite, pela qualidade de uma foto do produto), textos que elogiam as qualidades do produto: não era comum então que os produtos de consumo fossem associados a fantasias de fuga do cotidiano; o texto da propaganda era mais voltado para persuadir racionalmente o consumidor, do que para convencê-lo subliminarmente, e isso mobilizava outros mecanismos linguísticos, entre os quais tinha peso a descrição.

É nessa perspectiva da mudança rápida da linguagem de um gênero que gostaríamos que fossem lidos os modelos de carta que transcrevemos a seguir.

Oferecimento

Rio, 7 de .... de 1948

Ilmos. Srs. Magalhães e Cia.

Teresina (Piauí)

Junto encontrareis amostras de tecidos diversos de nossa casa, devidamente coladas em catálogos, com os preços marcados etc.

Tudo é muito bem feito e de boa qualidade; confeccionamos, porém, mais barato, mais bonito, mais durável e acessível a todas as algibeiras.

Assim, rogamos examinardes os nossos preços verdadeiramente excepcionais e mandar as vossas ordens.

Também nos obrigamos a mandar artefatos de seda etc. joalheria e miudezas, mediante comissão mínima.

Podeis dispor e dar ordens aos vossos

Criados obrigados

B. Antunes & Cia.

Resposta evasiva

Recife, 3 de .... de 1948

S.B.de C.

Rio.

Estamos de posse da carta do 15 do mês passado que nos fizestes a honra de escrever e vos agradecemos os graciosos oferecimentos que nos enviastes.

> Temos o pesar de, no momento, não nos podermos utilizar deles; as condições de venda, como nos propusestes, nos convém sem dúvida, o motivo porque tomamos nota, e podei-la crer recorreremos à vossa conceituada casa, logo que se nos depare ocasião.
> Saudamo-vos com a maior consideração e subscrevemo-nos atentos obrigados
>
> Rosa, Brandão & Cia

(Fonte: QUEIROZ, J. *O secretário moderno*. Rio de Janeiro: Livraria Quaresma, 1945.)

Hoje, ninguém escreveria cartas comerciais desse modo. O que torna obsoletos esses dois "modelos" não é apenas o vocabulário (*accessível a todas as algibeiras*, *artefatos de seda*, *graciosos oferecimentos*, *subscrevemo-nos atentos*), mas também a sintaxe (note-se o uso, hoje impensável, da 2ª pessoa do plural *vós*, e também o uso abundante de clíticos), para não falar da escolha das fórmulas de introdução e fecho. Tudo isso para reafirmar que cada um dos diferentes gêneros (aqui consideramos apenas três: o discurso dos economistas do governo, a propaganda e a correspondência comercial) têm sua linguagem própria, que manifesta preferências linguísticas variadas e evolui num ritmo próprio, ao mesmo tempo que novos gêneros vão sendo criados, pelo impacto de novas tecnologias.

O drama de encarar a variação

Nas últimas páginas, procuramos ver o que há de verdade na velha ideia segundo a qual uma das características mais marcantes do português do Brasil seria sua grande uniformidade. Para isso, partimos da ideia de que toda língua, a qualquer momento de sua história, está irremediavelmente sujeita à variação e à mudança. Definimos quatro dimensões principais de variação (diacrônica, diatópica, diastrática e diamésica), que foram exploradas com a ajuda de exemplos. Essa exploração nos revelou que o português do Brasil apresenta variação em cada uma dessas dimensões. Que interesse tem essa descoberta?

Em primeiro lugar, ela nos permite afirmar que a velha tese da uniformidade do português brasileiro é em grande parte uma ilusão. Ela foi construída na década de 1950 por autores que estudaram sobretudo a maneira como o português falado no Brasil muda na dimensão geográfica e que tinham os dialetos europeus como termo de comparação. É bem sabido que em algumas regiões da Europa (como a Itália, o sul da Alemanha, o norte de Portugal e até certo ponto a França e a Espanha) a fragmentação dialetal já foi tão forte a ponto de prejudicar a compreensão recíproca entre habitantes de regiões distantes entre si poucas centenas de quilômetros. Tomando essas situações como parâmetro, o português do Brasil (onde afinal o gaúcho compreende o amazonense, que mora a milhares de quilômetros) aparece sem dúvida como uma língua mais uniforme. Em suma, quando os autores da década de 1950 falaram na grande uniformidade de nossa língua estavam sobretudo ressaltando o fato de que o Brasil não conhece dialetos no sentido europeu do termo, o que é verdade. Mas o português do Brasil, como qualquer outra língua, apresenta variedades regionais (como procuramos mostrar na seção "Variação diatópica").

Infelizmente, a ideia de que o português do Brasil é uma língua uniforme tende também a nos fazer esquecer as outras formas de variação: as que denominamos aqui diastrática, diacrônica e diamésica, além de outras formas de variação das quais não falamos neste livro, como a de registro (que corresponde ao grau maior ou menor de formalidade da fala), a de sexo, a de idade, etc. Essas diferenças fazem parte da vida de todos os dias e afetam cada um de nós, porque, independentemente de quem somos, é normal que mantenhamos algum tipo de interação com pessoas de outras classes sociais, de outra idade, de outro sexo, assim como é normal para qualquer um de nós produzir textos escritos e falados que utilizam formatos diferentes. Nessas várias formas de interação, a língua que utilizamos muda, em alguma medida, para adaptar-se ao interlocutor e ao contexto ou situação.

Portanto, variação existe, quer gostemos disso, quer não. Mas há muita gente para quem esse fato é um problema: essas pessoas se sensibilizam com a variação diastrática e tendem a achar que falar uma variedade diferente da variedade padrão é um problema sério para a sociedade e para quem o faz, talvez um vício, talvez um crime, talvez uma manifestação de inferioridade. É, mais uma vez, a atitude que levou os gregos a chamar de *bárbaros* todos aqueles que não falavam grego e que consiste em desclassificar o outro, desclassificando sua língua. Sempre que isso acontece, a língua torna-se um veículo de preconceitos e exclusões, uma função na qual, infelizmente, pode ser extremamente eficaz.

Resta saber se, numa sociedade mais aberta, é desejável cultivar preconceitos, linguísticos ou outros. Pensamos que não, e isso deveria valer não só para os profissionais da linguagem, mas para todo mundo: o médico tem interesse em passar sem dificuldades da denominação popular *beijo de aranha* à denominação científica *oncocircose*, e vice-versa, o advogado tem interesse em saber que o povo chama de *roubos* os mesmos delitos que a Justiça chama de *furtos*, e todos temos interesse em compreender que uma informação dada em português *substandard* pode perfeitamente ser correta e oportuna. Os profissionais da linguagem têm um interesse ainda maior em contar com a existência da variação, levando-a em conta em sua atuação, mas disso trataremos mais extensamente no capítulo "Linguística do português e ensino".

Um último comentário: as formas discriminadas têm um uso muito mais frequente do que se pensa, inclusive na fala e na escrita das pessoas que discriminam a língua dos outros: para dar apenas um exemplo, muita gente ficaria surpresa ao ver quantas vezes usa, na fala, formas como *ocê* [por *você*], *né* [por *não é?*] ou construções como *a casa que morei na infância* [por *a casa em que morei na infância*], *vê se você me entende* [em vez de *veja se você me entende*] e assim por diante. Se é essa a realidade, a disposição para apontar erros na fala de outros não tem o propósito edificante de corrigi-los; é antes uma forma de excluir o outro e de reforçar uma desigualdade percebida.

Notas

[1] Os dois anúncios foram extraídos de Guedes e Berlinck, E os preços eram commodos, São Paulo, Humanitas, 2000.

[2] *Nobreza* era um tipo de tecido de seda; *merinó* era um tipo de pano que imitava a pele dos carneiros merinos; *touquim* era um tipo de tecido (não conseguimos determinar qual).

[3] Os exemplos foram retirados de Mário Prata, Dicionário de Português Schifaixfavoire: crônicas ilustradas, São Paulo, Globo, 1993.

[4] Ver Maria Isolete Pacheco Alves, Atitudes linguísticas de nordestinos em São Paulo, Campinas, 1979, Dissertação (Mestrado), Unicamp e Eglê Franchi, E as crianças eram difíceis, São Paulo, Martins Fontes, 1987.

[5] A variação diatópica da 2ª. pessoa (pronome e verbo) do PB é bem mais complicada do que sugere este parágrafo, como nos assinalou oportunamente o prof. Carlos Faraco, ao lembrar em poucas linhas o que acontece nos três estados da região Sul: no que diz respeito ao Paraná, no Sudoeste e em parte do Oeste, regiões de colonização gaúcho-catarinense, usam-se as formas *tu vai* e *tu vais*; no restante do estado prevalece o *você*. Em Santa Catarina, o chamado Planalto Catarinense, desbravado no tempo do caminho das tropas por gente do planalto curitibano, é terra de *você*; o litoral e o oeste são, terras do *tu*. O Rio Grande do Sul é em grande parte terra do *tu*. Agradecemos ao prof. Faraco ter-nos alertado para essa simplificação excessiva, que poderia dar uma imagem errada ao leitor.

[6] Lembramos ao leitor que os fenômenos listados de a) a p) não são de ordem exclusivamente regional. Muitos deles distinguem pessoas de diferentes faixas econômicas e etárias.

[7] Ver o site www.alpi.ca.

[8] Antenor Nascentes, O linguajar carioca, 2. ed., Rio de Janeiro, Organização Simões, 1953, p. 25.

[9] Outros autores, além de Nascentes, esboçaram mapas das áreas dialetais do português brasileiro. Vejam-se, por exemplo, Silva Neto (Língua, cultura e civilização, Rio de Janeiro, Acadêmica, 1960, p. 262) e Elia (1975a,b). Essas propostas remetem a trabalhos anteriores, e nenhuma se pretende exaustiva. À sua maneira, elas prepararam o terreno para duas formas, mais recentes, de tratar de variação diatópica: os atlas regionais e o estudo da fala urbana culta, baseado no levantamento de grandes *corpora*. Para entender a mudança de enfoque, veja-se Callou e Marques, "Os estudos dialetológicos no Brasil e o Projeto de Estudo da Norma Linguística Culta", in Littera, III/8, 1973, pp. 100-11.

[10] Ataliba Teixeira de Castilho, "O português do Brasil", in R. Ilari, Linguística românica, São Paulo, Ática, 1985, pp. 235-69.

[11] A autora citada usa o termo 'rurbano' para informantes que vivem em ambiente urbano, recentemente chegados de um ambiente rural.

[12] Ver Bortoni-Ricardo, "Um modelo para análise sociolinguística do Português do Brasil", in Marcos Bagno, Linguística da Norma, São Paulo, Loyola, 2002, pp. 333-49.

[13] Os volumes dessa coleção são indicados na bibliografia: Castilho (org. 2002a); Ilari, (org. 2002); Castilho (org. 2002b); Castilho e Basílio (orgs. 2002); Kato (org. 2002); Koch, (org. 2002); Abaurre e Rodrigues (org. 2002); Moura Neves (1999).

Linguística do português e ensino

Na breve introdução que abre este livro, prometemos falar do português do Brasil na perspectiva do ensino de língua materna. Tudo aquilo que dissemos até aqui é importante nessa perspectiva, mas para que se possa entender mais a fundo o que é a língua que se ensina nas escolas, será preciso tratar de dois processos que, historicamente, foram decisivos para configurar essa língua: a **estandardização** e a fixação de uma **norma**. Neste capítulo, falaremos desses dois processos. A ideia é mostrar que a estandardização deu estabilidade à língua e que a fixação de uma norma levou, em última análise, à valorização de modelos antigos. Num terceiro momento, falaremos da representação da língua que se extrai das gramáticas, e procuraremos mostrar que essa representação é excessivamente estreita para ser aceitável. Por fim, descreveremos o modo de encarar a língua que nos parece correto para quem tem preocupações pedagógicas.

A estandardização da língua

Todas as grandes línguas de cultura que conhecemos hoje, ao longo de sua história, passaram por um processo de estandardização. Por estandardização, entenderemos aqui o fato de que a língua assume uma mesma forma para a maioria dos usuários e passa a obedecer a modelos definidos. Neste livro, já demos um exemplo de estandardização, quando comparamos a grafia medieval com a grafia de hoje: vimos, com efeito, que os documentos medievais apresentam hesitações na representação dos sons, e por isso usam a mesma palavra com duas ou três grafias diferentes. A grafia de hoje é bem mais uniforme: quando encontramos uma ou outra pequena incoerência num texto impresso, tendemos a atribuí-la à má qualidade da revisão e não à falta de normas.

As duas ilustrações dão ideia do caráter artesanal do trabalho dos copistas e da extrema regularidade da composição dos livros impressos. Diferentemente das obras copiadas pelos copistas, o livro impresso permitiu que as mesmas obras circulassem em grandes áreas de forma exata com o mesmo texto.

No processo de estandardização de uma língua entram, às vezes, fatores de natureza extralinguística. Entre eles, cabe lembrar as grandes inovações tecnológicas que afetaram a comunicação no último milênio. Em poucos séculos, a invenção da imprensa fez com que as mesmas obras pudessem ser lidas exatamente com o mesmo texto em lugares diferentes. Antes da imprensa, elas circulavam em versões manuscritas, produzidas a bico de pena em oficinas de cópia: a ignorância dos empregados a respeito do assunto da obra, suas diferenças de formação, a própria lentidão da tarefa, que obrigava a utilizar vários copistas na produção de um mesmo manuscrito, faziam com que o texto copiado se alterasse ao longo do tempo.

No século xx, a estandardização da língua esteve intimamente ligada à explosão dos meios de comunicação de massa (o rádio, a televisão, o jornal, o *outdoor* e a internet), e a algumas grandes tendências da educação, como a generalização do ensino primário, que gerou um mercado de livros didáticos de grandes proporções e levou à criação de uma rica literatura infantil. É difícil avaliar de maneira exata a influência de todos esses fatores extralinguísticos, mas o certo é que eles contribuíram para uniformizar a língua e frear suas mudanças.

Aqui, falaremos mais longamente das tarefas que contaram com a participação de profissionais da linguagem que se empenharam na consolidação de um padrão de língua escrita ou falada, enfocando os seguintes aspectos:

- a fixação da ortografia;
- o trabalho dos lexicógrafos – fundamental para a fixação do vocabulário;
- o trabalho dos gramáticos – fundamental para a uniformização da morfologia e da sintaxe;
- a definição de uma norma "brasileira".

A escolha desses quatro recortes foi feita de modo a facilitar nossa exposição; mas a separação entre eles é até certo ponto artificial: fixar o vocabulário é, entre outras coisas, fixar sua grafia, fixar a sintaxe dos pronomes é, entre outras coisas, optar por uma colocação pronominal que acaba sendo "mais brasileira" ou "mais portuguesa", o que nos faz passar, automaticamente, do terceiro para o quarto item de nossa lista, e assim por diante.

A fixação da ortografia

Como lembra Cagliari,[1] especialista brasileiro no assunto, um sistema ortográfico não se cria do nada. Até que uma língua encontre o seu, passa-se normalmente por uma fase em que são resolvidas muitas divergências, que afetam não só a maneira de representar a pronúncia, mas também a própria maneira de pronunciar, a forma correta das palavras, a maneira de segmentar a fala, e assim por diante. Muitos desses problemas são prévios à ortografia propriamente dita. Devido a essas divergências, a fase inicial de uma escrita costuma ser uma fase de experimentação, que se caracteriza precisamente pela grande quantidade de alternativas experimentadas. No que diz respeito à ortografia do português, essa fase de experimentações e indefinições durou aproximadamente até o final do século xvi e foi dominada pela preocupação de fazer da grafia uma reprodução fiel dos sons ouvidos na fala. É comum, por isso, dizer-se que a ortografia medieval do português foi uma *ortografia fonética*.

Camões.

Os Lusíadas (1572), obra que usou uma língua e uma ortografia extremanente regulares e elegantes, costumam ser considerados a culminação daquela primeira fase. Além de sua importância literária, o grande poema camoniano pode ser entendido como um momento importante da sistematização da língua e da ortografia.

O período posterior, que vai de 1572 até 1911, é conhecido como "pseudoetimológico". A razão para chamá-lo de etimológico é que ele foi dominado pela preocupação de representar na escrita a origem da palavra. Foi nesse período que se fixaram definitivamente grafias como *homem* e *havia* (em vez de *omem* e *avia*), motivadas não pela pronúncia (o português nunca pronunciou o *h* inicial), mas pela lembrança das grafias latinas *hominem* e *habebat*. Foi também nesse período que se fixaram algumas ortografias que hoje nos parecem curiosas, como *pharmácia* (por *farmácia*) ou *ptysico* (por *tísico*). A razão para falar em "período pseudoetimológico" (e não simplesmente "etimológico") é que a preocupação em mostrar conhecimento das línguas clássicas baseava-se muitas vezes em um conhecimento precário, e isso levou, em muitos casos, a explicações etimológicas mirabolantes: por exemplo, pensou-se que o *h* inicial se justificava na palavra *ermitão* (então escrita <hermitão>) porque a letra *h* era representada com uma haste arredondada, que lembrava o cajado dos ermitões.

O próximo período da ortografia do português é aquele em que vivemos até hoje. Começou com os trabalhos do grande linguista português Aniceto dos Reis Gonçalves Viana, que, em 1911, produziram em Portugal uma importante reforma ortográfica. Entre outras coisas, essa reforma suprimiu os dígrafos de origem etimológica (*pharmacia* > *farmácia*), o *y* com som de [i] (*hysteria* > *histeria*), as geminadas (*commodo* > *cômodo*) e o <w> presente em palavras de origem germânica (*wagão* > *vagão*). Com a "Reforma de Gonçalves Viana", a ortografia do português recuperava muito de sua transparência fonética, perdida no período pseudoetimológico.

A adesão do Brasil à ortografia "simplificada" de Gonçalves Viana aconteceu em 1931, o que fez com que o Brasil e Portugal adotassem por algum tempo as mesmas diretrizes. Mas já em 1945, uma comissão binacional, encarregada de sanar dúvidas menores deixadas pelo acordo de 1931, fez um certo número de novas propostas, que ficaram conhecidas como "A ortografia de 1945". Só Portugal adotou essas propostas e com isso a ortografia oficial dos dois países voltou a se diferenciar em alguns pontos.

A unificação da ortografia de todos os países de língua portuguesa só foi novamente assunto de negociações internacionais em 1986, quando representantes de sete países de língua portuguesa (Portugal, Brasil, Angola, Moçambique, Cabo Verde, Guiné Bissau e São Tomé e Príncipe) se reuniram para esboçar um projeto de unificação. A unificação completa é um objetivo de forte alcance cultural e político (por exemplo, entende-se que é necessária para que o português, uma das dez línguas mais faladas do mundo, possa ser efetivamente utilizado pela ONU). Mas há problemas tanto políticos como linguísticos a superar antes que a meta de uma ortografia única para todos os países de língua portuguesa seja efetivamente alcançada.[2]

Ao encerrar estes parágrafos sobre ortografia, talvez seja oportuno apontar alguns equívocos correntes. Um desses equívocos consiste em pensar que a ortografia é a língua e que uma boa reforma da ortografia resolve os problemas da língua: engano. A língua pode existir sem ser escrita. Uma reforma ortográfica não é uma reforma da língua, e tem sempre um custo social muito alto. Outro equívoco consiste em sonhar com uma ortografia absolutamente fiel à pronúncia. Essa ortografia, se existisse, seria idêntica a um dos tantos sistemas de transcrição usados pelos foneticistas, o mais célebre dos quais é o IPA (*I*nternational *P*honetic *A*lphabet), o Alfabeto Fonético Internacional. Ocorre que um sistema de transcrição fonética tem funções muito diferentes das de uma escrita alfabética corrente. Esta última tem fins práticos e só funciona se for minimamente ambígua. Pense-se na situação do Brasil: boa parte da região Nordeste pronuncia como [ɛ] e [ɔ] a primeira sílaba de palavras como *decente, coleira*, que no Sul são pronunciadas como [e] e [o]: uma ortografia autenticamente fonética precisaria escrever essas palavras de duas maneiras diferentes; ou seja: ao esbarrar em problemas como esses, uma grafia rigorosamente fonética comprometeria a unidade que a língua escrita apresenta em nível de país.

Seja como for, um fato que o professor de português precisa saber é que a sociedade atribui com frequência à ortografia estabelecida (e à sua

Nas sociedades onde são muitos os iletrados, a ortografia assume uma importância muito grande. A ilustração representa o livro *Grafemos*, um dos tantos que foram escritos para exorcizar o problema da ortografia.

reforma) "valores" que não têm nada a ver com a função de facilitar a leitura ou a alfabetização. Pessoas cultas e sensíveis já assumiram essa atitude, como é o caso do poeta Fernando Pessoa, autor do trecho que segue.

Antologia
Algumas ideias de Fernando Pessoa sobre ortografia (1911)

Sobre o problema ortográfico

Em Portugal, o etimologismo ortográfico foi, de início [...] um ato de nacionalismo. A origem, porventura instintiva e inconsciente, da nossa ortografia, foi a necessidade de marcar de todos os modos, e portanto desse, a nossa separação de Espanha, a nossa íntima dessemelhança com ela.

A Espanha fixara, em imitação da Itália ou por outro qualquer motivo, ou por ambos, uma ortografia rigorosamente sônica. Fixássemos a nossa no sistema contrário. Era fácil, sobretudo num tempo de humanistas e linguistas, a quem o sistema etimológico naturalmente ocorreria para tal efeito, e a quem o exemplo dos franceses e ingleses dava, se o precisassem, a certeza de que este sistema não estaria isolado e estranho na Europa, se é que poderia parecer uma excentricidade ou sequer uma originalidade, de que alguém culto se risse ou com que [se] indignasse, o fazer ressurgir na escrita a comum tradição romana.

Fernando Pessoa como um navio, na representação de Alfredo Margarido.

....

[...] o sistema ortográfico do português é, e é natural que seja, talvez o mais perfeito que se conhece. Fiel, ao mesmo tempo à cultura greco-latina, origem do mundo moderno, pois registra em sua escrita a solenidade de Roma e a complexidade da Grécia, e ao espírito português, por a sua grafia o opor aos mais países latinos, pois que aos nórdicos não há mister na oposição: a Espanha e Itália pela índole da grafia, à famosa França pela índole da língua, diretamente latina. É bem o sistema que, como que por milagre, representa e se ajusta à missão histórica de Portugal: a um tempo e num só todo, nacionalista e universalista, ele duplica, na expressão externa da linguagem, os feitos dos Descobridores, cujo supremo nacionalismo se consubstancia com a sua obra de darem ao mundo a universalidade dos mares.

Foi esta obra prima de patriotismo e de humanismo, trabalhado pacientemente por gerações e gerações dos nossos maiores, que os castelhanos inconscientes (involuntários) do Governo Provisório se lembram de destruir.

O texto transcrito acima é contemporâneo da reforma ortográfica de Gonçalves Viana (1911) e mostra algumas das resistências que essa reforma encontrou entre os intelectuais portugueses. Em síntese, Fernando Pessoa defende a ortografia "antiga" (aquela que nós chamamos aqui de pseudoetimológica), apelando para a ideia de que cada língua tem que ter uma ortografia própria, comprometida com suas origens. Há nisso uma forma curiosa de nacionalismo que é afirmada, em termos positivos, quando ele associa a ortografia etimológica/tradicional ao papel dos descobridores e, em termos negativos, quando imputa aos partidários da ortografia simplificada uma espécie de crime de traição e burrice, chamando-os de "castelhanos inconscientes". Não é preciso dizer que em tudo isso há muito pouco de científico, muito de ideológico e uma resistência intransigente e elitista à mudança.

O trabalho dos lexicógrafos

Os dicionários contribuem de várias maneiras para fixar a língua: por um lado, eles são referência para a ortografia das palavras – um problema que se tornou inescapável desde que os dicionários optaram pela ordem alfabética (a ordem alfabética, lembre-se, é apenas um dos princípios que podem ser usados para organizar a macroestrutura de um dicionário, e esse princípio começou a ser utilizado relativamente tarde); por outro lado, eles têm funcionado como uma espécie de registro civil de todas as palavras; a publicação de um bom dicionário sempre desperta as reações de críticos que apontam erros e lacunas, mas também provoca no público leitor outra reação, que é em última análise de adesão – a de não usar palavras que não tenham sido dicionarizadas: muitos profissionais da linguagem, ao invés de usar um neologismo mais apropriado, optam sistematicamente por uma expressão menos adequada, mas antiga e registrada no dicionário.

Outro fator de normalização, no dicionário, é a prática da **abonação**. Ao longo do tempo, os dicionários foram fixando o hábito de associar às várias acepções de cada palavra um ou mais exemplos. Independentemente de serem fabricadas pelo próprio dicionarista, recolhidas em escritores ou encontradas no uso corrente da língua, essas abonações consagram os usos a que se referem e fornecem modelos de construção sintática.

A história da lexicologia do português é longa e rica e mostra uma participação notável de autores brasileiros. Como seria de esperar, dadas as condições culturais do Brasil-Colônia (onde era proibido o funcionamento de tipografias), os primeiros trabalhos de lexicografia do português – o *Dicionário português e latino* (1712-1728), do padre Rafael Bluteau, o *Dicionário* (1789), de Antônio de Morais e Silva, o *Elucidário das Palavras, termos e frases que em Portugal antigamente se usaram e que hoje regularmente se ignoram* (1789), de Souza Viterbo, e o *Novo dicionário crítico e etimológico* (1836), de Constâncio – foram todos publicados na Europa. Contudo, Antônio de Morais e Silva, cuja obra (2. ed.: 1813) colocou a lexicologia portuguesa em sintonia com a melhor lexicologia da época, era brasileiro.

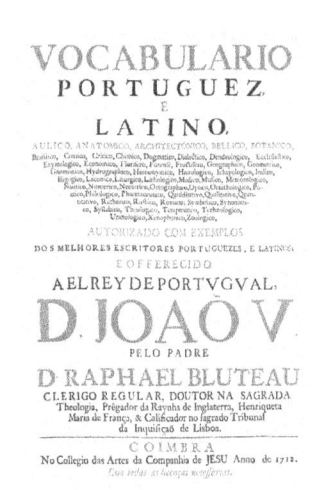

No século XIX, os intelectuais brasileiros tiveram frequentemente a preocupação de colecionar **brasileirismos**, para complementar os dicionários portugueses existentes; é esse o caso do *Vocabulário brasileiro para servir de complemento aos dicionários da língua portuguesa*, de Brás da Costa Rubim (1853), e do *Dicionário de brasileirismos*, de Rodolfo Garcia (1915).

Os primeiros dicionários "completos" do português brasileiro só apareceram por volta de 1950. Pertencem a esse período, entre outros, o *Dicionário básico do português do Brasil* (1949), de Antenor Nascentes, preparado inicialmente para servir de minuta do futuro Dicionário da Academia Brasileira de Letras (que nunca chegou a ser publicado), e o *Pequeno dicionário brasileiro da língua portuguesa*, que teve várias edições e que, a partir da 11ª, de 1972, passou a contar com a supervisão de Aurélio Buarque de Holanda Ferreira. Autor de duas edições do *Novo dicionário da língua portuguesa* (1975 e 1986), Aurélio Buarque de Holanda tornou-se tão célebre como dicionarista que seu prenome passou a ser sinônimo de "dicionário" (procure no "aurélio" ou procure num "aurélio").

Os grandes dicionários de referência para o português do Brasil são hoje três: o *Novo Aurélio do século XXI* (2000), o *Dicionário Houaiss da língua portuguesa* (2001) e o *Dicionário de usos do português do Brasil* (2002), de Francisco da Silva Borba (mais conhecido pela sigla DUP). Trata-se de obras diferentes, não só por suas dimensões e complexidade, mas também por sua concepção. O *Houaiss* e o *Novo Aurélio do século XXI* são obras de filólogos, e sua preocupação é registrar o vocabulário do português brasileiro em toda a sua riqueza – considerando em um mesmo pé de igualdade os usos mais antigos e os mais recentes, os mais frequentes e os mais raros.

Além de dar as informações usuais (classe gramatical, sentido, sinônimos, etc.), esses dicionários procuram reconstituir a história das palavras e atestar suas ocorrências mais antigas, tornando-se assim instrumentos de grande utilidade nos estudos históricos ou etimológicos. Ao contrário, o *DUP* preocupa-se em ser uma imagem da língua viva de hoje. Contra os 228.500 verbetes do Houaiss e os 160 mil do Aurélio, o *DUP* apresenta um total de "apenas" 62.800; mas todas as palavras que ele traz são de uso frequente (e atestado) nas últimas décadas. É a isso que o autor, o linguista Francisco da Silva Borba, quis referir-se ao intitular essa obra "dicionário de usos".

Existe, evidentemente, em Portugal, toda uma tradição lexicográfica autenticamente portuguesa, que foi magistralmente descrita em Verdelho (1994); aos estudantes e estudiosos brasileiros interessa conhecer pelo menos o *Dicionário da língua portuguesa contemporânea*, publicado em 2001 pela Academia das Ciências de Lisboa.

O trabalho dos gramáticos normativos

Os primeiros tratados de gramática escritos em língua portuguesa datam do século XVI (Fernão de Oliveira: *Gramática da linguagem portuguesa*, 1536; João de Barros: *Gramática da língua portuguesa*, 1540). Mais gramáticas foram escritas nos séculos seguintes, sob o impulso de duas preocupações que se completam reciprocamente: formar fidalgos para o convívio da corte e preparar para o estudo do latim.

A preocupação de fazer da gramática do português uma preparação para o estudo do latim aparece explicitada desde as gramáticas do século XVI, mas ainda era forte no final do século XIX, como se pode ver por esta passagem da introdução de um compêndio que teve ampla circulação na época, o de Bento José de Oliveira:

> O sistema que em nossa gramática seguimos na exposição das doutrinas é quase o mesmo da *Gramática Latina* do Sr. Alves de Souza, para a qual estes elementos poderão servir de introdução.
> E com isto entendemos haver prestado serviço aos que, depois do exame de português, passarem a estudar o latim; porque aprendidas primeiro no próprio idioma, as regras gerais da linguagem, basta-lhes para entrar na tradução latina, saber, na etimologia declinar e conjugar bem, e na sintaxe o uso geral dos casos...[3]

A preocupação de formar linguisticamente os fidalgos está bem representada na dedicatória da *Origem da língua portuguesa*, de Duarte Nunes de Leão (1604), em que o bom uso da linguagem é assim descrito:

> Como a maior demonstração que os homens de si dão e de seu entendimento são as palavras por que exprimem seus conceitos e ũas vidraças por que se transluzem e vêem seus ânimos, procuram sempre os príncipes que a avantagem que no estudo e na grandeza levam aos homens baixos e plebeus se enxergasse na polícia e estilo de seu falar, porque, tão indecente é sair da boca de um homem de alto lugar e nobre criação ũa palavra rústica e mal composta, como de ũa bainha de ouro ou rico esmalte arrancar ũa espada ferrugenta.

No século XVIII, a preocupação de formar as elites numa linguagem castiça é reafirmada na grande obra pedagógica do iluminismo português, o *Verdadeiro método de estudar* (1746), de Luís Antônio de Verney.

Assim, no domínio de nossa língua, pensar na gramática como um conhecimento capaz de distinguir as pessoas bem criadas das pessoas "baixas" é uma ideia antiga e fortemente arraigada. Muitos gramáticos têm entendido assim sua tarefa; e é indiscutível que ao realizá-la contribuíram para dar uniformidade à língua e para frear sua mudança (apontando certas construções como corretas e excluindo outras como viciosas).

Como sabemos, essa representação da gramática ganhou ainda mais força no século XIX, e está presente até hoje nas expectativas que a sociedade faz a respeito de todos os profissionais da linguagem (aí incluídos os professores de língua materna), mas essa é apenas uma das representações possíveis da atividade do gramático, e não é necessariamente a mais interessante. Para distingui-la de outras de que trataremos a seguir, denominaremos aqui essa concepção de gramática de **normativa** ou **prescritiva**. A gramática normativa procura estabelecer como a linguagem deve ser.[4] Ao escrever uma gramática normativa, o autor estabelece regras destinadas a orientar o comportamento linguístico de seus leitores. A palavra "regra" tem, nesse caso, o sentido de "regulamento", "instrução sobre como agir", "norma de conduta linguística".

Bem diferente de uma gramática normativa é aquilo que os linguistas chamam de **gramática descritiva**. Esse segundo tipo procura descrever uma língua tal como o analista a observou. Ao descrever uma língua é inevitável que se registrem fatos que ocorrem de maneira regular (por exemplo: o fato de que em português padrão o *–s* é a principal marca de plural para os substantivos e adjetivos); para falar dessas regularidades, pode ser útil usar a palavra "regra", que assume então o sentido que os físicos dão à palavra "lei": a ocorrência regular de determinados fatos quando certas condições se realizam.

Outro tipo ainda de gramática são as **gramáticas explicativas**. Nestas últimas, os fatos observados são "explicados", isto é, são encarados como a consequência de algum princípio geral que diz respeito às capacidades humanas (por exemplo, poderíamos assumir que as experiências de caráter físico são fundamentais para determinar a percepção e a categorização do mundo e, em seguida, poderíamos querer explicar o fato de que as línguas têm diferentes tipos de sentenças como projeção de nossos esquemas perceptuais). Se quisermos, poderemos ainda falar em regras, mas então a palavra "regra" assumirá o sentido de "princípio explicativo".

Se excetuarmos a *Grammatica philosophica*, de Jerônimo Soares Barbosa (1802), que procurava explicar a língua como uma projeção da estrutura do pensamento (tratava-se, portanto, de uma gramática explicativa, o que não impediu que tivesse também um altíssimo valor descritivo) e os trabalhos de alguns de seus seguidores, a grande maioria das gramáticas escritas dos dois lados do Atlântico, desde Fernão de Oliveira (1536) até hoje, adotaram a orientação normativa.

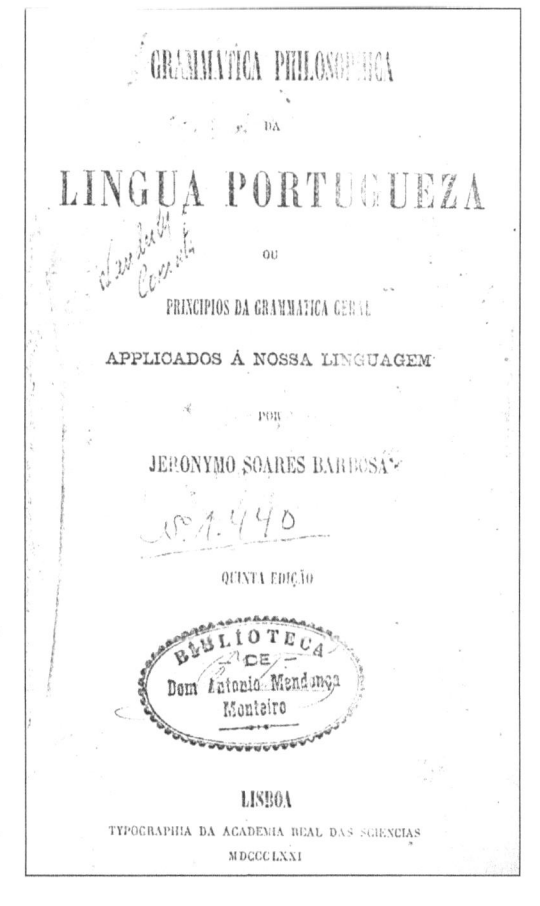

A face mais visível do trabalho dos normativistas é a produção de tratados (conhecidos precisamente como "gramáticas") nos quais eles se propõem a sistematizar o conjunto de preceitos que devem ser seguidos para falar e escrever corretamente. Outra face, menos visível, mas não menos importante desse trabalho, é a prática da casuística gramatical, um tipo de reflexão que consiste em comparar diferentes regências, concordâncias e colocações, enfim, distintas construções gramaticais, aprovando umas e condenando outras. A casuística gramatical é uma prática antiga, que já acontecia no tempo dos gregos, e que levou o filósofo cético Sexto Empírico a incluir o gramático em sua galeria de tipos humanos. Sexto Empírico interessou-se, como ninguém, por entender os estragos que a deformação profissional provoca nas pessoas, e o que mais o incomoda no gramático é sua disposição para atormentar os outros dizendo como deveriam falar. Nos nossos dias, essa prática da casuística gramatical está mais viva do que nunca, como se pode observar pelas colunas do tipo "consultório gramatical" que encontramos nos jornais e revistas de grande circulação, pelos livros dedicados à solução de "dúvidas gramaticais", pelo conteúdo dos manuais de redação dos principais jornais e, mais tristemente, pelo modo como a língua portuguesa é tratada em muitos concursos (de ingresso na universidade, de ingresso no emprego etc.).

Quando se pergunta onde o gramático normativista busca a autoridade de que se investe ao orientar a conduta linguística de seus semelhantes, aprovando certos modos de falar e escrever e condenando outros, as respostas dadas são geralmente duas: o conhecimento da língua das pessoas cultas ou o conhecimento da língua dos grandes escritores; outras vezes, o gramático recorre ao argumento de que certas construções correspondem melhor à índole da língua, porque já apareciam em seus estágios mais antigos, ou seja, ao argumento de que devem ser escolhidas as formas que têm maior lastro histórico. É inegável que muitos de nossos gramáticos conheceram a fundo a literatura, assim como é inegável que a gramática sempre esteve sintonizada com a língua da classe mais culta e mais abastada (não existe, historicamente, uma "gramática da língua dos pobres"). O que é muito menos certo é que todas as recomendações feitas pelos gramáticos ao longo dos séculos fossem válidas, e que a língua tenha, afinal, seguido suas prescrições. Há cerca de cinquenta anos, no Brasil, discutiu-se longamente o nome que deveria ser dado a um conjunto de folhas mimeografadas unidas por um grampo: seria *postila? apostila? apostilha? apostília?* A forma que prevaleceu foi *apostila*, embora estivesse claro para todo mundo que a palavra se originava do latim *post illa*.[5] Na mesma época, discutiu-se também se a expressão correta deveria ser *haja vista, haja visto, haja à vista* ou outra. Diferentes explicações tentaram mostrar que nessa expressão entravam o substantivo *vista*, ou o particípio passado *visto*, e que a forma *haja* poderia ser pessoal ou impessoal. Pensando nessas discussões com certo recuo de tempo, percebe-se que não havia quase nada de aproveitável nos argumentos então alegados, entre outras razões, porque *haja vista* é uma frase feita, e as frases feitas não seguem a sintaxe normal. A única verdade a propósito de uma expressão como *haja vista* é que todos saem perdendo se houver dúvida na hora de usá-la; um modo de resolver esse problema é recorrer aos argumentos pseudorracionais dos gramáticos, outro é deixar que o uso se fixe por si. Um episódio mais recente foi a cruzada em prol do uso de *em* na fórmula *entrega em domicílio*. Depois de duas décadas de valorosa insistência dos gramáticos, tudo indica que *entrega em domicílio* está ganhando a guerra contra *entrega a domicílio*; os gramáticos estão de parabéns, mas é o caso de perguntar: num país como o Brasil, onde há tantos analfabetos (absolutos ou funcionais), as tarefas de maior urgência e de maior relevância social, em matéria de língua e de escrita, não seriam outras?[6]

Ao usar formas condenadas pelos gramáticos (por exemplo, *entrega a domicílio*), o usuário da língua comete a infração conhecida como **solecismo**. Outras infrações que os gramáticos condenam são os **barbarismos**, termo que se aplica ao uso de palavras e construções que atentam contra a "pureza da língua", porque provêm de línguas estrangeiras (daí a classificação dos barbarismos em *anglicismos, galicismos, italianismos* e muitos outros -ismos). No passado, já foi apontado como anglicismo o uso da palavra *futebol* (os puristas de plantão recomendaram que se usassem em seu lugar palavras de origem latina como *balipódio* ou *ludopédio*), e foi considerado galicismo o uso das palavras *abajur* e *restaurante* (para salvar a "pureza da língua", propôs-se usar *quebra-luz* e *casa de pasto*, até que alguém se deu conta de que um restaurante era algo muito diferente de uma casa de pasto); construções como *na minha casa somos em cinco* ou *nas férias a gente viaja* já foram descritas como intoleráveis italianismos sintáticos (em oposição a construções castiças como *na minha casa somos cinco* ou *nas férias nós viajamos*). A verdade é que os barbarismos acabam por naturalizar-se, e muitos puristas ficariam assustados se soubessem quantas palavras e expressões a língua portuguesa já recebeu de línguas estrangeiras.

Outro ingrediente importante da atitude purista, que às vezes se confunde com a atitude prescritiva adotada pelos gramáticos, é a resistência aos **neologismos**, isto é, a predisposição para evitar as palavras novas e os usos novos de palavras antigas. Num passado não muito remoto, uma das vítimas dessa atitude foi a palavra *gabarito*. Usada desde sempre como termo técnico da arquitetura, a palavra *gabarito*, na década de 1960, desenvolveu um uso metafórico que levou a sentenças como *fulano de tal não tem gabarito para ser gerente da firma*. Usos como esse foram motivo de enorme preocupação por parte dos defensores da língua, que, imediatamente, exigiram que o emprego do termo se limitasse ao sentido técnico. Essa atitude ignora que a língua vive (e sobrevive) criando novas extensões de sentido a todo momento. Quem duvida, deveria observar um pouco mais de perto o que acontece na ciência e na tecnologia: a terminologia "objetiva" que se usa nesses campos nasceu, geralmente, de usos metafóricos bastante fantasistas (pense-se, a título de exemplo, em palavras como *átomo, proteína* ou *penicilina*).

Antologia
As preocupações de um gramático

Na década de 1950, no momento em começavam os trabalhos que resultaram na *Nomenclatura Gramatical Brasileira* (NGB), o gramático e filólogo Júlio Nogueira deu ao jornal *A Noite* uma entrevista a partir da qual foi produzida em seguida a matéria "Disciplina à língua portuguesa". Extraídos dessa matéria, os trechos que seguem falam dos problemas que preocupavam os gramáticos naquele momento e da maneira como eles sempre representam sua própria tarefa. A língua é encarada como uma questão de certo e errado, valores sobre os quais a última palavra cabe aos gramáticos e a ninguém mais.

As dificuldades da língua portuguesa

inçada:
povoada, cheia.

diuturno:
prolongado.

A língua portuguesa está inçada de dificuldades. Porém nenhuma me parece maior para os estudantes do que a questão da nomenclatura gramatical. Essa nomenclatura não é uniforme. Aqui e ali, num rápido passeio pelas gramáticas, é possível ver os absurdos a que chegamos. E se nós, professores, habituados ao trato diuturno das coisas da língua, muitas vezes nos vemos em dificuldades, o que não será dos pobres alunos, que começam seu estudo com um professor que adota uma nomenclatura, estudam em gramática com outra nomenclatura e têm em casa pessoas que seguem uma terceira nomenclatura? O trabalho que estamos organizando, na sede da Federação das Academias de Letras do Brasil, originou-se da proposta feita pela Academia Pernambucana de Letras, que sugeriu ao 2º Congresso das Academias de Letras a reunião de uma assembleia de filólogos com o alto propósito de resolver certos pontos da língua que falamos.
[...] Logo na primeira reunião que tivemos, declarei quais os assuntos que me pareciam mais urgentes e de maior vulto: a

unificação da nomenclatura gramatical e da pronúncia normal brasileira. As duas teses foram aceitas pelos meus distintos colegas, alvitrando o professor Cândido Jucá Filho, a feitura de uma terceira, a saber: a grafia dos vocábulos de origem tupi e africana, dentro da orientação e das regras do sistema oficial.
[...] O assunto não é só dos filólogos. Pertence ao país inteiro. Admitamos que alguém saiba que na sua terra se pronuncia uma palavra de maneira diferente da dos demais pontos do Brasil. Um simples telefonema, um telegrama, uma carta, uma monografia poderá ser enviada à comissão. E nós, imediatamente, diremos qual é a maneira certa.

A pronúncia normal brasileira

guasca: gaúcho, rio-grandense do sul, indivíduo simplório.

tapiocano: indivíduo simplório.

jogar as cristas: brigar.

Muita gente vai rir deste capítulo. Dirão que será um verdadeiro absurdo exigir-se que um guasca pronuncie como o tapiocano do nordeste ou como o extremo nortista. Essa descrença, esse derrotismo não nos impressionarão. Continuaremos a nossa tarefa e um dia os céticos hão de reconhecer que tínhamos razão. Ainda que ninguém obedeça à pronúncia normal, deve haver uma pronúncia normal. Quando as falas provincianas jogarem as cristas para decidir quem pronuncia melhor, poderão recorrer ao padrão oficial. Que o carioca e o cearense continuem dizendo "quau é" por "qual é"; que o paraense e o amazonense pronunciem "eu foi" "ele fui", que o paulista insista no "tchapéu", que os brasileiros de muitos pontos do país errem proferindo "tchinta" por "tinta", pouco importa. Nós iremos avante. [...] iremos adiante porque alguma coisa há de ficar do nosso trabalho e essa alguma coisa há de minar as gerações futuras, até que os brasileiros de todo o país pronunciem bem a língua que receberam de Portugal e que tanto havemos engrandecido. [...]

A descrição da língua nas últimas décadas do século XX

Apesar de seu caráter pouco científico e de suas enormes limitações, a atitude normativa é aquela que vem prevalecendo, historicamente, entre os gramáticos; é também a atitude que a sociedade espera dos profissionais da linguagem, excetuados talvez os grandes escritores. Não adotá-la tem para muitos profissionais da linguagem (inclusive muitos professores jovens e bem informados) um sentido de traição. Nas próximas páginas, tentaremos mostrar que o grande risco é justamente o contrário: adotar sem maiores cuidados a atitude normativista é geralmente o mesmo que fechar os olhos para a língua, além disso o normativismo tem compromissos políticos que são no mínimo discutíveis. Essa é uma reflexão inevitável para quem realmente se interessa pela língua materna, e nós tentaremos encaminhá-la argumentando que as gramáticas normativas dão da língua uma imagem redutora e acabam por travar a expressão dos falantes quando, precisamente, julgam enriquecê-la.

Antes de enfrentar essa discussão, convém, porém, deixar claro que, nas últimas décadas do século xx, foram elaboradas sobre a língua portuguesa algumas gramáticas de um tipo bastante diferente, numa perspectiva consistentemente descritiva. Algumas dessas gramáticas foram escritas por um único autor, como é o caso da *Gramática descritiva do português*, de Mário Perini (1995), mas o caso mais comum é o de trabalhos produzidos em equipe, nos quais há capítulos escritos por autores diferentes tratam de temas distintos, às vezes com enfoques parcialmente diferentes. É assim a *Gramática da língua portuguesa*, de Maria Helena Mira Mateus e outros, editada em 2003 em Lisboa, e assim está sendo elaborada a *Gramática do português culto falado no Brasil*, de Ataliba Teixeira de Castilho e outros. Uma característica desta última obra, ora em fase final de preparação, é o fato de que sintetiza uma série de estudos preliminares, realizados a partir de grandes repertórios de amostras da língua falada.

A organização sob forma de antologias de ensaios e a fundamentação em amplos levantamentos de materiais linguísticos atestados não são as únicas características notáveis desse novo modo de fazer gramáticas. Outra característica igualmente notável é a maior amplitude de seu quadro de matérias, que pode ser assim explicada: embora as boas gramáticas normativas produzidas no século xx (por exemplo, Cunha e Cintra (1987) ou Savioli (1997)) sejam bem mais ricas e interessantes do que as gramáticas dos séculos anteriores, elas adotam um mesmo "roteiro padrão", que inclui, basicamente, as classes de palavra, a morfologia flexional e derivacional, a concordância, a sintaxe da oração e a sintaxe do período. Nas gramáticas descritivas dos últimos anos, esse roteiro vem sendo ultrapassado em vários sentidos (por exemplo, pela inclusão de capítulos sobre os mecanismos de coesão e coerência textual, sobre os atos de fala etc.); esse tipo de ampliação é um dos pontos altos da *Gramática da língua portuguesa*, de Mário Villela e Ingedore Koch, lançada em 2001 em Portugal.

As noções de que se valem as gramáticas mais recentes para realizar sua tarefa de descrição também são novas, e isso tem efeitos importantes na superação de alguns impasses que remontam às origens da gramática portuguesa e à influência que então exerceu a gramática latina. Como se sabe, escrevendo num contexto em que o latim clássico era a língua da cultura, os primeiros gramáticos de nossa língua tiveram a preocupação de mostrar que o português dispunha dos mesmos recursos expressivos que o latim. Essa preocupação, que em si mesma era legítima, levou-os, na prática, a aplicar ao português as categorias que eram tradicionalmente aplicadas ao latim, ocasionando muitas distorções. Com o tempo, a gramática do português acabou se livrando de algumas dessas distorções, que eram mais óbvias: por exemplo, nenhum gramático repetiria hoje a afirmação de João de Barros de que o português tem declinações. Mas o uso da gramática latina como referência teve outras consequências mais sutis e por isso mesmo mais difíceis de erradicar. Por exemplo, as gramáticas continuam falando do "grau do adjetivo" como uma categoria que compreende o comparativo e o superlativo. O privilégio dado a essas duas maneiras de construir os adjetivos, no meio de tantas outras que existem, é um resquício da gramática latina, língua na qual o comparativo e o superlativo tinham uma realização morfológica própria. O mesmo vale para a ideia de pôr num mesmo embrulho duas coisas tão diferentes como o superlativo absoluto e o relativo, que em latim eram uma única forma. Problemas desse tipo vão sendo aos poucos superados, graças a uma análise linguística mais cuidadosa.

A definição de uma norma "brasileira"

É comum, nas línguas das sociedades mais complexas, que os falantes procurem definir e consagrar modelos de uso, pois em todas as situações socialmente relevantes falar (ou escrever) segundo os modelos mais prestigiados é uma forma de reforçar a adesão a certo grupo e, indiretamente, de acrescentar valor à própria mensagem.

O problema da escolha de bons modelos apareceu várias vezes na história do português do Brasil, dando margem a debates que ficaram célebres e formando correntes de opinião que demonstraram grande vitalidade. Mas as palavras norma e modelo remetem a uma pluralidade de interesses e, de fato, a busca de uma norma para o português brasileiro preocupou autores que tinham propósitos muito diferentes. Nem sempre essa diferença de propósitos é apontada com clareza na bibliografia sobre a matéria, e isso tem sido motivo de equívocos, levando a ver como facetas de um mesmo fenômeno situações e iniciativas que eram, de fato, bastante distantes.

Debates em torno da norma brasileira

Aqui, tentaremos organizar os principais debates que ocorreram no Brasil em torno da noção de norma referindo-os a três sentidos diferentes que os intelectuais brasileiros deram à questão, em ordem cronológica. Trataremos, pois:

- da definição de uma norma **literária**, um problema que surgiu durante o período do romantismo, ligado à preocupação de dotar a literatura brasileira de uma linguagem literária própria;
- da elaboração de uma norma para o **português escrito culto**, que teve um momento importante na polêmica sobre o texto do Código Civil da Primeira República;
- da questão de estabelecer uma norma **fonética para o português brasileiro**, que foi debatida a propósito da pronúncia a ser usada no canto e no teatro, em dois congressos, realizados, respectivamente, em 1936 e 1957.

A variedade de língua ensinada nas escolas tem a ver sobretudo com o segundo desses processos. Ela procura pautar-se pelo exemplo de escritores antigos, e resulta num código bem mais rígido do que o efetivamente empregado no uso corrente das pessoas cultas. Procuraremos tornar evidente esse fato, mediante algumas comparações entre a gramática escolar e o uso efetivo da língua (tal como foi descrito pelos Projetos da Norma Urbana Culta (Nurc) e da Gramática do Português Falado).

A definição de uma norma literária brasileira

Como se sabe, os escritores brasileiros do período romântico interpretaram o ideário de sua escola literária num contexto criado pela independência política; por isso, entenderam a exaltação da natureza como exaltação da natureza tropical e elaboraram um mito das origens da nacionalidade em que no lugar do cavaleiro medieval aparece o índio.

Logo depois da Independência (1822), surgiu no Brasil a questão de saber em que língua deveria expressar-se a literatura brasileira, e muitos intelectuais optaram por denominações como "língua nacional" ou mesmo "língua brasileira" – denominações nas quais Portugal não estava presente.[7] Alguns escritores foram além de uma atitude meramente programática, usando uma linguagem literária em que os "brasileirismos" tinham um papel considerável. José de Alencar foi um desses escritores, e o melhor exemplo desse estilo é a obra *Iracema* (1860), que, embora se apresentasse como romance, tem todas as características de um longo poema em prosa. Diferentemente de tudo quanto tinha aparecido até então em língua portuguesa, o estilo dessa obra não deixou de provocar reações iradas do outro lado do Atlântico: o filólogo português Pinheiro Chagas fez dele uma avaliação muito depreciativa, à qual Alencar responderia acrescentando à segunda edição de *Iracema* (1870) um *post-scriptum* que ficou célebre. Outros escritos de Alencar que são eco dessa mesma polêmica foram recolhidos em *O nosso cancioneiro* (1874). O próximo trecho de nossa antologia pertence a essa coletânea.

Antologia
O direito de escrever brasileiro, segundo José de Alencar

Iracema, retratada por José Maria de Medeiros.

Uns certos profundíssimos filólogos negam-nos, a nós brasileiros, o direito de legislar sobre a língua que falamos. Parece que os cânones desse idioma ficaram de uma vez decretados em algum concílio celebrado aí pelo século XV.

Esses cânones *só tem* o direito de infringi-los quem nasce da outra banda, e goza a fortuna de escrever nas ribas históricas do Tejo e Douro ou nos amenos prados do Lima e Mondego. Nós brasileiros, apesar de orçarmos já por mais de dez milhões de habitantes, havemos de receber a senha de nossos irmãos, que não passam de um terço daquele algarismo. Nossa imaginação americana, por força, terá que acomodar-se aos moldes europeus, sem que lhe seja permitido revestir suas formas originais.

Sem nos emaranharmos agora em abstrusas investigações filológicas, podemos afirmar que é este o caso em que a realidade insurge-se contra a teoria. O fato existe, como há poucos dias escreveu o meu distinto colega em uma apreciação por demais benévola.

É vã, senão ridícula, a pretensão de o aniquilar. Não se junge a possante individualidade de um povo jovem a expandir-se ao influxo da civilização, com as teias de umas regrinhas mofentas. Desde a primeira ocupação que os povoadores do Brasil, e após eles seus descendentes, estão criando por todo este vasto império um vocabulário novo, à proporção das necessidades de sua vida americana, tão outra da vida europeia.

Nós, os escritores nacionais, se quisermos ser entendidos de nosso povo, havemos de falar-lhe em sua língua, com os termos ou locuções que ele entende, e que lhe traduzem os usos e sentimentos. Não é somente no vocabulário, mas também na sintaxe da língua que o nosso povo exerce o seu inauferível direito de imprimir o cunho de sua individualidade, abrasileirando o instrumento das ideias.

Entre vários exemplos, recordo-me agora principalmente de um muito para notar. Falei-lhe há pouco da excentricidade de certos aumentativos. Usa-se no Ceará um gracioso e especial diminutivo, que talvez seja empregado em outras províncias; mas com certeza se há de generalizar, apenas se vulgarize. Não permite certamente a rotina etimológica aplicar o diminutivo ao verbo. Pois em minha província o povo teve a lembrança de sujeitar o particípio presente a esta fórmula gramatical, e criou de tal sorte uma expressão cheia de encanto.

A mãe diz do filho que acalentou ao colo: "Está dormindinho". Que riqueza de expressão nesta frase tão simples e concisa! O mimo e ternura do afeto materno, a delicadeza da criança e sutileza do seu sono de passarinho, até o receio de acordá-lo com uma palavra menos doce; tudo aí está nesse diminutivo verbal.

Entretanto, meu ilustre colega, suponha que em algum romance eu empregasse aquele idiotismo a meu ver mais elegante do que muita roupa velha com que os puristas repimpam suas ideias. Não faltariam, como de outras vezes tem acontecido, críticos de orelha, que, depois de medido o livro pela sua bitola, escrevessem com importância magistral: "Este sujeito não sabe gramática". E têm razão; a gramática para eles é a artinha que aprenderam na escola, ou por outra, meia dúzia de regras que se aforam nas exceções.

(ALENCAR, José de. O Nosso Cancioneiro. *Obra completa.* Rio de Janeiro: Aguilar, 1960, v. 4, pp. 965-6.)

Nesse escrito, Alencar rebate as críticas de seus oponentes utilizando uma argumentação cerrada que ainda hoje soa inteiramente plausível; essa argumentação considera inicialmente um fato histórico: levada ao continente americano, a língua portuguesa se tornou expressão de uma realidade nova, que não tem medida comum com a realidade europeia; nesse contato, a sintaxe se modificou e o léxico se enriqueceu. Apelar para a gramática para reverter esse processo (ou para tentar negá-lo) seria fechar os olhos à realidade, negar uma evidência. Sabiamente, Alencar usa essa evidência como base para outro argumento, que tem a ver com aquilo que, mais modernamente, chamamos de recepção do texto literário: o escritor precisa falar a língua de seus leitores, sob pena de não ser lido.

Acumulando oposições como "gramática *versus* uso", "fixidez *versus* mobilidade da língua", "passado *versus* presente", "Portugal *versus* Brasil", "correção *versus* criatividade" o texto faz uma defesa intransigente do princípio de que o grande modelo de língua a ser considerado é o uso. E o uso brasileiro escapou do controle português, assim como o Brasil deixou de ser colônia: as ligações dessa linha de argumentação com o ideário da independência não precisam ser ressaltadas.

A polêmica entre Alencar e Pinheiro Chagas não foi a única em que autores brasileiros e portugueses se enfrentaram a propósito da linguagem literária (por exemplo, em 1879-80, outra polêmica do mesmo tipo, mas conduzida em tom bem menos elegante, envolveu o romancista português Camilo Castelo Branco e o jornalista brasileiro Carlos de Laet a propósito da língua do poeta Fagundes Varela). Contudo, a polêmica entre Alencar e Pinheiro Chagas permanece como um marco, pela lucidez do pensamento de Alencar e por ter lançado a ideia de que a linguagem literária deveria ser construída a partir da linguagem efetivamente usada pelos brasileiros. Trata-se de um programa que, por um lado, livra o escritor do peso dos modelos antigos e, por outro, o engaja numa pesquisa de linguagem que

A *Antologia nacional*, de Fausto Barreto e Carlos de Laet, passou por 43 edições, a primeira datada de 1895 e a última de 1969, e foi um dos principais instrumentos didáticos de seu tempo. "Seleta", "Florilégio", "Crestomatia" são termos sinônimos que evocam, etimologicamente, a ideia de escolha; hoje, o termo mais corrente é "Antologia", que significa, etimologicamente, "coletânea de flores". No passado, as antologias foram peças fundamentais de um ensino da língua materna que separava de maneira estanque a leitura dos clássicos e o estudo descontextualizado da gramática.

pode levar a resultados riquíssimos, como mostraram, bem mais tarde, as obras de alguns modernistas (particularmente os da vertente regionalista) e, acima de tudo, a linguagem literária de Guimarães Rosa (na qual o popular e o literário se confundem num constante jogo de espelhos).

A elaboração de uma norma para o português escrito: o Código Civil, Rui Barbosa e a *Réplica*

Outra polêmica célebre, mas de sentido bem diferente das que foram citadas no parágrafo anterior, envolveu entre 1902 e 1907 o político Rui Barbosa e seu antigo mestre de língua portuguesa, o gramático e oftalmologista Ernesto Carneiro Ribeiro. A cronologia do episódio é mais ou menos a seguinte: por encomenda da Câmara dos Deputados, Carneiro Ribeiro havia revisado uma primeira redação do Código Civil, que foi submetida, com suas "emendas", à sanção do Senado. Aqui, as correções propostas pelo gramático foram duramente atacadas por Rui Barbosa. Em 25 de setembro de 1902, Carneiro Ribeiro respondeu ao Senado, com um escrito, as "Ligeiras Observações sobre as Emendas do Dr. Rui Barbosa, feitas ao Projeto de Código Civil". O revide de Rui Barbosa veio em outubro de 1903 num texto nada "ligeiro", que se tornaria logo célebre: a *Réplica*. Nesse texto, Rui coteja as alternativas de redação de cada uma das passagens "corrigidas" por Carneiro Ribeiro e refuta as sugestões deste em tom enérgico e extremamente passional. Desse último texto, a *Réplica*, extraímos para leitura o trecho em que se comentam os problemas gramaticais referentes ao artigo 337 do Código Civil.

Antologia
A argumentação gramatical na *Réplica*, de Rui Barbosa

Ruy Barbosa.

Art. 337.

CONCORDÂNCIA VERBAL

202. Rezava o original deste artigo:

"São parentes em linha colateral, até o décimo grau, as pessoas que procedem de um tronco comum, sem que **descenda** uma da outra."

Eu propus que se emendasse:

"São parentes em linha colateral, até o décimo grau, as pessoas que procedem de um tronco comum, sem descenderem uma da outra".

Às observações em que estribei a minha censura acudiu braviamente a crítica de faca e calhau:

"Quanto pode o despeito! Qualquer menino de colégio verificará, entretanto, que o sujeito de **descenda** é **uma** e não **pessoas**. A ordem direta seria "sem que uma descenda da outra". Achou o que estava perfeitamente certo, e **emendou para errado**".

Mas ao sanhoso diletante responde civilmente o profissional:

"Aqui pode o verbo descender (descenda) ir ao plural, dando-se-lhe por sujeito o vocábulo – pessoas, ou ficar no singular, tomando-se-lhe por sujeito a palavra – uma, que então concorda com o substantivo – pessoa – subentendido [...]".

A mim bastar-me-á mostrar, com a prática dos melhores mestres, que não corrigi errado:

"Ora, filhos, logo essora, / **Cada um** *com sua esposa /* **Vamos** *ver a poderosa / Rainha, nossa Senhora"* (Gil Vicente, v. II, p. 441)

"Onde **se assentaram cada um** *em sua cadeira de espaldar."* ([Damião de] GOES, *Crônica de D. Manoel*, p.II, c.7)

"Levou el-rei seu caminho até que chegaram ao extremo onde **cada um tiveram** *cuidado de levar a enterrar seus senhores"* (FERN.LOPES, *Crônica d' el-rei D. João I*, p. I, c.156).

(Seguem mais nove citações de: João de Barros, Frei Luiz de Souza, Vieira, Azurara, Herculano e Eça de Queiroz).

O trecho transcrito anteriormente dá uma boa ideia da maneira como Rui Barbosa formatou sua *Réplica*. Num primeiro momento, ele confronta as duas redações propostas. O segundo momento é dedicado a desqualificar o adversário, e aqui vale tudo, como recorrer à ironia, ou dar a entender que a crítica do adversário foi grosseira ou equivocada. Por fim, num terceiro momento, Rui apresenta um conjunto de textos destinados a abonar a redação que ele pretende defender. Rui Barbosa declarou-se várias vezes partidário de uma língua baseada no uso, e alguém poderia defender que os vários exemplos dados são uma forma de retornar ao uso. Mas essa argumentação esbarra num fato: a maioria dos exemplos que ele usa para apoiar suas próprias opiniões gramaticais na *Réplica* pertencem a uma fase muito antiga da língua, que pode ser o período clássico ou mesmo a Idade Média. Vê-se assim que, apesar do tom passional que investiu na polêmica, Rui Barbosa trabalhava a partir de pressupostos que eram, essencialmente, os mesmos de seu antigo mestre, contribuindo assim para a consolidação de uma norma em que o peso maior é o da tradição portuguesa e não o do uso brasileiro.

> Algumas décadas antes do advento da República, vários autores haviam se perguntado se construções correntes no Brasil, como *vi ele*, *cheguei em São Paulo* deveriam ser qualificadas como viciosas; dito de outra maneira, se à noção de "brasileirismo" seria preciso associar automaticamente uma conotação de erro. Algumas dessas construções são comentadas na *Réplica*, mas Rui Barbosa só as aceita porque têm uma história antiga, que retorna às origens da língua. Nessa perspectiva, não adianta pensar que o elogio do uso será um argumento em defesa dos brasileirismos: a disposição de imitar os escritores antigos acaba prevalecendo e prevalecendo precisamente contra o uso.

A busca da pronúncia ideal no século XX

Uma confirmação significativa de que a questão da norma linguística continuava sendo um problema importante para a sociedade brasileira, no século XX, foi a realização, respectivamente em 1936 e 1957, de dois grandes congressos convocados para "regulamentar" a língua utilizada em dois gêneros artísticos então particularmente importantes: o canto lírico e o teatro.

O Congresso Brasileiro da Língua Cantada foi realizado em São Paulo em 1936, por inspiração de Mário de Andrade, e contou com a participação do poeta Manuel Bandeira e do filólogo Antenor Nascentes. O Congresso Brasileiro de Língua Falada no Teatro realizou-se em 1957, em Salvador, e teve como relator o filólogo Antônio Houaiss. A despeito da distância no tempo, esses dois congressos tiveram muitos pontos em comum: 1) reconheciam implicitamente que a língua portuguesa, no Brasil, era falada de várias maneiras, que não coincidiam com as maneiras utilizadas em Portugal; 2) partiam do pressuposto de que a norma era sobretudo uma questão de sotaque, que se resolveria se todos tomassem como modelo a fala de alguma cidade ou região do Brasil, eliminando os traços que fossem considerados "regionalismos" (por exemplo o "sibilismo" dos paulistas ou o "gargarismo" e o "chichismo"[8] dos cariocas).

As teses aprovadas em 1936 (sob a influência de Mário de Andrade e Manuel Bandeira) iam no sentido de apontar como exemplo a fala do Rio de Janeiro, considerada superior por razões culturais e históricas, embora tivesse sido considerada a possibilidade de chegar a uma "média" das diferentes pronúncias regionais. O propósito de apontar a fala de uma única região como norma para todo um país corresponde a uma atitude típica daquela época; a mesma atitude levava, então, a declarar que o melhor inglês americano é o da Nova Inglaterra e que o melhor francês é o da região do rio Loire. Essa expectativa foi substituída, no segundo congresso (que teve como eminência parda o filólogo Antônio Houaiss), pelo reconhecimento de que há diferentes normas regionais, e que um modelo de pronúncia deveria ser o resultado de uma "negociação" entre as regiões. Um aspecto comum aos dois congressos foi a ideia de que, uma vez definida por um fórum de especialistas, a pronúncia recomendada acabaria se espalhando para áreas cada vez mais amplas do país através do ensino.

O gramático Celso Cunha, presidente do congresso de 1957, antecipou com grande lucidez em seu discurso de abertura os efeitos da revolução tecnológica pela qual passariam, algumas décadas mais tarde, os grandes meios de comunicação de massa, e convocou esses meios, sobretudo a televisão e o rádio, como possíveis aliados na implantação em nível nacional da língua escolhida pelos congressistas. Os grandes canais de televisão, que transmitem em cadeia nacional, são certamente, hoje, um fator de uniformização linguística muito importante. Mas a língua utilizada na televisão é muito desigual, e de fato não corresponde ao modelo, culto e aristocrático, com que sonhavam os congressistas de 1957.

Os meios de comunicação evoluíram muito desde o aparecimento dos primeiros aparelhos de TV e rádio. Sua influência para a uniformização da língua cresceu com sua difusão por todo o território nacional.

Para dar uma ideia das expectativas que cercaram os dois congressos de 1936 e 1957, é mais interessante ler os textos programáticos que os precederam do que, propriamente, as súmulas de seus resultados.

Antologia
Mário de Andrade e o "mistifório malsoante"

Quem quer que frequente o teatro nacional ficará desagradavelmente ferido ante a diversidade de pronúncias que se entrechocam no ar. Essa diversidade deriva em parte de atores estaduanos que, trazendo consigo suas pronúncias regionais e não fazendo nenhum esforço para unificar essas pronúncias em benefício do equilíbrio e unidade fonética, tornam a obra de arte um mistifório malsoante, irregular de estilo e de sonoridade, muitas vezes, por isso, de penosa compreensão para o ouvinte.

Esboço de caricatura de Mário de Andrade. Autor desconhecido.

E que dizer-se da quantidade de artistas, Portugueses, Espanhóis e Italianos, ou ainda mesmo Brasileiros filhos de estrangeiros, que surgem numerosamente no palco nacional, num desprezo cego do bem dizer, e que carreiam para a nossa linguagem sons espúrios, sutaques (sic) estrambóticos, desnorteando a naturalidade e a pureza da língua!
(Fonte: ANDRADE, Mário de. *Anteprojeto da língua nacional cantada*, 1936, p. 4.)

Celso Cunha e a fala do teatro como norma

O problema da língua comum [...] apresenta no Brasil a tendência espontânea de realizar-se naturalmente, que deve ser apoiada por uma política linguística consciente. A força do Recife para certa área, desta soberba Salvador para outra, do Rio, de São Paulo, Porto Alegre, Belo Horizonte, cada um para sua periferia, mostra que tendemos para certos padrões regionais amplos e pouco numerosos. Graças aos modernos meios de comunicação viva, à distância, aliados a uma população que se multiplica em permanente fusão de nacionais de todos os pontos em todos os pontos é possível para a intercomunicação de âmbito universalista no nosso território adotarmos lúcida e conscientemente uma média de falar equidistante de todos os padrões regionais básicos. O nosso Congresso, porém creio eu, não aspira a servir tão-somente à língua falada no teatro. Ao contrário, aspira à língua falada culta no Brasil todo inteiro. Se chegarmos a um padrão culto aceitável para o teatro, este se imporá, por vir de consequência, ao rádio e à televisão, ao cinema e ao magistério, ao parlamento e à tribuna em geral, em suma a todas as categorias profissionais que fazem da técnica da língua uma finalidade, ou pelo menos um instrumento cuja finalidade seja na medida do possível panbrasileira.
(Fonte: CUNHA, Celso. Discurso programático. *Anais do 1º Congresso Brasileiro de Língua Falada no Teatro*. Rio de Janeiro: Ministério da Educação e Cultura, 1959.)

O peso das várias concepções de norma

Todas as concepções de norma que discutimos anteriormente tiveram algum reflexo no ensino, mas estes se fizeram sentir de maneira desigual. A que mais deixou marcas foi aquela que chamamos aqui de "norma da língua escrita", da qual tomamos como exemplo o trabalho de Rui Barbosa sobre o Código Civil. Como vimos, as raízes dessa norma são portuguesas, e não brasileiras. Vimos também que essa norma exerceu forte influência sobre o modo como a sociedade brasileira representa o uso culto da língua, e contribuiu para ampliar a distância entre o português padrão e o português *substandard* (falado pela população não escolarizada).

Em todo caso, é importante perceber que, no interior do que reconhecemos hoje como "norma culta", também há uma considerável margem de variação. Não só há normas parcialmente diferenciadas para as diferentes capitais, mas há consideráveis diferenças entre o escrito e o falado, e entre as linguagens próprias de diferentes gêneros, como vimos no capítulo "Português do Brasil: a variação que vemos e a variação que esquecemos de ver" deste livro.

Entrementes, já faz muito tempo que a língua da literatura, dos grandes jornais e revistas de informação e entretenimento e a língua que se fala nos programas de televisão sérios não é mais a dos gramáticos. Quando se fala em Brasil, é então necessário distinguir **três** modalidades de língua: um português **substandard**, um português **padrão**, correspondente ao uso culto e, (se quisermos), o português **utópico** dos gramáticos.

Mas a representação utópica dos gramáticos não é apenas antiquada, é também estreita, como veremos nos próximos parágrafos.

Língua e gramática ou Da necessidade de óculos

Para a maioria das pessoas escolarizadas, o sumário das gramáticas funciona como uma espécie de representação padrão da língua e isso é ruim, porque essa representação é muito pobre. A afirmação pode soar excessiva, mas tem a seu favor argumentos fortíssimos, que dizem respeito, em última análise, à incapacidade dos gramáticos de entender a língua além de um certo limite.

No que diz respeito à complexidade dos fenômenos considerados, a concepção de língua que emana das gramáticas não vai além do período gramatical, deixando de fora, por conseguinte, todos os fenômenos que dizem respeito à textualidade. Com isso, a gramática comete dois grandes equívocos: 1) acaba querendo explicar como fenômenos internos à sentença muitos fatos de língua que na verdade dizem respeito à organização de sequências mais amplas, e 2) contribui para fortalecer a ideia (equivocada, mas infelizmente forte em nossa sociedade) de que qualquer produção textual que contém construções condenadas pela gramática prescritiva é automaticamente um mau texto. É difícil dizer qual desses dois equívocos é o pior; aqui nos limitaremos a ilustrá-los mediante exemplos.

Um bom exemplo do primeiro equívoco é o tratamento dado pelas gramáticas prescritivas à palavra *isso*: ela é invariavelmente apresentada como um "demonstrativo neutro", o que faz pensar que deveria ser um nome para coisas inanimadas – quando, em português brasileiro moderno, seu uso mais comum tem a ver com a construção de textos, e consiste em retomar sentenças ou mesmo amplos trechos de um texto anterior (em outras palavras, *isso* é geralmente um anafórico para trechos de textos). O que queremos dizer com todos esses comentários é que os usos mais correntes de *isso*, hoje em dia, são como aqueles que foram assinalados no próximo trecho de nossa antologia, um artigo de jornal em que se narra uma operação publicitária montada para promover uma ração para cães.

Antologia
Os anafóricos e a cachorra Daisy

Purina adianta estreia da cadela "Daisy"
Luiza Pastor

Ao longo da semana, o habitual passeio dos cachorrinhos pelas ruas de São Paulo, Rio de Janeiro, Ribeirão Preto, Sorocaba e Campinas teve tempero [**extra**]$_1$. Em cada poste, o assunto obrigatório era a campanha da ração para animais Purina Bonzo, que espalhou cerca de 500 faixas por [**essas cidades**]$_2$, alertando para a perda de uma cadela labrador chamada Daisy, [**cujo**]$_3$ sumiço teria deixado uma criança doente. Ao se descobrir que [**tudo**]$_4$ era só um *teaser*, ação de marketing destinada [**exatamente**]$_5$ a despertar a ação do consumidor para uma mensagem posterior, a polêmica cresceu a níveis inimagináveis, assustando o criador d[**a campanha**]$_6$, o publicitário Celso Loducca, e os executivos da Halston Purina. "Nunca imaginamos tanto barulho com [**algo tão simples e barato**]$_7$.", disse Loducca ao Estado.

Para [ele]₈, ser acusado de explorar o lado emocional das pessoas não chega a ser problema. [Ele]₉ lembra que "não existe campanha publicitária sem um forte componente emocional, pois só despertando emoções [ela]₁₀ pode ser eficaz". Ser criticado por [isso]₁₁, portanto, para Loducca "é uma grande bobagem e, no final de contas, um elogio".

De qualquer maneira, o retorno [ ]₁₂, cerca de 2 mil ligações para os telefones impressos [nas faixas]₁₃, mostrou alguns lados conflitantes da mentalidade humana, segundo Loducca. "Muita gente ligou para dar uma força [ ]₁₄ se solidarizar com [a criança aflita]₁₅, mas [também]₁₆ teve quem ligou para dizer que estava com [a cadela]₁₇ e [a]₁₈ entregaria mediante o pagamento de quantias que chegavam a R$ 5 mil, conta [ele]₁₉. [Essas]₂₀ são provavelmente as pessoas que estão mais furiosas, afinal deixaram [seus]₂₁ telefones na caixa postal para retorno e sabem que [se]₂₂ expuseram no [seu]₂₃ pior ângulo por nada...", avalia.

[O barulho]₂₄ em torno das faixas foi tanto, que obrigou [a agência]₂₅ a adiantar o lançamento das ações subsequentes previstas [na campanha]₂₆ desde o início, diz Loducca. Assim, já neste final de semana, serão espalhadas faixas nos cruzamentos, pedindo para Daisy voltar e prometendo, aí já explicitamente, que [ ]₂₇ vai ter Bonzo na tigela [ ]₂₈. [O mesmo teor]₂₉ será dado aos spots e o filme criado para a TV, que mostrará o suposto dono [da cadela]₃₀ com [sua]₃₁ foto estampada na camiseta [ ]₃₂. A volta triunfal de Daisy só virá mesmo na segunda quinzena deste mês, quando [ela]₃₃ aparecerá na TV.

[Outra ação]₃₄, adiantada para os próximos dias é o lançamento do site *daisyprocura.com.br*, patrocinado pela Purina, [no qual]₃₅ donos de animais perdidos na vida real vão poder anunciar [seus]₃₆ sumiços, [suas]₃₇ características e [ ]₃₈ telefones de contacto. Quem achar um animal vai também poder apelar para o site, para tentar achar o dono verdadeiro [ ]₃₉. A Purina [também vai apoiar]₄₀, com a Secretaria Municipal de Saúde de São Paulo, a campanha de vacinação contra a raiva, [que]₄₁ começará em 14 de agosto próximo. A possibilidade de vir a ser lançada [**uma Daisy de**

pelúcia]$_{42}$ **[também não está descartada]**$_{43}$, embora
Loducca ressalte que não se quer fazer da Daisy **[um
novo iGuinho]**$_{44}$, aludindo à cadelinha símbolo do portal
iG. **[Isso]**$_{45}$, claro, por enquanto.
(Fonte: *O Estado de S.Paulo*, agosto de 2000.)

Uma breve reflexão sobre essa notícia de jornal mostra o quanto de **gramática** mobilizamos na leitura de um texto. Para ser interpretável, qualquer texto precisa obedecer, em sua construção, às regras de concordância, regência e colocação a que têm dedicado sua atenção as gramáticas escolares, mas isso não basta. As gramáticas têm excluído sistematicamente de sua consideração uma série de fenômenos que dizem respeito à **coesão textual**, isto é, à construção do texto como um tecido conexo, sem pontas soltas. Um dos principais fatores da coesão é precisamente a criação no interior do texto de uma rede de "relações anafóricas", ou seja, de referências cruzadas que nos permitem saber, por exemplo, que as informações que vamos acrescentando à medida que o texto se desenvolve continuam a referir-se às mesmas coisas ou às mesmas pessoas de que já falamos. Trata-se de fenômenos gramaticais num sentido mais amplo que o habitual, mas absolutamente fundamental para que possamos entender o que fazemos como falantes – afinal, falamos por meio de textos, não de sentenças. Na história da cadelinha Daisy, procuramos chamar a atenção para esse funcionamento textual, assinalando todas as expressões anafóricas, isto é, todas as expressões que, para serem adequadamente compreendidas, nos obrigam a retornar a passagens anteriores do mesmo texto. Vale a pena, nesse sentido, comparar a ocorrência do nome próprio *o publicitário Celso Loducca,* que encontramos no primeiro parágrafo, com as ocorrências do pronome *ele* que foram assinaladas no segundo: está sempre em jogo a mesma pessoa; mas para compreender o pronome *ele*, temos de voltar ao parágrafo anterior, procurando nele um antecedente. Todas as expressões que foram assinaladas no texto nos obrigam a um retorno e, como falantes da língua, nós sabemos, em cada caso, que tipo de antecedentes devemos procurar (os antecedentes possíveis para *ele, isso, então* não são os mesmos). A moral da história é que há muito mais gramática na língua do que nos ensinam as gramáticas tradicionais. Por isso é que a representação da língua que resulta de um estudo gramatical tradicional é pobre. Mas é possível ir muito além nessa crítica mostrando que a incapacidade de perceber os fenômenos textuais afeta nossas avaliações de muitas outras maneiras indesejáveis.

Outro exemplo de como a língua excede a gramática é a história contada no próximo texto de nossa antologia, uma narração escrita por uma senhora de mais de 50 anos, como tarefa de um curso de redação destinado a funcionários de Serviços Gerais da Universidade Estadual de Campinas. A ortografia é precária (como seria de prever a partir da baixa escolarização da autora), as palavras assumem, em muitos casos, uma forma truncada, as construções misturam-se de maneira totalmente inadequada; aparecem em começo de parágrafo travessões que não se justificam (porque o texto não reproduz nenhuma fala em discurso direto), a pontuação não corresponde ao uso culto do ponto, da vírgula e dos dois-pontos. Contudo, temos uma narrativa, por sinal uma narrativa eficaz e bem-humorada, na qual encontramos os momentos que toda narrativa bem-sucedida precisa observar: a formulação de um conflito, sua complicação, sua resolução e uma espécie de "coda", na qual se explicita a "moral da história".

Antologia

pé de meia, e qualquer pai sonharia com este dote.

Assim chegada o dia de se vestir o vestido de Organza.

O meu! era lindo! e Rosa e o sapato de verniz que brilhava, pega no pé, e até fazia bolha e dóia de mais – Eu para protegê-la e diminuir a dor se colocava algodão.

Então, saia engomada para usar de baixo do vestido.

A festa prometia ser igual dos outros anos inteuór ou melhor, porque aquela festa esté sendo contratada até uma banda.

Então para mim aconteceu o impruvisto que me marcou.

A minha saia engomada as 9 hora para a festa que ia começar as 11 horas, Então foi colocada para secar no varal de arame farpado. Este arame cercava do quintal que dava em pasta qual foi a surpresa a vaca veio até a cerca e mascou a minha saia que-eu iam usar debaixo do Vestido de Organza lindo!

I dai? foi só choro, e lamentações, e todas a amigas esperando para me ir a

– Eu só tinha aquela saia que se amava o vestido.

A minha vontade eram de matá aquele animal que tinha acabado comigo.

Então a minha santa mãezinha me vendo muito, muito triste tive uma ideia Cortou a parte da saia que estava estragada, e consertou, e fui a festa muito triste mas aparecendo um gata borralheira no meio das minhas amiga

Então depois de muitas horas sobe o que aconteceu de gata borralheira fique a Cinderela, – Eu o filho do Sr Tomquinho nós começamos a namorá mais não durou muito mais aquele dia Valeu.

Lo- 14-11-01

Uma redação como essa "história da dolência", isto é, da *adolescência*, receberia uma nota muito baixa em qualquer situação escolar que possamos imaginar, mas isso é em grande parte o efeito do hábito escolar de considerar que a língua é apenas a gramática, mais precisamente a gramática da sentença. Nessa perspectiva, as qualidades desse texto e os efeitos que ele consegue passam para segundo plano. Na realidade, a *História da Dolência*, embora revele enorme dificuldade em lidar com a língua escrita, é também um texto que demonstra uma requintada habilidade para narrar. Note-se, por exemplo, que a autora divide o texto em partes, pulando linhas. Cada uma dessas partes tem um tópico próprio que poderia receber um título (os rapazes, o cenário da festa, os filhos do Seu Toniquinho, o vestido de organza, os sapatos que doem etc.). Há muitos *então* e *assim* no começo dessas partes; em vez de ver nisso um erro, preferimos ver uma resposta bastante eficaz à necessidade de mostrar como a história evolui (cada um desses *então* introduz mais um "episódio"). E, acima de tudo, há passagens em que a autora da redação, essa senhora humilde nos seus 50 anos, dá no leitor um banho de estilo. Chamamos a atenção para a passagem em que se diz que o pó de arroz hoje é pó compacto. Essa frase resume o contraste de duas épocas, e só poderia fazer sentido na voz de quem viveu as duas: este é um dos pontos por meio dos quais, por trás do texto, reconhecemos um autor. Todos esses aspectos merecem, é claro, ser ressaltados; mas eles desaparecem se adotarmos em relação ao texto uma perspectiva estritamente gramatical. Por isso é que nos parece importante insistir: o enfoque gramatical é legítimo e útil para determinados fins, mas como imagem geral da língua é irremediavelmente pobre.

Algumas palavras sobre gramática, linguística e ensino

Há um problema que todo formando de um curso de Letras enfrenta ao profissionalizar-se como professor de língua materna: o de desenvolver uma prática pedagógica coerente com a formação que recebeu em seu curso universitário. Para perceber como esse problema é carregado de conflitos e de complicadores, contrastemos o que acontece na prática com o que seria a situação ideal.

Numa situação ideal, o jovem professor traz da universidade conhecimentos que são diretamente relevantes para o ensino que ele vai ministrar na escola elementar e média; ele tem liberdade e autonomia para escolher sua própria prática pedagógica, conhece a fundo as necessidades dos alunos e sabe como supri-las. Infelizmente, a realidade fica muito longe de tudo isso, pelo menos no caso geral: o jovem professor traz da universidade uma quantidade de conhecimentos desconexos cuja relevância pedagógica é no mínimo obscura; tem poucas chances de optar por práticas educativas diferentes daquelas que já se aplicam na escola onde conseguiu emprego e, além de não conhecer a história linguística dos alunos, não tem certeza do que é melhor para eles. Assim, é antes em função de circunstâncias do que por uma decisão própria que ele se define em relação às principais opções que poderiam ser formuladas para o ensino de língua materna:

- ensinar língua ou leitura/literatura?
- trabalhar com gramática ou trabalhar com textos?
- usar ou não o livro didático e, se for o caso, qual deles?
- ser severo ou condescendente com os "erros" mais frequentes dos alunos?
- apostar na gramática ou apostar na linguística?

Essas perguntas são importantes: suas respostas (dadas espontaneamente ou sob a pressão da tradição e da autoridade) definem um perfil de professor e acabam marcando, para o bem e para o mal, toda a vida profissional do recém-formado. Quais são as respostas corretas? Aliás, há respostas corretas?

Nossa ideia é que cada interessado tem de achar suas respostas para essas perguntas e que, por isso, não devemos respondê-las aqui. Mas isso não nos impede de tentar colocar o leitor num ponto de observação diferenciado, coerente com as informações e os pontos de vista que já expusemos neste livro. É o que vamos fazer no próximo parágrafo, refletindo por um momento sobre o papel que é reservado ao professor de língua materna, na formação de crianças e adolescentes.

O material de trabalho do professor de língua materna: a competência linguística dos alunos

A maioria das perguntas que o jovem professor se faz no início da carreira tocam em aspectos particulares de uma questão mais geral: qual é o papel do professor de língua materna?

A linguística moderna mostra de maneira convincente que qualquer criança normal chega aos 5 anos dominando a sintaxe de sua língua materna; a essa altura, a criança já dispõe de um vocabulário de alguns milhares de palavras. Além disso, ela já é capaz de atuar com sucesso em situações bastante diversificadas (lúdicas, narrativas, práticas, regulatórias etc.) que constituem outras tantas formas de interação comunicativa. Tem-se lembrado, a propósito de tudo isso, que, até ir à escola, a criança aprende sua língua materna de maneira tão natural como desenvolve a dentição ou como aprende a caminhar. Se é assim, não faz sentido atribuir ao professor de língua materna a função de iniciar os alunos na prática da língua: nesse ponto, ele tem uma função diferente da dos professores de matemática ou ciências, que, nas primeiras séries, respondem por uma verdadeira iniciação.

Parece razoável supor que as várias formas de competência com que a criança chega à escola são a matéria-prima com que o professor deverá trabalhar. Idealmente, essa matéria-prima precisa ser trabalhada de modo que a criança possa usá-la para realizar da maneira mais eficaz possível todas as funções próprias da língua: expressar sua personalidade, comunicar-se de maneira eficaz com os outros, elaborar conceitos que permitam organizar a percepção do mundo, fazer da linguagem um instrumento do raciocínio e um objeto de fruição estética. Para que tudo isso seja possível, a criança precisa aprender a usar de maneira compartilhada com vários tipos de interlocutores objetos linguísticos de tipo textual, mais frequentemente textos, que se expressam em formatos/gêneros/variedades linguísticas determinadas.

A esses objetivos, a escola tem anteposto outro: o da correção. Na prática, a escola não tem trabalhado a partir de um plano voltado para enriquecer sistematicamente a competência linguística do aluno; tem-se preocupado em criar no aluno uma outra competência que, supostamente, coincide com a competência linguística das classes mais cultas. Para isso, tem trabalhado principalmente no sentido de acostumar os educandos a monitorar de maneira consciente seu próprio desempenho linguístico, investindo em duas estratégias principais: a sistematização gramatical, que na maioria dos casos se confunde com o ensino de uma nomenclatura, e a análise (particularmente, sintática) de sentenças mais ou menos descontextualizadas. A força com que o objetivo da correção sobrepuja os outros objetivos formativos que poderiam orientar o ensino da língua é tão grande que o professor do ensino fundamental e médio tende a desqualificar como ruim toda e qualquer produção do aluno que cometa deslizes contra a sintaxe, a ortografia ou mesmo a disposição de página próprias do português culto, negando-lhes inclusive o caráter de texto (pense-se na reação que despertaria, na maioria de nossos professores, uma redação como a "História da Dolência", analisada na seção anterior).

Essa maneira de hierarquizar os objetivos do ensino de português, típica da escola de nível fundamental e médio, tem a seu favor alguns argumentos fortes, mas no final das contas é míope e ineficaz. É sem dúvida importante que o maior número possível de pessoas domine o português culto, porque é nessa variedade que foi escrita a maior parte dos textos que todos precisam conhecer para desempenhar de forma plena seu papel de cidadão. Por isso mesmo, abrir mão de ensinar o português culto seria um crime, ou no mínimo uma grave omissão, que resultaria em reforçar as situações de exclusão de que sofre secularmente o país. Entretanto, expressar-se em português padrão é muito mais do que uma decisão pessoal e livre por parte do aluno. Há cinco décadas, o linguista Mattoso Câmara Jr. (1957) já chamava a atenção para o fato de que os "erros de escolares" são, na maioria das vezes, manifestações de uma mudança ou de uma tendência da língua. Hoje podemos ir mais longe, dizendo que muitos "erros" nada mais são do que a manifestação, ou a irrupção, no texto que se produz para a escola, de uma variedade linguística que a escola continua fingindo que não existe. Se o aluno escreve "eu se lavei", é provavelmente porque ele fala uma variedade de língua em que o pronome *se* é o único reflexivo; se ele escreve "*o pineu estava furado mas nós não preocupamos, porque tinha um borracheiro perto*" (em vez de "o pneu estava furado mas nós não nos preocupamos porque havia um borracheiro por perto") é mais provavelmente porque na variedade de língua própria de sua região e de sua camada social 1) não existe para a palavra *pneu* a pronúncia [pnew], sem o /i/ epentético; 2) a presença do pronome reflexivo não é necessária com certos verbos psicológicos; 3) o verbo existencial é *ter* e não *haver*. Se o aluno fala uma língua diferente, o melhor caminho para chegar à forma culta não é o autocontrole por meio da gramática, mas o exemplo do professor, a leitura, a impregnação paulatina pela variante culta.

Para muitos de nossos alunos, o que está em jogo não é usar com mais cuidado uma variedade linguística familiar, ou mesmo perceber a existência de "outra língua" que não lhe é familiar (o aluno sabe mais do que ninguém que essa variedade existe), mas sim estar positivamente motivado para usá-la: para isso, não basta dizer ao aluno que o português culto é a língua da escola, é preciso fazer com que ele queira usar a língua da escola. E aqui entram problemas como a própria imagem da escola e a fidelidade à língua que o aluno aprendeu vernacularmente, na família e no bairro. O vernáculo (que para muitas pessoas é o português *substandard*) é um forte fator de identidade, e seria surpreendente que a criança se dispusesse a trocá-la por outro modo de falar (ou escrever) sem ter profundas motivações para tanto. A criança tem toda uma vida fora da escola (ainda bem que é assim!), e nessa outra vida as formas cultas são tratadas às vezes com uma discriminação igualmente forte.

A esse propósito, vale a pena refletir sobre um relato que recolhemos há vários anos, durante um curso de treinamento de professores de ensino fundamental e médio, que nos parece interessante destacar como capítulo de nossa antologia, embora sejamos obrigados a reconstituí-lo de memória (não há um texto escrito): a história do menino que pedia para ir ao banheiro. A história se passa num bairro rural de uma cidade do interior de São Paulo e foi contada durante o treinamento por uma das professoras participantes.[9]

Antologia
História do menino que pedia para ir ao banheiro

Primeiro quadro: durante a aula, o menino pede licença para ir ao banheiro, usando a expressão *"Dona, posso ir mijar?"*. A dona (isto é, a professora – *dona* era o vocativo reservado às professoras na região em questão do estado de São Paulo) autoriza a saída, mas recomenda que, na próxima vez ele fale, mais educadamente, "posso ir ao banheiro" ou "posso fazer xixi". (Esse primeiro quadro se

> repete várias vezes, por vários dias. O aluno continua a fazer a pergunta à sua maneira e a professora continua a corrigi-lo, até convencer-se de que a pergunta do aluno é uma provocação proposital.)
> **Segundo quadro**: o menino faz o mesmo pedido de sempre; a professora o obriga a repetir seu pedido "com educação". O menino pede para "*fazer xixi*". (Esse segundo quadro também se repete, algumas vezes.)
> **Terceiro quadro**: o menino começa a faltar; a professora fica sabendo que o pai bateu nele por causa de um incidente ocorrido na escola e, finalmente, o "tirou da escola". Em conversa com o diretor da escola, descobre que o incidente foi com ela mesma e resolve chamar o pai para uma conversa.
> **Quarto quadro**: na conversa, a professora procura convencer o pai a mandar o menino de volta para a escola. O pai explica que tirou o filho da escola, depois de várias surras, porque o menino, em casa, teimava em falar que ia *fazer xixi*. Para o pai, homem *mija*, quem *faz xixi* é mulher ou é maricas.

Somos tão ingênuos como essa jovem educadora quando confiamos que nossos alunos eliminarão as construções "erradas" depois de um trabalho bem-intencionado em que entram a explicação das regras gramaticais, e algumas sessões de análise sintática (é a esse método da autocorreção que se recorre quando se tenta conseguir a concordância "correta" do verbo com o sujeito posposto, "*chegaram minhas tias*" em vez de "*chegou minhas tia(s)*", explicando que *tias* é o sujeito e cobrando que o verbo vá para o plural). Quando essa estratégia de ensino da concordância falha (por exemplo, porque o aluno começa a produzir coisas como "*tinham duas pessoas na sala*"), a explicação fácil consiste em culpá-lo, mas o problema é outro: a interferência da variedade de língua falada pelo próprio aluno, na qual a concordância com o sujeito posposto não é feita. A propósito de tudo isso, aliás, cabe lembrar que nossa produção de enunciados é sempre, em grande parte, automática. Mal comparando, ensinar automatismos linguísticos a partir de um raciocínio explícito parece tão ineficaz quanto ensinar a nadar explicando o princípio de Arquimedes. Por sorte, as concordâncias "erradas" não provocam afogamento.

A preocupação de expor a nomenclatura gramatical e de sistematizar os conhecimentos de gramática merece um comentário à parte. É certamente oportuno que, chegando ao final do ensino médio, os nossos alunos tenham uma visão clara do tipo de informações que podem encontrar nos compêndios de gramática, nos dicionários e em outros materiais de consulta, e para isso um conhecimento sistemático de gramática pode ser útil. O problema é que só faz sentido sistematizar aquilo que já se conhece. Ora, em nossa escola, a "sistematização" começa na quinta série do ensino básico (ou mesmo antes) e continua, por inércia, até as vésperas do vestibular. Ao leitor que achou que esta é uma afirmação exagerada, sugerimos que faça a conta de quantas vezes, no ensino básico e médio, passou por uma lição sobre sujeito e predicado, a lição que se dá no início de todas as séries. Deve haver alguma coisa de profundamente errado com essa aula sobre sujeito e predicado, se é necessário repeti-la tantas vezes.

A gramática e a autoimagem do professor

Visto do "ponto de observação" que acabamos de construir, o ensino de língua materna que se faz entre nós aparece pesado, ineficaz e sobrecarregado de gramática. Por que é assim? Uma parte da resposta já foi dada: o ensino "gramatical" é, na prática, a única solução que a escola tem dado à necessidade de ensinar a norma culta, num contexto linguístico em que a norma culta se afasta do uso corrente.

Dizemos que isso é "uma parte da resposta" porque nos parece que, na importância atribuída à gramática, entra um outro fator, mais difícil de perceber, mas não menos importante. A escola passa à sociedade a ideia de que escrever bem é escrever correto, e a sociedade cobra da escola que ensine a escrever correto, num movimento circular que é raramente quebrado. Nesse círculo, o professor aparece como a instância que detém o conhecimento das formas corretas, e isso o investe de autoridade do ponto de vista social, ao mesmo tempo que, do ponto de vista pessoal, dá uma resposta aparentemente perfeita à questão, que levantamos anteriormente na seção "Algumas palavras sobre gramática, linguística e ensino", sobre seu papel profissional.

É essa a representação que fazem de si próprio muitos professores. A capacidade de manusear e interpretar os compêndios de gramática (ou os livros didáticos, que são versões dosadas dos primeiros) tem dado a muitos uma autoridade e uma segurança que, outrora, seriam buscadas no conhecimento das origens da língua (e no conhecimento da língua-mãe, o latim), na familiaridade com os clássicos que o cidadão comum desconhece, ou mesmo na continuada leitura de obras literárias que ninguém já procura por prazer e entretenimento. Esse modo de justificar a própria autoridade tem bons fundamentos? A esta altura não será surpresa se dissermos "não". Em passagens anteriores deste livro, procuramos mostrar que o tratamento que a gramática dá à língua é um tratamento pobre; por isso gostaríamos que o professor de língua materna não fizesse do conhecimento gramatical o único fundamento de sua autoridade. Existem outros fundamentos possíveis?

Sim, existem. O professor de língua materna é alguém que optou por conhecer sua própria língua tanto na teoria como na prática, e por compartilhar esse conhecimento com indivíduos em formação. Conhecer na teoria: existe, hoje, uma vasta bibliografia que trata do português brasileiro não só do ponto de vista de sua estrutura (em diferentes níveis: fonética e fonologia, morfologia, sintaxe, semântica, texto, diferentes gêneros), mas também de sua história e de sua diversidade (inclusive no continente americano). Não se concebe que o curso de Letras passe ao largo desses conhecimentos, ou que eles sejam simplesmente "apagados" no momento em que o licenciado em Letras pisa pela primeira vez como professor numa sala de aula. Conhecer na prática: o professor de língua materna deveria ser, por definição, alguém que redige de maneira satisfatória (isto é, com bom controle sobre a correção, a coesão textual, a coerência, e sobre as qualidades do texto que possam ser contextualmente relevantes – concisão, clareza, expressividade...); alguém que interpreta, buscando no texto as informações que importam; alguém que sabe esclarecer a língua dos textos (não apenas a sintaxe das sentenças, e não qualquer coisa na língua de um texto, de preferência as coisas que fazem diferença); alguém que sabe e gosta de narrar, descrever e argumentar. Se nos for permitida a analogia, um professor de língua materna tem de ser como um professor de música que... toca.

Tudo isso que acabamos de dizer vale para qualquer professor de língua materna, em qualquer país, mas se esse professor de língua materna for brasileiro há muito mais coisas diante das quais ele não pode comportar-se ingenuamente. Num país como o Brasil, a prática da língua traduz-se muitas vezes na capacidade de tomar partido diante das representações correntes dos fenômenos linguísticos, denunciando o preconceito e trabalhando no sentido de entender e resolver problemas que envolvam o uso da linguagem. Das representações da língua que circulam na sociedade, muitas são versões modernas de um antigo preconceito, de que já falamos algumas vezes neste livro, que consistia em representar quem fala outra língua como um deficiente físico (lembre-se: os gregos inventaram a palavra *bárbaro* como uma onomatopeia que significava "gago"); outras tendem a nos convencer de que falar direito não é para qualquer um (como a afirmação perversa e no fundo estúpida de que "a língua portuguesa é difícil"); um professor de língua materna é por definição alguém que percebe a carga ideológica presente nessas crenças e entende a importância de denunciá-las.

Por cima de tudo isso, ele terá a difícil tarefa de ajudar seus alunos a superar o hiato que se criou, historicamente, entre a fala da maioria da população e uma norma culta construída, parcialmente, à revelia do uso. Evidentemente, o que se espera do professor de português é que trabalhe esse hiato no sentido da inclusão, e não da discriminação.

Chico Bento: mais uma vítima do preconceito linguístico

Mônica, Cebolinha, Cascão, Magali e Chico Bento são algumas das personagens que compõem "A Turma da Mônica", a conhecida galeria de personagens infantis do cartunista Maurício de Sousa. Trata-se de tipos marcadamente brasileiros e a leitura de suas histórias tem representado uma alternativa importante a outras leituras.

Chico Bento tem tido uma vida mais difícil do que as demais personagens de Maurício de Sousa. Periodicamente, alguém se lembra de colocá-lo sob suspeita e os ataques têm sido motivados invariavelmente por sua fala caipira. Um desses ataques, no final da década de 1980, terminou com a concessão do título de membro honorário da Abralin (Associação Brasileira de Linguística) a Chico Bento.

Em 1998, a ABL (Associação Brasileira de Leitura) reagiu energicamente ao conteúdo de uma pergunta usada numa prova da Secretaria da Educação do Estado de São Paulo. A situação relatada na carta a seguir mostra que a ignorância dos fatos linguísticos e o preconceito têm presença mais ampla do que se poderia imaginar, envolvendo não só indivíduos ou grupos dos quais se espera um comportamento politicamente correto, mas também instâncias oficiais comprometidas em princípio com a educação da população. Transcrevemos a seguir as primeiras linhas da carta-protesto da ABL:

Carta aberta à senhora
Secretária de Educação do Estado De São Paulo

Senhora professora Rose Neubauer:

A Associação de Leitura do Brasil vem expressar sua indignação com o caráter preconceituoso e antipedagógico da questão 2 da prova de Língua Portuguesa do Sistema de Avaliação de Rendimento do Estado de São Paulo (Saresp), aplicada a todos os alunos de 5ª série da rede pública estadual e de várias escolas particulares em maio de 1998.

A questão, que toma como tema a fala do personagem Chico Bento em uma pequena história em quadrinho reproduzida no caderno de questões, pede aos alunos que identifiquem a alternativa correta para completar o enunciado "A fala de Chico Bento no penúltimo quadrinho [Qué sabê duma coisa nesse rio num tem peixe!] mostra que ele...", trazendo como resposta a afirmação "...vive na zona rural e não sabe falar corretamente".

Ao afirmar que o menino "não sabe falar corretamente", a resposta evidencia desconhecimento linguístico e, ao associar este falar hipoteticamente errado com a origem da personagem ("vem da zona rural"), expressa evidente preconceito contra significativo segmento da população brasileira.

Examinemos a fala "errada" do pequeno caipira. Diz ele, irritado com o fato de não ter peixes no rio em que pesca: "Qué sabê duma coisa nesse rio num tem pexe". Ora, isto seria, sem nenhum exagero, exatamente o que e como diria qualquer pescador, fosse lavrador, empresário, universitário, fosse até mesmo professor de português. Do mesmo modo teriam falado a Mônica, o Cascão, o Cebolinha ou qualquer outro personagem de Maurício de Sousa. A não realização do "r" final em verbo, a contração da preposição "de" com o artigo "uma" e a redução do ditongo "ei" em "e", assim como a elevação do "e" átono para "i" em final de palavras (não representada graficamente na fala de Chico Bento, mas presente na fala do velho no quadrinho seguinte em duas oportunidades – "di" por "de" e "mi" por "me"), são características da maioria das variedades linguísticas do português do Brasil, inclusive da chamada norma culta. A senhora mesma poderá facilmente perceber que fala assim.

Revelar a cidade

Num livro do linguista italiano Paolo d'Achille, a língua é comparada a uma grande cidade. Em todas as grandes cidades há bairros centrais bem planejados e bem conservados, e bairros periféricos que se desenvolveram sem infraestrutura e planejamento; há espaços que servem de "cartão de visita" e outros que são exemplos acabados de abandono e caos; há coisas antigas e coisas novas. A língua exibe uma diversidade semelhante. Há domínios cuja regularidade é praticamente absoluta e outros cuja regularidade é incerta; há fenômenos que a tradição fixou há tempo, e outros que estão em via de fixar-se ou de desaparecer. Há regiões "nobres" e outras, nas quais as pessoas "de bem" não se aventuram. Pensando nessa metáfora, quem seria o professor de língua materna?

Podemos pensar nele como alguém que ensinasse um recém-chegado a relacionar-se sem traumas com uma cidade grande. Há várias maneiras de relacionar-se com uma cidade: vão desde a visita turística, feita segundo um roteiro que passa pelos principais monumentos, e evita as regiões problemáticas, até a do policial que, por força de sua função, sobrepõe ao mapa da cidade uma espécie de "mapa do crime".

O papel do professor de língua materna não pode ser nem um nem outro; tem de ser o de alguém que conhece a cidade a fundo e, acompanhando por suas avenidas e becos o novo habitante, vai querer prepará-lo para usufruir todas as possibilidades que a cidade proporciona, considerando inclusive necessidades que o novo habitante mal começou a sentir.

Nessa tarefa, o que conta é sua experiência, muito mais rica do que a do educando, e o grau de confiança que o educando consegue adquirir nesse processo. E é óbvio: não se cria confiança mútua desqualificando (a língua d)o outro.

Gostaríamos que esse maior conhecimento – que entendemos como um conhecimento vivido – fosse o grande fator de autoconfiança do professor, e acreditamos que isso é razoável e possível.

Notas

[1] L. C. Cagliari, "A ortografia na escola e na vida", in E. Massini-Cagliari e L. C. Cagliari, Diante das letras, a escrita na alfabetização, Campinas, Mercado das Letras/Associação de Leitura do Brasil, 1986; L. C. Cagliari, Algumas reflexões sobre o início da ortografia da Língua Portuguesa, Cadernos de Estudos Linguísticos, 27, 1994a, pp. 103-11; L. C. Cagliari, O que é ortografia? Anais de Seminários do GEL XXIII, 1994b, pp. 552-9.

[2] Unificar de maneira completa a ortografia em nível nacional é um dos objetivos da Academia Brasileira de Letras, que desenvolveu para esse fim o Volp – Vocabulário Ortográfico da Língua Portuguesa. O Volp foi apresentado em sua primeira versão completa em 1977 e sua última atualização é de 1999. Pode ser acessado eletronicamente por meio do site da Academia Brasileira de Letras: http://www.academia.org.br/vocabula.htm.

[3] Bento José de Oliveira, Nova gramática compilada de nossos melhores autores e coordenada para uso das escolas, 17. ed., Coimbra, Orcel, 1887.

[4] Ver R. Ilari e S. Possenti, Português e ensino da gramática, São Paulo, Secretaria da Educação/Cenp, 1985 e Possenti, Por que (não) ensinar gramática nas escolas, Campinas, Mercado das Letras, 1996.

[5] *Post illa* significa "depois daquelas coisas". Originalmente, uma *apostila* era uma anotação posterior, um aditamento feito num documento já terminado. Às vezes, a apostila obrigava a fazer um encarte de mais folhas, daí o novo sentido.

[6] Tratar mais a fundo dos problemas de alfabetização nos levaria muito longe dos objetivos deste livro. Preferimos indicar ao leitor um centro de referência nacional sobre o assunto: o Centro de Alfabetização, Leitura e Escrita – Ceale, da Universidade Federal de Minas Gerais, fundado em 1990 pela professora Magda Soares. Esse centro tem na alfabetização uma de suas grandes linhas de atuação e produz grande quantidade de publicações relevantes para os temas da leitura, alfabetização e letramento. A partir de 2005, começou a publicar um periódico intitulado *Letra, o jornal do alfabetizador*. Para mais informações, sugerimos ao leitor que visite o site do Ceale: www.fae.ufmg.br/ceale.

[7] Ver Albert Audubert, La question de la langue nationale, Herótode, n. 98, pp. 127-34, 2000.

[8] Assim José Oiticica chamou a pronúncia paulista do –s final, e a pronúncia carioca do –r e do –s finais. Ver Ângela França, "Dois momentos no problema da pronúncia-padrão", em VI Seminário do Projeto para a História do Português no Brasil, Itaparica, BA, 2 set. 2004.

[9] Mílvia de Almeida Rossi, então professora efetiva no Instituto de Educação "Jundiaí", na cidade paulista de mesmo nome

Epílogo

Chegamos ao fim deste livro e, para encerrá-lo, vamos refazer o caminho percorrido, mostrando como se articulam suas várias partes.

Começamos falando do português numa perspectiva diacrônica (é assim que os linguistas chamam a todas as mudanças linguísticas que ocorrem através do tempo), na qual procuramos distinguir mudanças internas ao sistema, tais como o aparecimento de novos sons e novas formas, e mudanças externas, tais como a conquista de novos espaços, o contato com outros povos, o desenvolvimento de novas funções sociais por parte da língua.

Verificamos que, depois de definir-se como a língua do reino de Portugal, o português foi levado aos novos continentes que os portugueses ajudaram a descobrir e desbravar; nesse contexto, foi trazido para o Brasil, que é hoje o maior país do mundo de língua portuguesa.

Recuperando algumas situações linguísticas do Brasil-Colônia, vimos que o grande agente da difusão do português no atual território brasileiro foi a população afro-descendente e mestiça, a mesma que realizou os grandes ciclos econômicos (do açúcar, da mineração, da borracha), embora não fosse nunca a real beneficiária de seus efeitos.

Procuramos estabelecer como foi o português falado por esses agentes da lusitanização do Brasil e, a partir dos indícios disponíveis, chegamos à conclusão de que foi um português com fortes interferências de línguas africanas e indígenas, possivelmente as mesmas interferências que já impressionaram alguns autores do passado e os levaram a definir o português do Brasil como uma língua crioula ou crioulizada.

É claro que, durante todo o período colonial, existiu no Brasil uma influência constante do português lusitano: as sucessivas vindas de portugueses que demandavam o Brasil na qualidade de magistrados e funcionários da Coroa, ou que vinham estabelecer-se como artesãos, religiosos ou comerciantes deste lado do Atlântico fez com que ao português brasileiro em formação se contrapusesse a variedade lusitana, criando um segundo polo de influência, isto é, uma segunda norma. A contraposição continuou com a formação dos bacharéis que foram estudar em Coimbra, com a vinda da família real para o Rio de Janeiro, e depois com a criação de uma literatura e de um sistema educacional marcados pelo elitismo.

Apesar dos protestos dos românticos (que, de resto, reivindicavam apenas o direito de usar em suas obras um vocabulário brasileiro e umas poucas construções sintáticas reconhecidas como "brasileirismos"), a norma linguística culta que vigora hoje no Brasil – a que se obedece nos grandes veículos de comunicação e na literatura, a que se ensina na escola e que se cobra em concursos de toda espécie – não remonta ao português falado como vernáculo na Colônia; constituiu-se entre os séculos XVIII e XX, com base na norma culta lusitana, preservada graças ao trabalho da uma elite de tradição jurídica, retórica e literária e traduzida pelos gramáticos num conjunto de regras que visam, acima de tudo, a evitar a interferência do vernáculo. Como ilustra o caso exemplar de Rui Barbosa, essa norma usa como trunfo a abonação dos escritores portugueses antigos, mesmo quando invoca o uso corrente como critério.

Assim como no Brasil-Colônia conviveram duas variedades distintas de português (a do bispo do Recife e a de Domingos Jorge Velho, se quisermos representá-las por meio de personagens históricas), podemos dizer que no Brasil de hoje convivem duas normas, a que, em passagens anteriores deste livro, denominamos *substandard* e culta. Por um lado, a maioria da população não sabe usar a variedade culta; por outro lado, a escola tem tido muita dificuldade para lidar com a variedade *substandard*, que é em todo caso o vernáculo da maioria dos alunos, sobretudo depois que o ensino fundamental se generalizou – um fenômeno das últimas quatro ou cinco décadas.

Procuramos mostrar que o principal equívoco que a escola comete com relação à variedade *substandard* é encará-la como uma lista de erros ou como uma série de agressões e transgressões pelas quais cada falante seria individualmente responsável. Dissemos que um dos grandes desafios que a escola precisa enfrentar é precisamente o de ir além dessa representação grosseira da variedade *substandard*. Procuramos mostrar não só que essa variedade tem sua própria história, que é uma história eminentemente coletiva, mas também que ela é altamente estruturada e funcional; recuperando uma ideia que foi cara a Mattoso Câmara Jr., lembramos que os principais erros que nossos alunos cometem ao escrever o português brasileiro culto da escola são, no mais das vezes, a manifestação de tendências estruturais antigas que a variedade culta reprime e expulsa.

Esperamos ter deixado claro que não somos contra o conhecimento da variedade culta; ao contrário, nossa preocupação foi a de defender, como uma meta de grande alcance social e como um compromisso de cidadania, a criação de uma situação em que o maior número possível de pessoas adquiram o domínio da variedade culta, independentemente de suas origens; mas também alertamos que isso não se consegue pelos métodos tradicionais que, em última análise, consistem em condenar toda manifestação verbal percebida como *substandard* e em dedicar à variedade culta uma análise que logo se torna fim de si própria.

Para que ficasse claro o que pretendíamos, pareceu-nos necessário combater o velho equívoco de que o português do Brasil é uma língua uniforme: as línguas nunca são uniformes e, com um pouco de disposição para observar, cada um de nós pode perceber ao seu redor várias marcas de como o português do Brasil está mudando de geração para geração e de como varia de acordo não só com o espaço, mas também com os gêneros verbais usados e com o grau de formalidade em que nos expressamos. As coisas mais interessantes que podemos descobrir nessa operação de reconhecimento nada têm a ver com erro. Se o próprio português culto muda, e nisso não há erro, por que precisaríamos encarar como erradas as formas que dizem respeito a uma outra norma, que tem uma história própria, com raízes tão profundas?

Embora isso possa parecer paradoxal à maioria das pessoas, procuramos mostrar que há um abismo entre a língua e sua representação pelas gramáticas de tipo tradicional; essas gramáticas, mesmo quando não são meras compilações de outras mais antigas (infelizmente, esse é o caso geral), referem-se à mesma pauta de problemas; por definição, não têm nada a dizer sobre vários aspectos e várias funções essenciais da língua, porque esses aspectos e funções estão além de seu horizonte.

Sugerimos que o estudo gramatical tem levado as pessoas a preocupar-se com algumas peças dessa máquina que é a linguagem, perdendo de vista como ela funciona e para que serve. Nos capítulos dedicados às características estruturais do português do Brasil, procuramos chamar a atenção para alguns mecanismos linguísticos importantes e tentamos convencer o leitor de que é possível olhar para os problemas de sempre numa perspectiva até certo ponto nova: se o exercício valeu, deveria ter mostrado que há mais coisas a descobrir na linguagem quando se questionam as categorias usadas na análise, não quando se procura enquadrar à força nessas categorias as realidades analisadas.

Recorremos à metáfora da língua como cidade para argumentar que o conhecimento de gramática é apenas uma das possíveis experiências da língua. Há muitas maneiras de viver a língua que não têm nada a ver com gramática; todo adulto as conhece e valeria a pena ensiná-las, mas, infelizmente, elas são ignoradas no ensino. A nosso ver, é explorando essas outras formas de competência que a escola poderá cumprir seu principal compromisso e responder a seu principal desafio em matéria de linguagem no Brasil de hoje: o de lançar pontes sobre o abismo que separa as duas normas linguísticas vigentes.

O português é hoje uma das dez línguas mais faladas no mundo, com mais de 210 milhões de falantes distribuídos em quatro continentes; desses falantes do português, mais de 180 milhões vivem no Brasil. Para muita gente, pelo mundo afora, isso seria um argumento mais do que suficiente para afirmar a importância do português do Brasil como objeto de estudo. Mas para quem vive no Brasil, sabendo que a língua e seu tratamento na escola continuam sendo espaços de exclusão social, e que ainda existem no país quase 20 milhões de pessoas com mais de 15 anos que são analfabetos funcionais, números altos não podem ser motivo para entusiasmos.

Por várias gerações, haverá ainda muito a fazer contra as muitas formas de preconceito linguístico, em favor de uma sociedade na qual o fato de falar a mesma língua seja um motivo de identificação e solidariedade. Esse é o horizonte que todos devemos ter. Quais são os valores compatíveis com esses horizontes?

O livro tentou dar uma resposta a essa pergunta, a partir do pressuposto de que a língua portuguesa, em sua variedade brasileira, é algo que vale a pena amar, conhecer e estudar. São três objetivos que se completam: quem ama procura entender e descobrir, antes de querer corrigir e enquadrar em regras; quem entende sabe que é melhor tentar recuperar uma história do que pensar que as coisas acontecem por acaso; e quem estuda logo faz duas grandes descobertas: os problemas em que vale a pena investir não têm resposta simples, e mudar de convicções (abrir mão de preconceitos) não é necessariamente um mal.

Esperamos ter mostrado ao leitor um pouco de tudo isso. Porque, vendo tanta gente que ainda pensa que os grandes desafios pedagógicos em relação à língua portuguesa são do tipo *entrega a domicílio / entrega em domicílio*, parece cada vez mais necessário poder contar com pessoas que olhem para o português do Brasil com disposição para encarar este programa no fundo tão simples: amar, conhecer e estudar.

A língua do Brasil: português com açúcar

Os outros povos falantes de português descrevem às vezes a maneira brasileira de pronunciar o português recorrendo à expressão "português com açúcar". Essa expressão conserva a lembrança de que o açúcar foi por muito tempo o principal produto do Brasil-Colônia, alimentando um tráfego triangular que envolvia o vinho, os escravos africanos e o próprio açúcar, e que circulava entre Portugal, a África e a costa do Brasil. Mas na expressão "português com açúcar" entra também a ideia de um modo de falar mais brando e suave, que ninguém descreveu melhor do que Gilberto Freire. Da principal obra desse autor, *Casa & Grande e Senzala*, retiramos as passagens que seguem.

- A ama negra fez muitas vezes com as palavras o mesmo que com a comida: amolengou-as, machucou-as, tirou-lhes as espinhas, os ossos, as durezas, só deixando para a boca do menino branco as sílabas moles. Daí esse português de menino que no norte do Brasil, principalmente, é uma das falas mais doces do mundo. Sem rr nem ss, as sílabas finais moles; as palavras que só faltam desmanchar-se na boca da gente [...] amolecimento que se deveu em grande parte pela ação da ama negra junto à criança; do escravo preto junto ao filho do senhor branco. [...]

- O português do Brasil, ligando as casas-grandes às senzalas, os escravos aos senhores, as mucamas aos sinhô-moços, enriqueceu-se de uma variedade de antagonismos que falta ao português da Europa. Um exemplo, e dos mais expressivos, que nos ocorre, é o caso dos pronomes. Temos no Brasil dois modos de colocar os pronomes, enquanto o português só admite um – o "modo duro e imperativo": diga-me, faça-me, espere-me. Sem desprezarmos o modo português, criamos um novo, inteiramente nosso, caracteristicamente brasileiro: me diga, me faça, me espere. [...] "Faça-se" é o senhor falando; o pai, o patriarca; "me dê" é o escravo, o filho, a mucama. Parece-nos justo atribuir aos escravos, aliados aos meninos das casas-grandes, o modo brasileiro de colocar os pronomes. Foi a maneira filial e meio dengosa que eles acharam de se dirigir ao *pater familias*. Por outro lado, o modo português adquiriu na boca de senhores um certo ranço de ênfase hoje antipático: "faça-me isto", "dê-me aquilo".

- Frei Miguel do Sacramento Lopes Gama era um dos que se indignavam quando ouviam "meninas galantes" dizerem "mandá", "buscá", "comê", "mi espere", "ti faço", "mi deixe", "muler", "coler", "lê pediu", "cadê ele", "vigie", "espie". E dissesse algum menino em sua presença "pru mode" ou um "oxente" veria o que era beliscão de frade zangado.

- Que brasileiro – pelo menos do Norte – [...] ou acha mais jeito em dizer "mau cheiro" do que catinga? Ou "garoto" de preferência a "muleque" ou "moleque"? ou "trapo" em vez de "molambo"? São palavras que correspondem melhor que as portuguesas à nossa experiência, ao nosso paladar, ao nosso sentido, às nossas emoções.

Os vários trechos apontam para traços típicos do português brasileiro: a ausência das terminações do infinitivo e do plural, a anteposição dos pronomes átonos ao verbo, a existência de palavras e expressões criadas na colônia, que não soam castiças ao ouvido das pessoas cultas. Para Gilberto Freire, todos esses traços nasceram da convivência do branco com o negro, e têm hoje livre circulação no português brasileiro, onde criam alternativas de expressão que, além de serem plenamente naturais, soam menos ásperas do que as formas portuguesas tradicionais. Contudo, essas maneiras "brasileiras" de falar são discriminadas por quem tem a incumbência de ensinar.

Se concordamos com Gilberto Freire, temos também de concordar que a "última flor do Lácio" ganhou uma segunda natureza em solo brasileiro e que isso foi bom.

(Nota: As representações da língua falada no Brasil são o tema do doutorado de Lilian Rocio Borba. Devemos a uma conversa com essa pesquisadora a ideia de dedicar este quadro a Gilberto Freire.)

Cronologia:
Algumas datas relevantes para a história do português

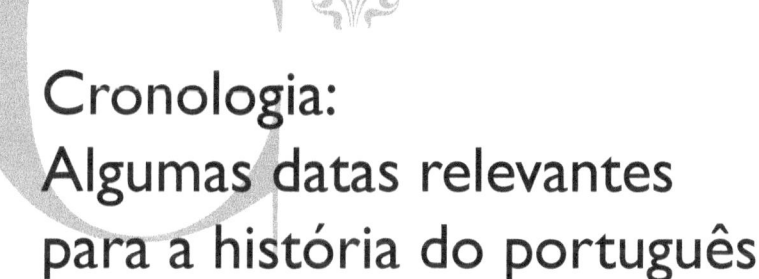

A cronologia que apresentamos a seguir foi elaborada para facilitar a localização de fatos citados no texto. Mas não pretende ser exaustiva, notadamente no que se refere a Portugal. Ainda assim, é muito rica em fatos e informações; para ajudar sua leitura e a busca pelas informações e fatos, oferecemos a legenda abaixo:

- → leis, tratados e acordos;
- → publicação de obras;
- → jornais;
- → fundação de cidades;
- → censo populacional;
- → igrejas, atividades de jesuítas e missões;
- → fatos políticos brasileiros;
- → descoberta de territórios, anexação de territórios;
- → atividade literária, escolas literárias, obras anteriores a 1500;
- → guerras, batalhas e disputas.

Tabela 1 – Origens do português: alguns fatos sobre Portugal – 1500 em diante

Data	História Política	História da Língua / Gramática / Linguística do Português	Literatura, Ciência, Tecnologia, Cotidiano / Ensino
a.C.	II séc. a.C. – Invasão romana da região atlântica da Ibéria 138 a.C. – Resistência de Viriato		
até 1000 d.C.	408-9 d.C. – Invasão dos suevos 585 – Invasão dos visigodos 711 – Invasão árabe da Península Ibérica	Dialetos moçárabes ao sul e no centro da Península Ibérica	
1000 – 1100	1090 – Casamento de Raimundo de Borgonha e Dona Urraca, filha de Afonso VI 1093 – região do Porto separa-se do Reino de Leão 1094 – Casamento de Henrique de Borgonha e Dona Teresa, filha de Afonso VI 1095 – Criação do Condado Portucalense		
1100 – 1200	1128 – Início da Dinastia de Borgonha (fim: 1385) 1140 – Afonso Henriques se proclama rei de Portugal 1147 – Tomada de Lisboa, até então cidade moçárabe	Primeiros textos notariais	
1200 – 1250	1249 – Reconquista do Algarve	Notícia de Torto (entre 1210 e 1216) 1214 – Testamento, de Afonso II	
1250 – 1300	1255 – Transferência da Corte para Lisboa 1290 – Início do reinado de D. Diniz	~1255 – Documentos da Chancelaria de Afonso III ~1270 – Foro de Garvão 1280 – Foro real 1290 – Por uma disposição de D. Diniz, os documentos oficiais passam usar o vernáculo português em vez do latim	
1300 – 1350		~1300 – Diálogo de São Gregório 1344 – Crônica geral da Espanha	
1350 – 1400	1385 – Batalha de Aljubarrota Ascensão da Dinastia de Avis (fim: 1580)	Fim do galego-português Fim de *pois* temporal e *pero* explicativo Vidas de Santos	Fim da poesia trovadoresca
1400 – 1450	1415 – Tomada de Ceuta 1419 – Descobrimento da Ilha da Madeira 1449 – Descobrimento dos Açores		1420 – *Crônica de D. Pedro*, de Fernão Lopes ~1450 – *Demanda do Santo Graal* ~1430 – *Leal Conselheiro*

CRONOLOGIA • 247

1450 – 1500	1450 – Descobrimento das Ilhas do Cabo Verde 1430 – Incorporação da Galiza à Espanha ca. 1480 – São Tomé é colonizada com escravos vindos do Benim, Congo e Angola. 1492 – Na Espanha, os Reis Católicos conquistam o Reino de Granada, último estado árabe na península 1492 – Descobrimento da América (Colombo) 1494 – Tratado de Tordesilhas 1497-1498 – Expedição de Vasco da Gama à Índia	– 1450 – Fim dos hiatos Convergência de várias terminações no ditongo nasal final -ão Fim dos particípios em -udo Estar alterna com ser como verbo de ligação Introdução de cultismos na língua	1492 – Invenção do processo de impressão por tipos móveis (Gutenberg) 1487 – É impresso o primeiro livro em Portugal: o Pentateuco, de Samuel Gacon (em hebraico) 1497 – É impresso o primeiro livro em português: Constituições que faz Dom Diogo de Souza, bispo do Porto
1500 – 1550	1511 Os portugueses na Malaca e Molucas 1515 Os portugueses em Ormuz 1518 Os portugueses em Ceilão 1537 Os portugueses em Damão 1547 Os portugueses em Macau	1536 Fernão de Oliveira: Gramática da linguagem portuguesa 1540 João de Barros: Gramática / Diálogo em louvor de nossa linguagem	1500 Começo do século de ouro da literatura portuguesa 1502-1536 – Atividade teatral de Gil Vicente João de Barros publica o 1º vol. das Décadas da Ásia (v. 2, 1553; v. 3, 1563) 1536 Instala-se o Tribunal da Inquisição em Portugal
1550 – 1600	1572 Derrota dos portugueses na batalha de Alcácer-Quebir 1580-1640 Portugal perde a independência para a Espanha	1572 – Início de uma nova fase da língua ("português clássico", segundo Vásquez-Cuesta e Lindley-Cintra; "português moderno", segundo Leite de Vasconcelos e Serafim da Silva Neto). 1576 Duarte Nunes de Leão: Ortografia da língua portuguesa 1580 – Forte influência do castelhano sobre o português, que perdura depois da recuperação da independência	1572 Camões: Os Lusíadas, referência literária, linguística e ortográfica Atividade literária de D. Francisco Manuel de Melo, que escreve em castelhano e em português
1600 – 1650	1640 "Restauração" e início da Dinastia de Bragança, com D. João IV (rei até 1656) 1642 Os portugueses conquistam a ilha de Timor	1606 Duarte Nunes de Leão: Origem da língua portuguesa 1631 Álvaro Ferreira de Vera: Orthographia ou arte para escrever certo na língua portuguesa	1612 Publicação de Peregrinação de Fernão Mendes Pinto 1641 Primeiro jornal português: A Gazeta
1650 – 1700	1661 – Portugal cede Bombaim à Inglaterra	Unificam-se nas pronúncias [s] e [z], respectivamente, os sor-s escritos s-, -ss, c+e,i, ç e -s-, -z- (ca 1660) 1671 João Franco Barreto: Ortografia da língua portuguesa	
1700 – 1750	1707-1750 Reinado de D. João V 1713 Acordo com a França permite aos portugueses ocupar a costa brasileira até o Oiapoque 1715 Tratado de Utrecht 1730-1750 – Alexandre de Gusmão primeiro-ministro de D. João V	1710 Publicação de Arte de gramática abreviada, de Manuel Carlos de Almeida 1712 Começa a publicação do Dicionário, de Bluteau (até 1721) 1725 Jerónimo Contador de Argote: Regras da língua portuguesa, espelho da língua latina 1728-1729 Rafael Bluteau: Prosas portuguesas 1734 João de Morais Madureira Feijó: Ortografia 1736 Luís Caetano de Lima: Ortografia da língua portuguesa	1717 Construção do Mosteiro de Mafra 1718-1792 Luís António de Verney 1720 – Academia de História 1746 Luís António de Verney: Verdadeiro método de estudar

Period	Events	Linguistic/Literary works	Other
1750 – 1800	Reinado de D. José I 1750-1777 – Pombal primeiro-ministro de D. José I	1767 – Luís de Monte Carmelo: *Compêndio de ortografia...* 1770 – António dos Reis Lobato: *Arte da gramática da língua portuguesa* 1789 – Santa Rosa Viterbo: *Elucidário de palavras* 1792-1814 – António das Neves Pereira: *Ensaio crítico sobre qual seja o uso prudente das palavras e Ensaio sobre a filologia portuguesa por meio do exame e comparação...* 1799 – Pedro José de Figueiredo: *Arte da gramática da língua portuguesa.*	1755 – Terremoto de Lisboa 1756-1774 – Arcádia Lusitana 1759 – Fundação da Arcádia Lusitana (até 1774) 1765-1805 – Manuel Bocage 1772 – Reforma pombalina da Universidade 1779 – Fundação da Academia Real das Ciências de Lisboa 1793 – Publicação do primeiro e único volume do *Dicionário da Real Academia das Ciências*, cujos verbetes vão de A até azurrar 1798 – Publicação em Lisboa o 1º vol. da *Viola de Lereno*, de Caldas Barbosa, obra em que se faz uso de brasileirismos
1800 – 1850	1808 – Invasão de Lisboa pelas tropas de Napoleão	Em Portugal, o romantismo literário reabilita arcaísmos, introduz palavras estrangeiras e cria palavras compostas 1813 – António de Morais e Silva: *Dicionário*, 2. ed. (1. ed. 1789) 1822 – Jerónimo Soares Barbosa: *Gramática filosófica* 1829 – António da Costa Duarte: *Compêndio de gramática portuguesa* 1835 – António Álvares Coruja: *Compêndio de gramática da língua nacional* 1836 – Publicação do *Novo dicionário crítico e etimológico da língua portuguesa*, de Francisco Solano Constâncio 1837 – Francisco de S. Luís: *Memória em que se pretende mostrar que a língua portuguesa não é filha da latina* 1842 – Francisco José Freire (Cândido Lusitano): *Reflexões sobre a língua portuguesa* 1843 – Francisco A. de Campos: *A língua portuguesa é filha da latina* 1844 – Alexandre Herculano: *Reflexões... sobre a origem céltica da língua portuguesa* / Francisco M. de Andrade e J. N. de Seixas: *Opúsculo acerca da origem da língua portuguesa*	1825 – O poema *Camões*, de Almeida Garrett, lança o romantismo literário em Portugal 1844 – Alexandre Herculano: *Eurico, o presbítero*
1850 – 1900		1858 – Francisco Evaristo Leoni: *Gênio da língua portuguesa* 1862 – Raimundo da Câmara Bithencourt: *Epítome da gramática filosófica da língua portuguesa* 1867 – Augusto Soromenho: *Origem da língua portuguesa* 1868 – Adolfo Coelho: *A língua portuguesa: fonologia, etimologia, morfologia e sintaxe* 1871 – Francisco Sotero dos Reis *Gramática portuguesa*, 2. ed. 1872 – Manuel de Melo: *Da Gótica em Portugal* 1876 – Epifânio Dias: *Gramática portuguesa* 1881 – Charles Adrien Grivet: *Nova gramática analítica da língua portuguesa* / Adolfo Coelho: *Os dialetos românicos ou neo latinos na África, Ásia e América*. 1887 – Adolfo Coelho: *A língua portuguesa: curso...* 1892 – Gonçalves Viana: *Deux faits de phonologie historique portugaise / Exposição de pronúncia normal portuguesa*	1856 – Edição por Alexandre Herculano dos *Portugaliae Monumenta Historica*

1900–1950	1910 – Proclamação da República 1910-1926 – Primeira República 1926-1933 – Ditadura militar 1926-1972 – Estado Novo (Salazar)	1901 – J. Leite de Vasconcelos: *Esquisse d'une dialectologie portugaise* 1903 – Gonçalves Viana: *Portugais* 1907 – Adolfo Coelho: *Casos de analogia na língua portuguesa* 1907-1913 – Júlio Moreira: *Estudos da língua portuguesa* 1911 – Gonçalves Viana: *Bases para a unificação da ortografia* 1918 – Epifânio Dias: *Sintaxe histórica portuguesa* 1923-1925 – Leite de Vasconcelos: *História da língua portuguesa* 1945 – Adesão dos portugueses à "ortografia de 1945"	1912-35 – Atividade literária de Fernando Pessoa
1950–2000	1970-1980 – Atuam nas colónias vários movimentos de independência: PAIGC (Cabo Verde e Guiné), MLSTP (São Tomé e Príncipe), MPLA (Angola), Frelimo (Moçambique) 1974 – A Revolução dos Cravos põe fim à ditadura 1974 – Independência de Cabo Verde 1975 – Independência de Angola e Timor Leste / A Indonésia ocupa Timor Leste (até 1999) 1977 – Independência de Moçambique 1986 – Portugal adere à Comunidade Europeia 1999 – Devolução de Macau à China	1976 – A *Carta Cultural da África* põe como objetivos o uso das línguas africanas no ensino e o combate ao analfabetismo 1980 – Paul Teyssier: *Histoire de la langue portugaise* (publicado em Paris)	1970-1980 – Grande emigração portuguesa para a França, a Suíça, o Canadá etc. 1998 – José Saramago é prémio Nobel de Literatura
2000–		2002 – Timor Leste adota o português como língua oficial	

Tabela 2 – Brasil: 1500 – 1822

Data	História Política	História da Língua / Gramática / Linguística do Português	Literatura, Ciência, Tecnologia, Cotidiano / Ensino
1500 – 1550	1500 – Expedição de Cabral e descobrimento do Brasil 1503 – Início da exploração do território brasileiro 1530-1531 – Os portugueses em Cananéia (SP) 1530-1535 – Martim Afonso de Souza explora o litoral brasileiro 1534 – Criação do Regime de Capitanias. 1532 – Fundação de São Bernardo da Borda do Campo 1537 – Fundação de Recife e Ilhéus; 1534 – fundação de Olinda 1538 – Os portugueses em Iguape (SP) 1543 – Fundação de Santos 1548 – Criação do Governo Geral com sede na Bahia 1549 – Fundação de Salvador		1500 – *Carta*, de Pero Vaz de Caminha 1532 – Início do tráfico para o Brasil de escravos africanos 1549 – Chega à Bahia o 1º governador-geral, Tomé de Souza, e com ele os primeiros jesuítas
1550 – 1600	1553 – Fundação de Santo André 1554 – Fundação de São Paulo 1555 – Villegaignon no Rio de Janeiro, para fundar a França Antártica (até 1567) 1558 – Primeiras reduções jesuíticas no Guaíra 1560 – Fundação de Vitória 1563 – Confederação dos Tamoios 1565 – Fundação do Rio de Janeiro 1570 – Carta régia dá liberdade aos indígenas brasileiros 1584 – Conquista da Paraíba 1585 – Fundação de Filipéia de N. S. das Neves (hoje João Pessoa) 1589 – Colonização de Sergipe 1590 – Descobertas as primeiras jazidas de ouro em São Paulo 1594 – Os franceses no Maranhão 1595 – Fundação de Natal 1598 – Conquista do Rio Grande do Norte		1553 – Chegada de Anchieta 1581 – Chegada dos beneditinos à Bahia (Rio de Janeiro, 1589) 1585 – Gabriel Soares de Souza: *Tratado descritivo do Brasil* 1591 – A Inquisição atua pela primeira vez no Brasil 1595 – *Arte de gramática da língua mais usada na costa do Brasil*, por José de Anchieta ca. 1580 – *Vocabulário da língua brasílica* (português / tupi), de autor desconhecido
1600 – 1650	1610 – Conquista do Ceará / Fundação de Fortaleza 1612 – La Ravardière funda São Luís do Maranhão 1615 – Expulsão dos franceses do Maranhão 1616 – Fundação do Forte do Presépio (Belém do Pará) 1620-1630 – Os jesuítas estão no alto Ibicuí e no Jacuí (RS) 1621 – Portugal cria o Estado do Maranhão 1630 – Segunda invasão holandesa em Pernambuco e formação do Quilombo dos Palmares 1630 – Grande êxodo de indígenas. Montoya conduz dez mil indígenas pela região de Iguaçu. 1632 – Traição de Calabar 1637-1644 – Governo de Maurício de Nassau em Pernambuco 1641 – Os guaranis derrotam os bandeirantes paulistas no arroio M'Boré 1648 – Fundação de Paranaguá 1649 – Segunda batalha de Guararapes		1600 – O Brasil tem cerca de 100 mil habitantes 1608-1698 – Vida de Antônio Vieira 1621 – *Arte da língua brasílica*, do Pe. Luís Figueira 1633-1696 – Vida de Gregório de Matos 1637 – O Pe. Teixeira sobe pelo Rio Amazonas até Quito

Período	Eventos	Eventos	Eventos
1650–1700	Os trinta povos das missões passam por um longo período de paz. 1557 — Expulsão dos holandeses 1561 — Os jesuítas expulsos do Maranhão 1567 — Fundação de Curitiba 1569 — Fundação do Forte de São José (Manaus) 1574 — Conquista do Piauí e fundação de Oeiras, 1ª capital 1575 — Fundação de L'esterro, hoje Florianópolis 1580 — Fundação da Colônia do Sacramento no Rio da Prata 1681 — Fundação do Estado do Maranhão e Grão-Pará, como colônias portuguesas independentes do Brasil 1682 — Fundação da Companhia de Comércio do Maranhão 1682 — Anhanguera em Goiás 1684 — Revolta dos irmãos Beckman em São Luís do Maranhão 1695 — Destruição do Quilombo de Palmares 1698 — Fundação de Vila Rica		1660 — O Brasil tem cerca de 160 mil habitantes 1694 — Primeira Casa da Moeda 1697 — Início do ciclo do ouro, com a descoberta de filões nas regiões de Ouro Preto, Mariana e Sabará
1700–1750	1713 — Fundação de Tijuco (Diamantina) 1719 — Fundação de Cuiabá 1720 — O Brasil transforma-se em vice-reinado, com sede na Bahia. ~1720 — Primeiros estabelecimentos de colonos na região onde será fundada mais tarde Belo Horizonte 1724 — Fundação de Montevidéu 1727 — Fundação de Vila Boa (Goiás) 1734 — Fundação da cidade de Mato Grosso 1737 — Fundação do Rio Grande do Sul 1738 — Ocupação do Amapá 1748 — Colonização açoriana de Santa Catarina 1750 — Tratado de Madri, entre Portugal e Espanha, sobre as colônias sul-americanas		1700 — População estimada para o Brasil: 300 mil habitantes (Celso Furtado) 1700-1800 — A economia do ouro estimula o povoamento da região das minas e introduz na sociedade um fator de mobilidade social antes desconhecido 1719 — Descoberta de ouro em Mato Grosso e Goiás 1722 — Descoberta das jazidas de Cuiabá 1724 — Início das expedições exploratórias por via fluvial 1724-1725 — Reúne-se em Salvador a Academia Brasílica dos Esquecidos, à qual se liga a publicação por Rocha Pitta da *História da América Portuguesa* (1731) 1729 — Descoberta de diamantes em Tijuco (hoje Diamantina) 1730-1814 — Vida de Aleijadinho
1750–1800	1751 — Início da colonização do Amapá por meio de casais açorianos / fundação da vila de Macapá 1755 — Criação da Companhia do Grão-Pará e Maranhão 1759 — Os jesuítas são expulsos do Brasil 1761 — Fundação de Januária, no São Francisco 1763 — Transfere-se para o Rio de Janeiro a sede do vice-reinado 1775 — Fundação do forte de S. Joaquim (Roraima) 1776 — Revolução americana, que repercute nos ambientes nacionalistas 1777 — Fundação do forte do Príncipe da Beira 1777 — Tratado de Santo Ildefonso 1789 — Inconfidência Mineira / Revolução Francesa 1792 — Execução de Tiradentes 1798 — Inconfidência Baiana	1758 — Diretório do Marquês de Pombal, que proíbe o uso das línguas indígenas no ensino ministrado na colônia e impõe o português como língua do ensino	1750-1850 — Último período do barroco brasileiro, que tem manifestações na arquitetura, na escultura (Aleijadinho), na música (Joaquim Emerico Lobo de Mesquita, Francisco Gomes da Rocha). É nesse período que se forma a literatura brasileira, com os poetas árcades mineiros (Gonzaga, Cláudio Manuel da Costa, Silva Alvarenga e Alvarenga Peixoto) 1755 — Pombal assegura em lei a liberdade dos índios no Brasil

1800 – 1820	1801 – Conquista do Rio Grande do Sul 1808 – Instalação da Corte no Rio de Janeiro 1815 – O Brasil é elevado à categoria de Reino Unido, com Portugal e o Algarve.	1800 População brasileira estimada: 3,25 milhões (Celso Furtado) [4 milhões em 1810, segundo Humboldt] 1808 Começa a circular o primeiro jornal brasileiro, a *Gazeta do Rio de Janeiro* 1808 – Instalação da Corte no Rio de Janeiro. 1808 Fundação da Imprensa Nacional e da Biblioteca Nacional; criação do Banco do Brasil 1816 – Fundação da Academia de Belas Artes 1818-1830 – Primeiros projetos de imigração europeia: suíços em Nova Friburgo (RJ, 1818), alemães em São Leopoldo (RS, 1824) e Rio Negro (PR, 1827), prussianos (em Santo Amaro, PE)

CRONOLOGIA • 253

Tabela 3 – Brasil: 1822 – 1889

Data	História Política	História da Língua / Gramática / Linguística do Português	Literatura, Ciência, Tecnologia, Cotidiano / Ensino
1820 – 1840	1820 – Início da imigração europeia 1821 – A Província Cisplatina é incorporada ao Brasil (até a independência em 1828) 1822 – Proclamação da Independência 1824 – Fuzilamento de Frei Caneca, depois do malogro da Confederação do Equador 1825 – Independência do Uruguai 1831 – Abdicação de D. Pedro I 1835 – Revolta dos Malês/ Revolta dos cabanos ou Cabanada / Revolução Farroupilha 1840 – Derrota dos Farrapos em Taquari	1825 – O Visconde de Pedra Branca fala em 'idioma brasileiro' – 1825 – Vários autores, no Brasil, falam em 'idioma nacional' / 'idioma brasileiro' 1832 – Macedo Soares redige o *Dicionário brasileiro da língua portuguesa*, no qual aparece a expressão 'língua brasileira'	1836 – Gonçalves de Magalhães: *Suspiros poéticos e saudades* (início do romantismo brasileiro) 1838 – Fundação do Instituto Histórico e Geográfico Brasileiro 1840 – Experiência do Senador Vergueiro com colonos portugueses em sua fazenda de Ibicaba (Limeira / SP). Virão em seguida outras experiências com colonos suíços e alemães
1840 – 1850	– 1845 – Fim da Guerra dos Farrapos – 1845 – A Lei da Terra substitui o método das sesmarias / Agregação de uma distribuição fundiária. – 1850 – Fim oficial do tráfico negreiro		1845 – Aumentam as pressões inglesas a favor do fim do tráfico de escravos
1850 – 1860	1850 – Fundação de Blumenau 1852 – Fundação de Teresina, que substitui Oeiras como capital do Piauí	1853 – É editado no Brasil o *Vocabulário para servir de complemento aos dicionários de língua portuguesa*, de Braz da Costa Rubim	1850 – População brasileira estimada: 8 milhões 1857 – Fundação da Imperial Academia de Música 1867 – Entra em operação a São Paulo Railway
1860 – 1870	1865-1870 – Guerra do Paraguai	1860 – Prefácio de *Iracema*, de José de Alencar	1864 – Grave crise financeira desencadeia uma série de falências pelo Brasil afora 1864-1906 – Atividade literária de Machado de Assis
1870 – 1880	1870 – Propaganda republicana de Quintino Bocaiúva 1871 – Lei do Ventre Livre	1874 – José de Alencar: *Nosso cancioneiro* 1879-80 – Carlos de Laet e Camilo Castelo Branco se envolvem em polêmica a propósito da poesia de Fagundes Varela 1875 – Publicação do *Breve compêndio de gramática portuguesa*, de Frei Caneca 1875 – Publicação da *Gramática portuguesa*, de A. F. Silva	1871 – Início da colonização italiana, ligada à expansão da cultura do café 1872 – Pelo 1º Recenseamento, o Brasil tem 9,9 milhões de habitantes / São Paulo tem aproximadamente 32 mil habitantes 1877-1890 – A grande seca expulsa 300 mil nordestinos em direção à Amazônia
1880 – 1890	1888 – A Lei Áurea abole a escravidão 1889 – Proclamação da República	1881 – Júlio Ribeiro: *Gramática portuguesa* 1888 – Macedo Soares: *Dicionário brasileiro da língua portuguesa* 1889 – Beaurepaire-Rohan: *Dicionário de vocábulos brasileiros*	1887 – Fim do tráfico legal de escravos africanos no Brasil 1870-1912 – Apogeu do ciclo da borracha (1884-1896 – É construído em Manaus o Teatro Amazonas) 1889 – "Grande naturalização" 1890 – O censo conta 14,3 milhões de habitantes 1890 – Declaração da liberdade de culto/Separação da Igreja e do Estado e estabelecimento do registro e casamento civil
1890 - 1900	1891 – É promulgada a primeira constituição republicana, que estabelece o federalismo, o presidencialismo e o bi ameralismo, além da independência do poder judiciário. Começa o período conhecido como República Velha, que irá até 1931 1895 – Pacificação do Rio Grande do Sul 1897 – Destruição de Canudos por Artur Oscar 1897 – Inauguração de Belo Horizonte por Bias Fortes	1894 – Maximino Maciel: *Gramática descritiva*	1890-1930 – Auge da imigração europeia 1890 – Construída em São Paulo a Avenida Paulista 1890-1916 – Rondon espalha por Mato Grosso 4.500 quilômetros de linhas telegráficas 1897 – Fundação da Academia Brasileira de Letras 1890-1930 – Auge da imigração europeia

Tabela 4 – Brasil: a partir de 1889

Data	História Política	História da Língua / Gramática / Linguística do Português	Literatura, Ciência, Tecnologia, Cotidiano / Ensino
1900 – 1910	Fim da questão do Amapá 1900 1903 – O Brasil compra o Acre da Bolívia	1902 – Rui Barbosa responde às Observações de Carneiro Ribeiro sobre o texto do Código Civil da República, por meio da Réplica (o Código Civil só será promulgado em 1916)	O censo de 1900 conta 17,4 milhões de habitantes – 1900 – Surge, no Morro da Providência, a primeira favela do Rio de Janeiro 1902 – Euclides da Cunha: Os Sertões 1907 – Rui Barbosa representa o Brasil na Conferência de Haia 1909-1912 – Construção da Estrada de Ferro Madeira–Mamoré
1910 – 1920	1914-1918 – Primeira Guerra Mundial 1912 – Tratado de Petrópolis 1920 – O Acre torna-se Estado	1915 – Dicionário de brasileirismos, de Rodolfo Garcia (1915) 1918 – Soneto à Língua Portuguesa ("Última flor do Lácio..."), de Olavo Bilac	1910 – Rondon cria o Serviço de Proteção ao Índio 1917 – Entra em vigor o Código Civil brasileiro 1886-1968 – Vida de Manuel Bandeira
1920 – 1930	1925-1927 – A Coluna Prestes percorre o interior do Brasil	– 1922 – O movimento modernista repõe em pauta a questão da língua nacional 1920 – O dialeto caipira, de Amadeu Amaral – 1920 – Auge do teatro anarquista, que se exprime parcialmente nas línguas dos imigrantes 1925 – Oswald de Andrade publica Pau Brasil, no qual está o poema "Pronominais"	O censo de 1920 conta 30,6 milhões de habitantes 1920 – Monteiro Lobato cria a personagem Narizinho 1920-1962 – Atividade artística de Cândido Portinari (1903-1962) 1921 – Lei dos indesejáveis 1922 – Acontece em São Paulo a Semana de Arte Moderna 1922 – Roquete Pinto introduz o rádio no Brasil 1928 – Macunaíma, de Mário de Andrade
1930 – 1940	1932 – Revolução Constitucionalista em São Paulo 1937-1944 – Getúlio Vargas implanta o Estado Novo	1931 – O Brasil adere à reforma ortográfica de Portugal 1932 – Publicação do 1° volume do Dicionário etimológico, de Antenor Nascentes (v. 2, 1952) 1933 – Elucidário afro-negro na língua portuguesa de Jacques Raimundo 1936 – 1° Congresso da Língua Brasileira Cantada 1937 – Um projeto da Câmara (n. 36/37) determina que a língua falada no Brasil será chamada "brasileira" nos livros didáticos 1938 – O Decreto n. 30/30 estabelece que duas localidades diferentes não podem ter o mesmo nome 1939 – Proibida a alfabetização em língua estrangeira	1930-1940 – Auge da literatura regionalista, que incorpora a linguagem falada das várias regiões do país 1930-1940 – O rádio vive a época de ouro das novelas, dos programas de auditório e da música popular Auge do período das consultas gramaticais veiculadas pelo rádio e pelos jornais 1934 – Fundação da Universidade de São Paulo
1940 – 1950	1939-1945 – Segunda Guerra Mundial (envio da FEB à Europa: 1943) 1943 – Os territórios de Rio Branco [=Roraima], Amapá e Guaporé [Rondônia] dependem diretamente da Federação	1942 – Problemas de linguística geral, de J. Matoso Câmara 1943 – O Brasil revoga o acordo ortográfico de 1931 (voltará a aderir a ele em 1945)	O censo de 1940 conta 41,2 milhões de habitantes Anos 40 – A companhia Atlântida atua no ramo cinematográfico 1941 – Fundação da Companhia Siderúrgica Nacional 1943-1963 – A expedição Roncador-Xingu, dos irmãos Villas Boas, percorre 1.500 km de florestas e 1.000km de rios 1947 – Publicação dos Poemas negros, de Jorge de Lima, nos quais se faz uso de um vocabulário de origem africana

1950 – 1960	1954 – Suicídio de Getúlio Vargas 1956-1961 – Mandato de Juscelino Kubitscheck	1952 – 2ª ed. de *O linguajar carioca*, de Antenor Nascentes 1956 – Congresso da Língua Brasileira Falada no Teatro 1956-1961 – Construção de Brasília 1957 – É aprovada a resolução que recomenda o uso da NGB (Nomenclatura Gramatical Brasileira) 1957 – Congresso de Língua Falada no Teatro	1950 – O censo conta 51,9 milhões de habitantes. A maioria da população brasileira é rural 1950 – Passa a operar no Brasil o primeiro canal de televisão 1950-1954 – A Cia. Vera Cruz atua no ramo cinematográfico 1952-1961 – A cidade de São Paulo recebe 11 milhões de nordestinos 1952-1972 – Cinema Novo 1953 – Fundação da Petrobrás 1956 – Publicação de *Grande Sertão: Veredas*, de Guimarães Rosa 1959 – Circula o primeiro busca fabricado no Brasil; instala-se em São Paulo a segunda montadora de carros, a francesa Simca / *Chega de saudade*, primeiro disco da Bossa Nova
1960 – 1970	1964 – Início do regime militar 1968 – Decretação do AI-5 / Fechamento do Congresso durante o governo de Costa e Silva	1959-80 – O Summer Institute of Linguistics está presente em áreas indígenas 1960-1962 – Publicação do *Atlas prévio dos falares baianos*, de Nelson Rossi (primeiro atlas linguístico brasileiro) 1962 – *Introdução ao estudo das línguas indígenas brasileiras*, de J. Mattoso Câmara 1962 – A Faculdade de Letras da USP inclui disciplinas de linguística em seus cursos de graduação – 1968 – Pelas disposições do Concílio Vaticano (1962-1965), a Igreja Católica passa a rezar a missa em português 1969 – Fundação das principais associações de Linguística com atuação no Brasil: Abralin, GEL, ALFAL	1960 – O censo conta 70,1 milhões de habitantes / Início da ocupação da zona do cerrado 1960 – Transferência da capital para Brasília 1961 – Criado o Parque Indígena do Xingu 1963 – Criação do Instituto de Colonização e Reforma Agrária (Incra) 1963-1972 – Funciona em São Paulo o Teatro Oficina 1965 – "O direito de nascer", 1ª novela de televisão – Os afro-sambas de Baden e Vinicius popularizam nomes próprios e expressões africanas 1968 – Agressão à peça *Roda Viva* – 1968 – O teatro e a censura do regime militar travam combate em torno do uso do palavrão 1968-1972 – Tropicalismo musical
1970 – 1980	1979 – Criação do estado do Mato Grosso do Sul	Difunde-se o ensino da língua portuguesa através de textos 1970 – Publicação de *Estrutura da língua portuguesa*, de J. Mattoso Câmara 1972 – Aurélio Buarque de Holanda supervisiona a 11ª ed. do *Pequeno dicionário brasileiro da língua portuguesa* 1975 – Publicação do *Novo dicionário da língua portuguesa*, de Aurélio Buarque de Holanda Ferreira 1977 – Publicação do *Dicionário etimológico*, de J. P. Machado e o *Atlas linguístico de M. Gerais*, de Mário Zágganí	1970 – O censo conta 93,2 milhões de habitantes / A maior parte da população brasileira é rural 1970-1984 – Atua o Mobral (Movimento Brasileiro de Alfabetização) 1972 – Criado o Conselho Indigenista Missionário (Cimi), órgão da Conferência Nacional de Bispos do Brasil, com um programa contrário à integração forçada dos indígenas na vida nacional 1974-2003 – Construção da Barragem de Itaipu
1980 – 1990	1985 – Eleição de Tancredo Neves, que põe fim ao regime militar 1988 – Criação dos estados de Tocantins, Roraima e Amapá 1988 – Assassinato de Chico Mendes	Amplia-se no ensino médio o uso de livros "paradidáticos" 1982 – Publicação do *Dicionário etimológico Nova Fronteira*, de A. G. Cunha 1982 – Publicação da *Nova gramática do português contemporâneo*, de Celso Cunha e Lindley Cintra 1984 – Publicação do *Atlas linguístico da Paraíba*, de Maria do Socorro Aragão (v. 1 e 2) 1986 – Negociações para a unificação da ortografia 1987 – Publicação do *Atlas linguístico de Sergipe*, de Nelson Rossi 1988 – Lançado o Projeto da Gramática do Português Falado (dir Ataliba Castilho)	1980 – O censo conta 119 milhões de habitantes 1980-1987 – Construção da Barragem de Balbina desloca populações de Waimiri-Atroari – 1985-1995 – Maior intensidade da emigração de *dekasseguis* 1980-1990 – Os educadores brasileiros assimilam o conceito de letramento
1990 – 2000	1991 – Início do plano de privatização das estatais 1991 – O Tratado de Assunção cria o Mercosul	As ideias de Emilia Ferreiro influenciam a alfabetização Os principais jornais elaboram manuais de redação para seu próprio uso 1990 – Publicação do *Atlas linguístico do Paraná*, de Vanderci Aguilera	O censo de 1991 conta 146,9 milhões de habitantes Final da década – Criação de associações que se propõem a ampliar o conhecimento da língua de sinais

2000 – ...	2000 – Um projeto do deputado Aldo Rabelo estabelece punições para o uso indevido de empréstimos lexicais de línguas estrangeiras
	2000 – Publicação do *Aurélio do século XXI*
	2001 – Publicação do *Dicionário Houaiss da Língua Portuguesa*
	2002 – Publicação dos primeiros volumes do ALERS / *Atlas Linguístico e Etnológico da Região Sul* (dir. Walter Koch)
	2002 – São Gabriel da Cachoeira, município do alto Rio Negro, dá ao nheengatu, ao tukano e ao baniwa o *status* de línguas cooficiais por iniciativa da Federação das Organizações Indígenas do Rio Negro
	2002 – Publicação do *Dicionário de usos do português*, de Francisco Borba
	2004 – Lançado o site de dialetologia brasileira da UFBA
	O censo de 2000 conta 166,1 milhões de habitantes/ A maior parte da população brasileira é urbana

Bibliografia

Livros

ABAURRE, Maria Bernadete M.; RODRIGUES, Ângela Cecília S. (orgs.). *Gramática do português falado*. 4. ed. revista. Campinas: Editora da Unicamp, 2002, v. VIII. (Coleção Novos estudos descritivos).

ACADEMIA DAS CIÊNCIAS DE LISBOA. *Dicionário da língua portuguesa contemporânea*, 2002.

AGUILERA, Vanderci de Andrade. *Atlas linguístico do Paraná*. Curitiba: Imprensa Oficial do Paraná, 1994.

ALENCAR, José de. O nosso cancioneiro. *Obra completa*. Rio de Janeiro: Aguilar, 1960, v. IV.

ALENCASTRO, L. F. de. *O trato dos viventes*: formação do Brasil no Atlântico sul. São Paulo: Companhia das Letras, 2000.

ALKMIN, Tânia (org.). *Para a História do português brasileiro*. São Paulo: Humanitas, 2002, v. III.

ALMEIDA, A. de. *Dicionário popular paraibano*. João Pessoa: Editora Universitária/UFPB, 1979.

ALMEIDA, M. L. L. de. *Cruzamento vocabular*: fatos e fatores. Texto apresentado em comunicação da Abralin, 2005. Mimeo.

ALVES, Maria Isolete Pacheco. *Atitudes linguísticas de nordestinos em São Paulo*. Campinas, 1979. Dissertação (Mestrado) – Unicamp.

AMARAL, Amadeu. *O dialeto caipira*. São Paulo: O Livro, 1920. Reimpresso pela Editora Hucitec em 1976.

ANCHIETA, José de. *Arte da gramática da língua mais usada na costa do Brasil*. Rio de Janeiro: Imprensa Nacional, 1595 (edição de 1933).

ANDRADE, Mário de. Anteprojeto da Língua Nacional Cantada. *Anteprojeto da língua padrão: apresentado pelo Departamento de Municipalidade de São Paulo ao Congresso da Língua Nacional Cantada*. São Paulo: Departamento de Cultura, 1937. Reimpresso em: *Anais do Primeiro Congresso da Língua Nacional Cantada*. São Paulo: Departamento de Cultura, 1938.

ANDRADE, Oswald de. *Pau-Brasil*. São Paulo: Globo/Secretaria de Estado da Cultura, 1925.

ARAGÃO, Maria do Socorro. *Atlas linguístico da Paraíba.* João Pessoa: UFPB/CNPq, 1985.

_____; SOARES, Maria Elias (orgs.). *A linguagem falada em Fortaleza.* Fortaleza: Universidade Federal do Ceará, 1996.

ARNOUX, Elvira. Política lingüística: los contextos de la disciplina. *Políticas Lingüísticas para América Latina. Actas del Congreso Internacional [1997].* Buenos Aires: Universidad de Buenos Aires/Facultad de Filosofía y Letras, Instituto de Lingüística, 1999, pp. 13-24.

ATAS sobre a situação atual da língua portuguesa no mundo. Lisboa: Icalpe, 1985.

AUDUBERT, Albert. La question de la langue nationale. *Herótode,* n. 98, pp. 127-34, 2000.

BAERNERT-FUERST, Ute. Processos de conservação e deslocamento da língua alemã na comunidade de fala de Panambi, Rio Grande do Sul, Brasil. *Atas do IX Congresso Internacional da Associação de Linguística e Filologia da América Latina (Alfal).* Campinas, agosto de 1990, Unicamp/IEL, 1998, v. IV, pp.131-42.

BAGNO, Marcos. *Dramática da língua portuguesa:* tradição gramatical, mídia e exclusão social. São Paulo: Loyola, 2000.

_____. (org.). *Linguística da Norma.* São Paulo: Loyola, 2002.

BARBOSA, Rui. *Projeto do Código Civil Brasileiro. Trabalho da Commissão Especial do Senado. Réplica do Senador Ruy Barbosa às defesas da redação do Projecto da Câmara dos deputados.* 2. tir. inteiramente correta. Separada das Pandectas Brasileiras, 1902.

BARRIOS, Graciela. Políticas lingüísticas en el Uruguay: estándares vs. dialectos en la región fronteriza uruguayo-brasileña. *Boletim da Associação Brasileira de Linguística,* n. 24, 1999, pp. 65-82.

BARROS, João de. *Gramática da língua portuguesa.* Ed. Maria Leonor Carvalhão Buescu. Lisboa: Publicações da Faculdade de Letras da Universidade de Lisboa, 1971. (1. ed. 1540).

BASÍLIO, M. Cruzamentos vocabulares: o fator humorlógico. *X Congresso da ASSEL-Rio.* Rio de Janeiro, 2003, 6p. Mimeo.

BECHARA, Evanildo. *Moderna gramática portuguesa.* 37. ed. rev. e amp. Rio de Janeiro: Lucerna, 1999.

BENTES DA SILVA, A. C. *A arte de narrar:* da constituição das estórias e dos saberes dos narradores da Amazônia paraense. Campinas, 2000. Tese (Doutorado) – Unicamp.

BERLINCK, R. de A.; AUGUSTO, M. R. A.; SCHER, A. P. Sintaxe. In: MUSSALIM, F; BENTES, A. C. *Introdução à linguística:* domínios e fronteiras. São Paulo: Cortez, 2001, v. 1, pp. 207-44.

BIDERMAN, Maria Teresa Camargo. Dicionários do português: da tradição à contemporaneidade. *Alfa,* 47(1), 2003, pp. 53-69.

BLUTEAU, R. *Vocabulário portuguez e latino, aulico, anatomico, architectonico.* Reimpressão: Hildesheim, Zürich, New York: Georg Olms Verlag, 2002. (1. ed. 1712-1728).

BORBA, Francisco da Silva (org.). *Dicionário gramatical de verbos.* São Paulo: Editora da Unesp, 1990.

_____ et al. *Dicionário de usos do português do Brasil.* São Paulo: Ática, 2002.

BORGES NETO, José. O empreendimento gerativo. In: MUSSALIM, Fernanda; BENTES, A. C. *Introdução à linguística:* fundamentos epistemológicos. São Paulo: Cortez, 2004, v. 3, pp. 93-130.

BORN, Joachim. Plurilinguismo e bilinguismo na Europa e na América do Sul: a União Europeia é um modelo para o Mercosul? (Comunicação ao I Encontro de Variação Linguística do Cone Sul, Universidade Federal do Rio Grande do Sul). *Políticas Linguísticas para América Latina. Actas del Congreso Internacional [1997].* Buenos Aires: Universidad de Buenos Aires/Facultad de Filosofía y Letras, Instituto de Lingüística, 1996/1999, pp. 103-22.

BORTONI-RICARDO, Stella Maris. Um modelo para análise sociolinguística do português do Brasil. In: BAGNO, Marcos. *Linguística da Norma.* São Paulo: Loyola, 2002, pp. 333-49.

CAGLIARI, L. C. A ortografia na escola e na vida. In: MASSINI-CAGLIARI, E.; CAGLIARI, L. C. *Diante das letras, a escrita na alfabetização.* Campinas: Mercado das Letras/Associação de Leitura do Brasil, 1999.

_____. Algumas reflexões sobre o início da ortografia da Língua Portuguesa. *Cadernos de Estudos Linguísticos*, n. 27, pp. 103-11, 1994a.

_____. O que é ortografia? *Anais de Seminários do* GEL XXIII, 1994b, pp. 552-9.

CALDAS AULETE, F. J. *Dicionário contemporâneo da língua portuguesa*. Lisboa: Parceria Antônio Maria Pereira, 1881, 2v.

CALLOU, Dinah I.;MARQUES, M. H. D. Os estudos dialetológicos no Brasil e o Projeto de Estudo da Norma Linguística Culta. *Littera*, v. III/8, pp.100-11, 1973.

_____. (org.). *A linguagem falada culta na cidade do Rio de Janeiro*: materiais para seu estudo. Rio de Janeiro: UFRJ/FJB, 1992, v. I. (Elocuções Formais).

_____; LOPES, Célia R. dos S. (orgs.). *A linguagem falada culta na cidade do Rio de Janeiro*: materiais para seu estudo. Rio de Janeiro: UFRJ/CAPES, 1993, v. II. (Diálogo entre informante e documentador).

_____; _____. (orgs.). *A linguagem falada culta na cidade do Rio de Janeiro*: materiais para seu estudo. Rio de Janeiro: UFRJ/CAPES, 1994, v. III. (Diálogos entre dois informantes).

CALVET, Louis-Jean. Identité et multilinguisme. Intervenção no congresso "Três espaços linguísticos (hispânico, lusófono, francófono) diante dos desafios da globalização", 2001.

CARIELLO, Graciela B.; JIMÉNEZ, Ricardo A. La enseñanza del portugués en el contexto del Mercosur: el caso de Argentina. LEHNEN, Arno Carlos; CASTELLO, Iara Regina; MORELLI DE BRACALI, Sílvia B. (orgs). *Fronteiras no Mercosul*. Porto Alegre: Editora da UFRS/Uruguaiana: Prefeitura Municipal, 1994, pp. 114-7.

CARVALHÃO-BUESCU, Maria Leonor. *Gramáticas portuguesas do século* XVI. Lisboa: MEC-Secretaria da Cultura/Instituto de Cultura Portuguesa, 1978.

CASTILHO, Ataliba Teixeira de. Para o ensino da história da língua portuguesa. In: CASTILHO, A. T. de. *Subsídios à proposta curricular de língua portuguesa para o 2º grau*. São Paulo: Secretaria da Educação, 1978, v. 6, pp. 92-123.

_____. O português do Brasil. In: ILARI, R. *Linguística românica*. São Paulo: Ática,1985, pp. 235-69.

_____. O Português culto falado no Brasil. História do Projeto Nurc/SP. In: PRETI, D.; URBANO, H. (orgs.). 1990, pp. 141-202.

_____. Língua falada e processos gramaticais. In: GROSSE, Sybille; ZIMMERMANN, K. (orgs) *"Substandard" e mudança no português do Brasil*. Frankfurt am Main: TFM, 1998, pp. 37-72.

_____. Problemas do aspecto verbal no português falado no Brasil. In: GÄRTNER, E.; HUNDT, C.; SCHÖNBERGER, A. (orgs.). *Estudos de gramática portuguesa (III)*. Frankfurt am Main: TFM, 1999, pp. 17-46.

_____. Para a história do Português de São Paulo. *Revista Portuguesa de Filologia*, v. XXIII, pp. 29-70, 1999-2000.

_____. Para um programa de pesquisas sobre a história social do português de São Paulo. In: MATTOS E SILVA, R. V. *Para a história do português brasileiro*. São Paulo: Humanitas, 2001, v. 2, pp. 337-69.

_____. Língua portuguesa e política linguística (conferência). Seminário *A língua portuguesa, presente e futuro*, painel *Convergências e Divergências no espaço da Língua Portuguesa*. Lisboa, 6-7 dez. 2004.

_____ (org.). *O Projeto de Estudo da Norma Linguística Urbana Culta no Brasil*. Marília: Conselho Municipal de Cultura, 1970.

_____.(org.). *Subsídios para a Proposta Curricular de Língua Portuguesa para o segundo grau*. São Paulo – Campinas: Secretaria de Estado da Educação – Universidade Estadual de Campinas, 1978, 8v. Republicado em 1983, em 3v.

_____ (org.). *Português culto falado no Brasil*. Campinas: Editora da Unicamp, 1989.

_____ (org.). *Gramática do português falado*.4. ed. revista. Campinas: Editora da Unicamp/Fapesp, 2002a, v. I – A Ordem.

_____ (org.). *Gramática do português falado*. 3. ed. revista. Campinas: Editora da Unicamp/Fapesp, 2002b, v. III, As Abordagens.

_____ (org.) *Para a história do português brasileiro*. São Paulo: Humanitas/Fapesp, 1998, v.1: Primeiras ideias.

_____; BASÍLIO, Margarida (orgs.). *Gramática do português falado*. 2. ed. revista. Campinas: Editora da Unicamp/Fapesp, 2002, v. IV: Estudos Descritivos.

_____; OLIVEIRA E SILVA, Giselle Machline de; LUCCHESI, Dante. Informatização de acervos da Língua Portuguesa. *Boletim da Associação Brasileira de Linguística*, n. 17, pp. 143-54, 1995.

_____; PRETI, Dino (orgs.). *A linguagem falada culta na cidade de São Paulo*: materiais para seu estudo. São Paulo: TAQ/Fapesp, 1986 – v. I, Elocuções Formais; 1987 – v. II, Diálogos entre dois informantes.

CASTILHO, Célia Maria Moraes de. "Seria quatrocentista a base europeia do PB?". In: MATTOS E SILVA, Rosa Virgínia (org.). *Para a história do português brasileiro*. São Paulo: Humanitas, 2001, v. II, t.1, pp. 57-90.

_____. *O processo de redobramento sintático em português medieval*. Campinas, 2005. Tese (Doutorado) – Unicamp.

CASTRO, I. *Curso de história da língua portuguesa*. Colaboração de Rita MARQUILHAS e J. León ACOSTA. Lisboa: Universidade Aberta, 1991.

_____. (org.). *A demanda da ortografia portuguesa*: comentário do acordo ortográfico de 1986 e subsídios para a compreensão da questão que lhe seguiu. Lisboa: Sá da Costa, 1987.

CHAVENATO, J. J. *Cabanagem*: o povo no poder. São Paulo: Brasiliense, 1984.

CHIERCHIA, G. *Semântica*. Campinas: Editora da Unicamp, 2003.

CHOMSKY, Noam. *Principles and parameters in linguistic theory*. MIT, 1979, inédito.

_____. *Knowledge of language*: its nature, origin and use. New York: Praeger, 1986.

COELHO, Adolfo. Os dialetos românicos ou neolatinos na África, Ásia e América. *Sep. de: Boletim da Sociedade de Geografia de Lisboa*. Lisboa: Casa da Sociedade de Geografia, 1881.

_____. *A lingua portugueza*: noções de glottologia geral e especial portugueza. Porto: Universal, 1881.

COMRIE, B.; MATTHEWS, S.; POLINSKY, M. *The Atlas of Languages*: the origin and development of languages throughout the world. New York: Quarto Inc, 1996.

CORRÊA, Manoel G. *Letramento*. Campinas: Editora da Universidade Estadual de Campinas, 2001.

COSTA, E. V. da. *Da senzala à colônia*. São Paulo: Difusão Europeia do Livro, 1966.

COUTO, H. H. do. *Introdução ao estudo das línguas crioulas e pidgins*. Brasília: UNB, 1996.

CRYSTAL, D. *The Cambridge Encyclopedia of Language*. Cambridge: Cambridge University Press, 1997.

CUNHA, A. G. *Dicionário histórico das palavras portuguesas de origem tupi*. São Paulo: Melhoramentos, 1978

CUNHA, C. F. da. Discurso programático. *Anais do 1º Congresso Brasileiro de Língua Falada no Teatro*. Rio de Janeiro: Ministério da Educação e Cultura, 1959, pp. 36-9.

_____. *Uma política do idioma*. Rio de Janeiro: Livraria São José, 1964.

_____. *Língua portuguesa e realidade brasileira*. Rio de Janeiro: Tempo Brasileiro, 1972.

_____. Falares regionais. *Atlas Cultural do Brasil*. Ministério da Educação e Cultura/Fename. Rio de Janeiro: Imprensa Oficial, 1973, pp. 70-7.

_____. *Língua, nação e alienação*. Rio de Janeiro: Nova Fronteira, 1981.

_____; LINDLEY-CINTRA, L. F. *Nova gramática do português contemporâneo*. Rio de Janeiro: Nova Fronteira, 1987.

D'ACHILLE, P. *L'Italiano contemporaneo*. Bologna: Il mulino, 2003.

D'ANGELIS, W. (org.) *Leitura e escrita em escolas indígenas*. Campinas: Associação de Leitura do Brasil/Mercado de Letras, 1997.

_____; VEIGA, J. (orgs.). *Leitura e escrita em escola indígenas*. Campinas: ALB e Mercado de Letras 1997.

_____; _____. *Quem vai de arrasto não tem compromisso*. Atas do Congresso Brasileiro de Qualidade na Educação. v. 4: Formação de professores. Brasília, 2002.

DANEŠ, F. *Papers on functional sentence perspective*. Praga: Academic, 1974.

DI PAOLO, P. *Cabanagem*: a revolução popular da Amazônia. Belém: Edições CEJUP, 1985.

DUARTE, Maria Eugênia Lamoglia; CALLOU, Dinah M. Isensee (orgs.). *Para a História do português brasileiro*. Rio de Janeiro: UFRJ – Letras / Faperj, 2002, v. IV, Notícias de *corpora* e outros estudos.

DUARTE, Paulo. Dialeto caipira e língua brasileira. In: AMARAL, A. *O dialeto caipira*. 3. ed. São Paulo, Hucitec/Sec. da Cultura, Ciência e Tecnologia, 1976, pp. 7-40.

ELIA, S. Nota sobre as áreas dialetais brasileiras *Ensaios de filologia e linguística*. Rio de Janeiro: MEC-Grifo, 1975a.

_____. Unidade e diversidade fonética do português do Brasil. *Ensaios de filologia e linguística*. Rio de Janeiro: MEC-Grifo, 1975b.

_____. *A língua portuguesa no mundo*. São Paulo: Ática, 1989.

ELIAS NETO, C. *Arco, tarco, verva*: as delícias do refinado dialeto caipiracicabano. Piracicaba: PEC Promoções, Empreendimentos, Comunicações S/C, 1990.

ELIZAINCÍN, Adolfo L. Estado actual de los estudios del fronterizo uruguayo-brasileño. *Cuadernos del Sur*, n. 12, pp. 119-40, 1979.

_____; BEHARES, L.; BARRIOS, G. *Nos falemo brasilero. Dialectos portugueses en Uruguay*. Montevideo: Amesur, 1987.

ESCOBAR, Alberto. Lingüística y Política. In: ORLANDI, E. P. (org.). *Política linguística na América Latina*. Campinas: Pontes, 1988, pp. 11-26.

EUCLIDES NETO. *Dicionareco das roças de cacau e arredores*. Ilhéus: Editora da UESC / Editus, 1997.

FARDON, R.; FURNIN, G. (eds.). *African languages*: development and the state. London/New York: Routledge, 1994.

FERRARO, A. R. Analfabetismo e níveis de letramento no Brasil, o que dizem os censos. *Educação e Sociedade*, 2002, v. 23:81, pp. 21-47. Disponível em <http://www.cedes.unicamp.br>.

FERREIRA, Manuel. *Que futuro para a Língua Portuguesa em África?* Lousã: ALAC, 1988.

FERREIRA, Aurélio Buarque de Holanda. *Novo Aurélio, século XXI*: o dicionário da língua portuguesa. Rio de Janeiro: Nova Fronteira, 1999.

_____. *Novo dicionário da língua portuguesa*. 2. ed. Rio de Janeiro: Nova Fronteira, 1986.

_____. *Novo dicionário da língua portuguesa*. Rio de Janeiro: Nova Fronteira, 1975.

FERREIRA, C. da S. *Atlas linguístico de Sergipe*. Salvador: UFBA/Aracaju: Fundação Estadual de Cultura, 1987.

_____. Remanescente de um falar crioulo brasileiro (Helvécia/Bahia). In: FERREIRA, C. da S. et al. *Diversidade da língua portuguesa do Brasil*: estudos de dialetologia rural e outros. Salvador: UFBA – Proed, 1987, pp. 21-32.

FIGUEIREDO, C. *Novo dicionário da língua portuguesa*. Lisboa: Tavares Cardoso & Irmão, 1899.

FIORIN, José Luiz. Os Aldrovandos Cantagalos e o preconceito linguístico. In: SILVA, Fábio Lopes da; MELO MOURA, Heronides Maurílio de (orgs.). *O direito à fala*. Florianópolis: Insular, 2000, pp. 23-38.

FISCHER, Klaus. Políticas lingüísticas en la Unión Europea y Mercosur. *Políticas Lingüísticas para América Latina. Actas del Congreso Internacional [1997]*. Buenos Aires: Universidad de Buenos Aires/Facultad de Filosofía y Letras, Instituto de Lingüística, 1999, pp. 257-78.

FRANÇA, Ângela. Dois momentos no problema da pronúncia-padrão. *VI Seminário do Projeto para a História do Português no Brasil*. Itaparica, 2 set. 2004.

FRANÇA, N. A. Origens do português no Brasil: da criolização ao português brasileiro. *Revista de História Regional*, n. 7:1, pp.195-205, 2002.

Franchi, Eglê. *E as crianças eram difíceis*. São Paulo: Martins Fontes, 1987.

Freire, Gilberto. *Ingleses no Brasil*: aspectos da influência britânica sobre a vida, paisagem e cultura do Brasil. Rio de Janeiro: José Olympio, 1984.

Freire, L. C. *Grande e novíssimo dicionário da língua portuguesa*. Rio de Janeiro: A Noite, 1939-1944.

Freitas, D. *Cabanos*: os guerrilheiros do imperador. Rio de Janeiro: Graal, 1978.

Gabbiani, Beatriz. Las políticas lingüísticas regionales del Mercosur: propuestas, obstáculos y avances de los últimos cinco años. *Políticas Lingüísticas para América Latina. Actas del Congreso Internacional [1997]*. Buenos Aires: Universidad de Buenos Aires/Facultad de Filosofía y Letras, Instituto de Lingüística, 1999, v. 2, pp. 271-80.

Galves, C. M. C. *Ensaios sobre as gramáticas do português*. Campinas: Editora da Unicamp, 2001.

Garcia, R. Dicionário de brasileirismos: peculiaridades pernambucanas. *Revista do Instituto Histórico Geográfico Brasileiro*, Rio de Janeiro, n. 76 (127), pp. 633-947, 1912. Editado como livro por J. Ribeiro dos Santos, 1915.

Geraldi, João Wanderely. *Linguagem e ensino*. Campinas: Mercado de Letras, 1996.

Gnerre, Maurizio. *Linguagem, escrita e poder*. São Paulo: Martins Fontes, 1985.

Gonçalves, C. A. Cruzamento vocabular em português: a questão das fronteiras com outros processos de formação. In: Mollica, M. C.; Roncarati, C. (orgs.) *Anais do III Congresso da Abralin*. Niterói: UFF – Centro de Estudos Gerais, 2003, v. 1, pp. 824-31.

Gonçalves, C. A.; Almeida, Maria Lúcia Leitão de. Cruzamento vocabular no português brasileiro: aspectos morfofonológicos e semântico-cognitivos. *Revista Portuguesa de Humanidades*. Braga, v. 8, 1/2, pp. 135-54, 2004.

Gonçalves, M. F. *Madureira Feijó, ortografista do século XVIII*: para uma história da ortografia portuguesa. Lisboa: Ministério da Educação, 1992.

_____. *L'Ortographe Portugaise: histoire et système*. Travaux du SELF III. Paris: Sorbonne Université Descartes, 1993-1994.

Gonçalves, P. *Português de Moçambique, uma variedade em formação*. Maputo: Universidade Eduardo Mondlane, 1996.

_____. *Mudanças do português em Moçambique*. Maputo: Livraria Universitária/ Universidade Eduardo Mondlane, 1998.

Grosse, Sybille; Zimermann, Klaus (orgs.). *Língua não-padrão e mudança linguística*. Lisboa: TFM, 1998.

Guedes, M.; Berlinck, R. de A. *E os preços eram commodos*. São Paulo: Humanitas, 2000.

Guy, Gregory. *Linguistic variation in brasilian portuguese*: aspects of phonology, sintax and language history. University of Pennsylvania, PhD. Dissertation. Ann Arbor: University Microfilms International, 1981.

Halliday, M. A. K. Notes on transitivity and theme in English. *Journal of Linguistics*, n. 2, pp. 37-81, n. 3, pp. 199-244 e 179-215, 1966-1967.

Hamel, Rainer Enrique. Hacia una política plurilíngüe y multicultural. *In: Políticas Lingüísticas para América Latina. Actas del Congreso Internacional [1997]*. Buenos Aires: Universidad de Buenos Aires/Facultad de Filosofía y Letras, Instituto de Lingüística, pp. 289-96, 1999.

Hecht, S.; Cockburn, A. *The Fate of the Forest*: developers, destroyers, and defenders of the Amazon. London/New York: Verso, 1989.

Henriques, Cláudio César; Simões, Darcília (orgs.). *Língua e cidadania*: novas perspectivas para o ensino. Rio de Janeiro: Europa, 2004.

Hilgert, José Gaston (org.). *A linguagem falada culta na cidade de Porto Alegre*. Passo Fundo: Ediupf/Porto Alegre: Ed. da UFRS, 1997, v. I – Diálogos entre informante e documentador.

Hora, Dermeval da; Pedrosa, Juliene Lopes Ribeiro (orgs.). *Projeto variação linguística no Estado da Paraíba*. João Pessoa: Ideia, 2001, 5v.

HOUAISS, Antônio. *Sugestões para uma política do idioma*. Rio de Janeiro: Instituto Nacional do Livro, 1960.

_____. *O português no Brasil*. Rio de Janeiro: Tempo Brasileiro, 1985.

_____; VILLAR, M. de *Dicionário Houaiss da língua portuguesa*. Rio de Janeiro: Objetiva, 2001.

ILARI, R. *Linguística românica*. São Paulo: Ática, 1985.

_____. As malhas sintáticas da leitura: quatro andamentos. In: HENRIQUES, C. C.; PEREIRA, M. T. G. (orgs.). *Língua e transdisciplinaridade*: rumos, conexões, sentidos. São Paulo: Contexto, 2002, pp. 51-68.

_____. *Introdução ao estudo do léxico*: brincando com as palavras. São Paulo: Contexto, 2002.

_____; POSSENTI, S. *Português e ensino da gramática*. São Paulo: Secretaria da Educação/CENP, 1985.

_____ (org.). *Gramática do português falado*. 4. ed. revista. Campinas: Editora da Unicamp, 2002, v. II, Níveis de Análise Linguística.

INSTITUTO BRASILEIRO DE GEOGRAFIA E ESTATÍSTICA. *Tipos e aspectos do Brasil*. 10. ed. Rio de Janeiro, 1975.

KATO, Mary (org.) *Gramática do português falado*. 2. ed. revista. Campinas: Editora da Unicamp/Fapesp, 2002, v. V, Convergências.

_____; NEGRÃO, E. N. (orgs.) *Brazilian Portuguese and the Null Subject*. Frankfurt am Main: Vervuert Verlag, 2000.

_____ et al. Português brasileiro no fim do século XIX e na virada do milênio. In: CARDOSO, Suzana et al. (orgs.). *500 anos de história linguística no Brasil*. Salvador: Ed. da UFBA. (no prelo).

_____. "Comparando o português da América como português de Portugal e com outras línguas". Documento Eletrônico, 2006. Acessível em <www.estacãodaluz.org.br>.

KLEIMAN, Ângela B. *Leitura*: ensino e pesquisa. 2. ed. Campinas: Pontes, 1996.

_____ (org.) *Os significados do letramento*: uma nova perspectiva sobre a prática social da escrita. Campinas: Mercado de Letras, 1999.

KOCH, Ingedore Grunfeld V. (org.). *Gramática do português falado*. 2. ed. revista. Campinas: Editora da Unicamp/Fapesp, 2002, v. VI.

KOCH, V.; KLASSMANN, M. S.; ALTENHOFEN, C. V. *Alers*: atlas linguístico da região Sul. Porto Alegre/Florianópolis/Curitiba: Editoras da UFRS, UFSC e UFPR, 2002, v. 1 – Introdução.

_____. *Alers*: atlas linguístico da região Sul. Porto Alegre/Florianópolis/Curitiba: Editoras da UFRS, UFSC e UFPR, 2002, v. 2, Cartas fonéticas e morfossintáticas.

LAPA, M. R. *Historiadores quinhentistas*. Belo Horizonte: Itatiaia, 1960.

LEAL, A. de S. *Grafemos*. São Paulo: Distribuidora José do Couto, 1943. (4. ed. 1953).

LEÃO, D. N. de. *Ortografia e origem da língua portuguesa*: introdução, notas e leitura de Maria Leonor Carvalhão Buescu. Lisboa: Imprensa Nacional / Casa da Moeda, 1983. (1. ed. 1604).

LEITE DE VASCONCELOS, J. *Esquisse d'une dialectologie portugaise*. Lisboa: Centro de Estudos Filológicos, 1970. [Originalmente publicado como tese de doutorado da Universidade de Paris, 1901].

LEMLE, Miriam. *Análise sintática*. São Paulo: Ática, 1984.

LOBATO, L. M. P. *Sintaxe gerativa do português*: da teoria padrão à teoria da regência e ligação. Belo Horizonte: Vigília, 1986.

LOBO, Tânia. *Para a história do português brasileiro*. São Paulo: Humanitas, v. V (no prelo).

_____ (org.). *Cartas baianas setecentistas*. São Paulo: Humanitas, 2001.

LUCCHESI, Dante. As duas grandes vertentes da história sociolinguística do Brasil. *Delta* (17) 1 (no prelo).

_____. *Sistema, mudança e linguagem, um percurso na história da linguística moderna*. São Paulo: Parábola, 2004.

LUGON, C. *A república "comunista" cristã dos guaranis*. Rio de Janeiro: Paz e Terra, 1968.

MACEDO, Alzira; RONCARATI, Cláudia; MOLLICA, Maria Cecília (orgs.). *Variação e discurso*. Rio de Janeiro: Tempo Brasileiro, 1996.
MAGALHÃES, E. d'Almeida. "Línguas indígenas". In: SILVA, M. B. Nizza da. *Dicionário da colonização portuguesa no Brasil*. Lisboa: Verbo, 1994.
MARCOS, A. *Timor timorense: com suas línguas, literaturas, lusofonia*. Lisboa: Colibri, 1995.
MARQUES, Maria Helena Duarte. *O vocabulário da fala carioca*. Rio de Janeiro: Faculdade de Letras da UFRJ, 1996, v. I – Ordem de Frequência Decrescente;v. II – Ordem Alfabética, Parte I (A-H); v. II – Ordem Alfabética, Parte II (I-Z); v. III – Substantivos. Ordem de Frequência Decrescente; v. IV – Verbos, Adjetivos, Unidades em -mente, Nomes próprios, Marcas e Siglas. Ordem de frequência decrescente; v. V - Substantivos. Ordem alfabética; v. VI - Verbos, Adjetivos, Unidades em -mente, Nomes próprios, Marcas e Siglas. Ordem Alfabética; v. VII – Instrumentos Gramaticais; v. VIII – Introdução: histórico, dados quantitativos e avaliação geral dos resultados.
MATTOS E SILVA, Rosa Virgínia. *O português arcaico*: fonologia. São Paulo: Contexto, 1991.
_____. *O português arcaico*: morfologia e sintaxe. São Paulo: Contexto, 1991.
_____. *Para uma sócio-história do português brasileiro*. São Paulo: Parábola, 2004a.
_____. *O português são dois*: novas fronteiras, velhos problemas. São Paulo: Parábola, 2004b.
_____ (org.) *Para a história do português brasileiro*. São Paulo: Humanitas/Fapesp, 2001, v. II – Primeiros estudos, t. I e II.
MATTOSO-CÂMARA Jr., J. Erros de escolares como sintomas de tendências linguísticas no português do Rio de Janeiro. *Romanistisches Jahrbuch*, Hamburgo (8), pp. 279-86, 1957. Reimpresso em: *Dispersos*. Seleção e introdução de C. E. F. Uchôa. Rio de Janeiro: Fundação Getúlio Vargas, 1972, pp. 35-46.
_____. *Estrutura da língua portuguesa*. Petrópolis: Vozes, 1970 (26. ed. 1997).
_____. *Problemas de linguística descritiva*. Petrópolis: Vozes, 1971.
_____. *História e estrutura da língua portuguesa*. 2. ed. Rio de Janeiro: Padrão, 1976.
MELO, Gladstone Chaves de. *A língua do Brasil*. 4. ed. Rio de Janeiro: Padrão, 1986.
MENDONÇA, R. *A influência africana no português do Brasil*. Porto: Figueirinhas, 1948.
MICHAELLE, F. *Arabismos entre os africanos na Bahia*. Curitiba: Centro de Letras do Paraná, 1968.
MINISTÉRIO DA EDUCAÇÃO E CULTURA. *Atlas cultural do Brasil*, 1973.
MIOTO, C.; FIGUEIREDO SILVA, M. C.; LOPES, R. E. V. *Manual de sintaxe*. Florianópolis: Insular, 2000.
_____. *Novo manual de sintaxe*. Florianópolis: Insular, 2004.
MIRA-MATEUS, Maria Helena et al. (org.). *Gramática da língua portuguesa*. Lisboa: Caminho, 2003.
MONTEIRO, C. *Português da Europa e português da América*: aspectos da evolução do nosso idioma. Rio de Janeiro: Departamento de Imprensa Nacional, 1952.
MORAIS-BARBOSA, J. *A língua portuguesa no mundo*. 2. ed. Lisboa: Agência Geral do Vetrançar, 1969.
MOTTA, Jacyra; ROLLEMBERG, Vera. (orgs.). *A linguagem falada culta na cidade de Salvador*: materiais para seu estudo. Salvador: Instituto de Letras da UFBA, 1994, v. I, Diálogos entre informante e documentador.
MUSZYNSKI, M. J. de B. *O impacto político das migrações internas*: o caso de São Paulo (1945-1982). São Paulo: Instituto de Estudos Econômicos, Sociais e Políticos de São Paulo, 1986.
NARO, Anthony J.; LEMLE, Miriam. Syntactic diffusion. *Ciência e cultura*, n. 29(3), pp. 259-68, 1977.
_____; SCHERRE, M. M. P. Sobre as origens do português popular do Brasil. *DELTA*, n. 9, pp. 437-54, 1993.
NASCENTES, A. *Dicionário básico do português do Brasil*. São Paulo: Martius, 1949.
_____. *O linguajar carioca*. 2. ed. Rio de Janeiro: Organização Simões, 1953.
_____. *Dicionário da língua portuguesa*. Rio de Janeiro: Imprensa Nacional, 1961-1967.

NASCIMENTO, Maria Fernanda Bacelar do; MARQUES, Maria Lúcia Garcia; CRUZ, Maria Luísa Segura da. *Português fundamental*. Lisboa: Instituto Nacional de Investigação Científica/Centro de Linguística da Universidade de Lisboa, 1987, 2v.

NEGRÃO, Esmeralda V. Sintaxe: explorando a estrutura sintática da sentença. In: FIORIN, J. L. (org.). *Introdução à linguística 2*. São Paulo: Contexto, 2003, pp. 81-110.

_____; SCHER, ANA; VIOTTI, Evani. A competência linguística. In: FIORIN, José Luiz. *Introdução à linguística 1*. São Paulo: Contexto, 2002, pp. 95-120.

NEIVA, A. *Estudos da língua nacional*. São Paulo: Cia. Editora Nacional, 1940.

NEPOMUCENO, R. *Música caipira*: da roça ao rodeio. São Paulo: Editora 34, 1999.

NEVES, Maria Helena de Moura. *Gramática na escola*. São Paulo: Contexto, 1990.

_____. *Gramática de usos do português*. São Paulo: Editora Unesp, 2000.

NEVES, Maria Helena de Moura (org.). *Gramática do português falado*. 2. ed. revista. São Paulo/Campinas: Humanitas/Editora da Unicamp, 1999, v. VII – Novos estudos.

OHTAKE, R. (org.). *Danças populares brasileiras*. Santo André: Projeto Cultural Rhodia, 1989.

OLIVEIRA, Bento José de. *Nova gramática compilada de nossos melhores autores e coordenada para uso das escolas*. 17. ed. Coimbra: Porcel, 1887.

OLIVEIRA, Fernão de. *A gramática da linguagem portuguesa*. Lisboa: Edição de José Fernandes Júnior, 1933. (1. ed. 1536).

_____. *A gramática da língua portuguesa*. Introdução, leitura, atualização e notas de Maria Leonor Carvalhão Buescu. Lisboa: Imprensa Nacional / Casa da Moeda, 1975. (1. ed. 1536).

OLIVEIRA, Gilvan Müller de. *Política linguística, política historiográfica*: epistemologia e escrita da História da(s) língua(s) a propósito da língua portuguesa no Brasil Meridional (1754-1830). Campinas, 2004. Tese (Doutorado) – Unicamp.

_____. Brasileiro fala português: monolinguismo e preconceito linguístico. In: SILVA, Fábio Lopes da; MOURA, Heronides Maurílio de Melo (orgs.). *O direito à fala*. Florianópolis: Insular, 2000, pp. 83-92.

_____; OLIVEIRA, Sílvia M. Formação de professores: um caso de política linguística nas comunidades Kaingáng. *Anais do I Encontro de Variação Linguística do Cone Sul*, 1996.

OLIVEIRA, O. *Vocabulário terminológico cultural da Amazônia paraense com termos culturais das áreas de Abaetuba, Belém e Santarém*. Belém: UFPA, 2001, v. 1.

ORLANDI, Eni Puccinelli. (org.). *Política linguística na América Latina*. Campinas: Pontes, 1988.

_____ (org.). *História das ideias linguísticas*: construção do saber metalinguístico e construção da língua nacional. Campinas/Cáceres: Pontes/Unimat, 2001.

PAIVA, Maria da Conceição (org.). *Amostras do português falado no Rio de Janeiro*. Rio de Janeiro: Pós-Graduação em Letras/Faculdade de Letras/UFRJ/Capes, 1999.

_____; SCHERRE, Maria Marta Pereira. Retrospectiva sociolinguística: contribuições do PEUL. *Linguística*, n. 11, pp. 203-30, 1999.

PARKVALL, M.; ÁLVAREZ-LÓPEZ, L. Português vernáculo brasileiro e a hipótese da semicriulização, *Revista da Associação Brasileira de Linguística*, v. 2, n. 1, 2003, pp.111-52.

PAUL, H. *Princípios fundamentais de história da língua*. Lisboa: Fundação Calouste Gulbenkian, 1970 [1. ed., 1880].

PAYER, M. O. A interdição da língua dos imigrantes (italianos) no Brasil: condições, modos, consequências. In: ORLANDI, E. P. (org.), 2001, pp. 235-56.

PERINI, M. A. *Gramática descritiva do português*. São Paulo: Ática, 1995.

_____. *Sofrendo a gramática*: ensaios sobre a linguagem. São Paulo: Ática, 1999.

_____. *A língua do Brasil amanhã e outros mistérios*. São Paulo: Parábola, 2004.

PESSOA, F. O problema ortográfico. *A língua portuguesa*. Lisboa: Assírio e Alvim, 1997, pp. 49-51.

PINTO, E. P. *A língua escrita no Brasil*. São Paulo: Ática, 1986.

PONTES, Eunice S. L. *O tópico no português do Brasil*. Campinas: Pontes, 1987.

PORTO ALEGRE, A. *Fraseologia sul-rio-grandense*: frases, perífrases e adágios. Porto Alegre: Edições URGS, 1975.

POSSENTI, S. *Por que (não) ensinar gramática nas escolas*. Campinas: Mercado das Letras, 1996.

PRATA, M. *Dicionário de Português Schifaixfavoire*: crônicas ilustradas. São Paulo: Globo, 1993.

PRETI, Dino; URBANO, Hudinilson (orgs.) *A linguagem falada culta na cidade de São Paulo*. Materiais para seu estudo. São Paulo: TAQ/Fapesp, 1989, v. III – Diálogos entre o informante e o documentador.

_____; _____ (orgs.). *A linguagem falada culta na cidade de São Paulo*. São Paulo: TAQ/Fapesp, 1990, v. IV, Estudos.

QUEIROZ, J. *O secretário moderno*. Rio de Janeiro: Livraria Quaresma, 1945.

RAIMUNDO, J. *A língua portuguesa no Brasil*: expressão, penetração, unidade e estado atual. Rio de Janeiro: Imprensa Nacional, 1941.

RAMOS, Jânia. *Para a história do português brasileiro*, São Paulo: Humanitas, v. VI. (no prelo).

REIS, J. J. dos. *Rebelião escrava no Brasil*. Rio de Janeiro: Brasiliense, 1987.

RIBEIRO, D. *O povo brasileiro*. São Paulo: Companhia das Letras, 1995.

RIBEIRO, V. M. (org.). *Letramento no Brasil*. São Paulo: Global, 2003.

ROBERTS, I.; KATO, M. (orgs.) *Português brasileiro*: uma viagem diacrônica. Campinas: Editora da Unicamp, 1993.

ROCHA POMBO, J. F. *História do Brasil*. São Paulo: Melhoramentos, 1919.

RODRIGUES, A. N. *O dialeto caipira na região de Piracicaba*. São Paulo: Ática, 1974.

RODRIGUES, Aryon Dall'Igna. *Línguas brasileiras*: para o conhecimento das línguas indígenas. 2. ed. São Paulo: Loyola, 1994.

RODRIGUES, J. H. *Brasil e África*. 3. ed. Rio de Janeiro: Nova Fronteira, 1982.

RODRIGUES, R. N. *Os africanos no Brasil*. São Paulo: Companhia Editora Nacional, 1945.

ROJO, Roxane (org.). *Alfabetização e letramento*: perspectivas linguísticas. Campinas: Mercado de Letras, 1999.

RONCARATI, Cláudia; ABRAÇADO, Jussara (orgs.). *Português brasileiro*: contato linguístico, heterogeneidade e história. Rio de Janeiro: Letras/Faperj, 2003.

ROSSI, Nélson. *Atlas prévio dos falares baianos*. Rio de Janeiro: Ministério da Educação e Cultura/Instituto Nacional do Livro, 1960-1962.

SÁ, Maria da Piedade Moreira de; CUNHA, D. A. C. da; LIMA, A. M.; OLIVEIRA Jr., M. (orgs.). *A linguagem falada culta na cidade do Recife*. Recife: Universidade Federal de Pernambuco, Programa de Pós-Graduação em Letras e Linguística, 1996, v. I – Diálogos entre informante e documentador.

SANDMANN, A. J. *Formação de palavras no português brasileiro contemporâneo*. Curitiba: Ícone, 1989.

SAVIOLI, F. P. *Gramática em 44 lições com mais de 1700 exercícios*. São Paulo: Ática, 1997.

SCHEI, A. *A colocação pronominal do português brasileiro*: a língua literária. São Paulo: Humanitas, 2003.

SCLIAR-CABRAL, Leonor. Definição da política linguística no Brasil. *Boletim da Associação Brasileira de Linguística*, n. 23, 1999, pp. 7-17.

SIGNORINI, Inês. (org.). *Investigando a relação oral-escrito e as teorias do letramento*. Campinas: Mercado de Letras, 2001.

SILVA NETO, S. da. *História da língua portuguesa*, 1957. [5. ed., Rio de Janeiro: Presença, 1988].

_____. *Língua, cultura e civilização*. Rio de Janeiro: Acadêmica, 1960.

_____. *História da língua portuguesa no Brasil*. Rio de Janeiro: Livros de Portugal, 1963.

_____. *Introdução ao estudo da língua portuguesa no Brasil*. 2. ed. Rio de Janeiro: MEC-Instituto Nacional do Livro, 1957.

SILVA, A. C. S. da. *Linha reta e linha curva*: edições crítica e genética de um conto de Machado de Assis. Campinas: Editora da Unicamp, 2003.

SILVA, A. de Moraes. *Diccionário da Língua Portugueza*. Composto pelo padre D. Rafael Bluteau. Lisboa: Off. de Simão Thaddeo Ferreira, 1789, 2v.

_____. *Diccionário da Língua Portugueza*. 2. ed. Lisboa: Typographia Lacerdina, 1813, 2v.

_____. *Diccionário da Língua Portugueza recopilado de todos os impressos*. 3. ed. Lisboa: Typographia de M.P. de Lacerda, 1823.

_____. *Grande dicionário da língua portuguesa*. 10. ed. Versão corrigida, muito aumentada e atualizada por A. Moreno, Cardoso Jr. e J. P. Machado. Lisboa: Confluência, 1949-1957.

SILVA, Maria Cristina Figueiredo; COSTA, J. Os anos 90 na Gramática Gerativa. In: MUSSALIM, F.; BENTES, A. C. *Introdução à linguística 3*: fundamentos epistemológicos. São Paulo: Cortez, 2004, pp. 131-64.

SIMÕES, M. P. S.; GOLDEN, C. (orgs.). *Abaetuba conta*. Belém: Cejup e UFPA, 1995. (Série Pará conta, v. 1, 2 e 3).

SIMONSEN, R. C. *História econômica do Brasil*. São Paulo: Nacional, 1944.

SMITH, N. J. H. *The Amazon River Forest*: a natural history of plants, animals, and people. New York: Oxford University Press, 1999.

SOUZA, N. de. *Alguns aspectos da ortografia da carta de Pero Vaz de Caminha*. Campinas, 2002. Dissertação (Mestrado) – Unicamp.

SPINA, S. *História da língua portuguesa* (séculos XVI e XVII). São Paulo: Ática, 1987.

STÖRIG, H. J. *A aventura das línguas*: uma viagem através da história dos idiomas do mundo. São Paulo: Melhoramentos, 1990.

STROUD, Christopher; GONÇALVES, P. (orgs.). *Panorama do português oral de Maputo*. Maputo: Instituto Nacional de desenvolvimento da educação, 1997, 2v.

SOARES, Magda Becker. *Letramento*: um tema em três gêneros. Belo Horizonte: Autêntica, 2001.

SWEET, Henri. *A New English Grammar*, part 1. Oxford: Claredon Press, 1881.

TARALLO, F. Diagnosticando uma gramática brasileira: o português d' aquém e d' além mar ao final do século XIX. In: ROBERTS; KATO (orgs.). *Português brasileiro*: uma viagem diacrônica. Campinas: Editora da Unicamp, 1993, pp. 69-105.

TARALLO, F. (org.). *Fotografias sociolinguísticas*. Campinas: Editora da Unicamp, 1989.

TEYSSIER, Paul. *História da língua portuguesa*. Trad. Celso Cunha. São Paulo: Martins Fontes, 1997 (2. ed. 2001).

TFOUNI, Leda V. *Adultos não alfabetizados*: o avesso do avesso. Campinas: Pontes, 1988.

_____. Perspectivas históricas e a-históricas do letramento. *Cadernos de Estudos Linguísticos*, n. 26, pp. 49-62, 1994.

_____.*Letramento e alfabetização*. 2. ed. São Paulo: Cortez, 1997.

THORLBY, T. *A Cabanagem na fala do povo*. São Paulo: Paulinas, 1988.

VAINFAS, R. (org.). *Dicionário do Brasil Colonial*. Rio de Janeiro: Objetiva, 2000.

VALENTE, R. S. *Diferenças e similaridades colocacionais entre o português brasileiro e o português europeu*: estudo baseado na noção de função lexical da teoria Sentido/Texto (mimeografado). Dep. de Linguística e Tradução da Universidade de Montreal, 2002.

VARELA, Lia. La Argentina y las políticas lingüísticas de fin de siglo. *Boletim da Associação Brasileira de Linguística*, n. 24, pp. 83-95, 1999.

_____. Mi nombre es nadie: la política lingüística del Estado Argentino. *Políticas lingüísticas para América Latina. Actas del Congreso Internacional [1997]*. Buenos Aires. Universidad de Buenos Aires/Facultad de Filosofía y Letras, Instituto de Lingüística, 1999, v. 2, pp. 583-9.

VÁRIOS. *Pequeno dicionário brasileiro da língua portuguesa*. Rio de Janeiro: Civilização Brasileira, 1938.

VEIGA, J.; SALANOVA, A. (orgs.). *Questões de educação escolar indígena*: da formação do professor ao projeto de escola. Campinas: Associação Brasileira de Leitura/Brasília: Funai, 2001.
VERDELHO, T. "Lexicografia". In: HOLTUS, G.; METZELTIN, M.; SCHMITT, C. *Lexicon der Romanistischel Linguistik (LRL)*, v. VI, 2, verbete 457 [Portugiesisch: Lexikographie].
VIEIRA, Frei Domingos. *Grande diccionario portuguez ou thesouro da língua portuguesa*. Porto/Rio de Janeiro: Cardron e B. H. de Moraes, 1871-1874.
VILELA, M.; KOCH, I. V. K. *Gramática da língua portuguesa*. Coimbra: Almedina, 2001.
VILLALTA, L. C. O que se fala e o que se lê: língua, instrução e cultura. In: MELLO E SOUZA, L. de (org.). *História da vida privada no Brasil*. São Paulo: Companhia das Letras, 1997, v. I, Cotidiano e vida privada na América Portuguesa, pp. 332-85.
VOGT, C.; FRY, P. *Cafundó*: a África no Brasil – linguagem e sociedade. São Paulo: Editora da Unicamp/Companhia das Letras, 1996.
ZAGGARI, M. *Esboço de um atlas linguístico de Minas Gerais*. Rio de Janeiro: Fundação Casa de Rui Barbosa, 1977.

Sites

O site www.terrabrasileira.net foi criado pelo arquiteto Ângelo João Zucconi e é dedicado aos temas do folclore e da realidade indígena. É uma excelente introdução a essas áreas, inclusive pela clareza dos textos e pela riqueza das ilustrações. Traz também uma bibliografia básica, organizada em torno de temas e autores fundamentais.

O site www.labeurb.unicamp.br/elb/ baseia-se no projeto "Enciclopédia de Línguas no Brasil", um dos tantos projetos do Laboratório de Estudos Urbanos do Instituto de Estudos da Linguagem da Universidade Estadual de Campinas. O objetivo desse projeto é reunir e fazer circular conhecimento sobre o grande número de línguas faladas no país. O site traz um número considerável de informações e organiza-se de acordo com a procedência das línguas estudadas, distinguindo: o português, as línguas indígenas, as africanas, as línguas de imigração americana, as de imigração europeia e as de imigração asiática. Encara o estudo dessas línguas como uma forma de contato com as culturas daqueles que as falam.

O objetivo do site www.alpi.ca é colocar à disposição dos estudiosos, em forma digital, uma base de dados contendo as mais de 36 mil páginas com informações dialetológicas e geolinguísticas, que resultaram dos 527 levantamentos efetuados na península ibérica entre 1930-36 e 1947-54, sob a direção de Tomás Navarro Tomás. O site conta com o apoio institucional do Laboratório de Linguística Teórica e Aplicada da Universidade do Ontário Ocidental (Canadá) e encontra-se em fase final de elaboração.

www.inep.gov.br é o endereço do site do Inep, o Instituto Nacional de Estudos e Pesquisas Educacionais Anísio Teixeira, do Ministério da Educação, que é oficialmente responsável por realizar estudos e avaliações sobre a educação no país, com o objetivo de informar a população em geral e de fundamentar o desenvolvimento de políticas públicas. É o Inep que responde pelo Censo Escolar e por vários programas de avaliação criados por iniciativa do governo, como o Enem e o Sinaes. Através do site do Inep é possível levantar dados referentes à educação brasileira, às avaliações pelas quais o Inep responde e a outras avaliações do processo educacional, entre as quais o Pisa.

O Instituto Camões foi criado em Portugal como órgão do Ministério dos Negócios Estrangeiros, para promover o estudo da língua e da cultura portuguesas no exterior. Seu site, acessível no endereço www.instituto-camoes.pt, informa sobre os vários programas de ensino e difusão cultural pelos quais o Instituto responde em cinco continentes. Quem se interessa pela linguística do português, encontrará uma verdadeira mina de informações no Centro Virtual Camões (endereço: www.instituto-camoes.pt/cvc/) que apresenta, entre outras seções, uma "História da língua portuguesa em linha", além de páginas destinadas aos aprendizes e aos professores de português.

O Instituto Paulo Montenegro foi criado em 2000 pelo Ibope como organização sem fins lucrativos encarregada de executar projetos de caráter educacional. Uma das principais iniciativas do IPM é o Inaf, Indicador Nacional de Analfabetismo Funcional, que avalia as habilidades de leitura, escrita e matemática da população brasileira. Esse indicador tem sido aperfeiçoado e atualizado periodicamente; o endereço do Instituto é www.ipm.org.br.

www.ibge.gov.br é o endereço do site oficial do Instituto Brasileiro de Geografia e Estatística, órgão do Ministério do Planejamento, Orçamento e Gestão, cuja missão mais conhecida é realizar periodicamente o Censo Demográfico do país. O portal do IBGE informa a população estimada do Brasil no momento da consulta, mas também traz (através do caminho "Brasil, 500 anos de povoamento") uma verdadeira história dos censos, com dados que são essenciais para entender a formação do país.

www.fundaj.gov.br é o site da Fundação Joaquim Nabuco, do Ministério da Educação, a qual tem entre suas missões a preservação da memória nacional. Para os estudiosos da realidade brasileira, pode ser muito útil percorrer as páginas dedicadas aos projetos e ao banco de dados da fundação. O percurso Pesquisa Escolar não só dá destaque a temas que estão momentaneamente em evidência; ainda apresenta cerca de mil textos sobre história do Brasil, que podem ser acessados por palavra-chave.

O site www.arteguias.com traz uma rica informação sobre arte medieval espanhola. A busca pode ser altamente motivadora para quem queira conhecer mais sobre arte românica, moçárabe e mudéjar, e sobre a região (Galiza) e a época (Idade Média) em que nasceu a língua portuguesa.

O site www.unicamp.br/iel/memoria foi organizado pelas pesquisadoras Marisa Lajolo e Márcia Abreu para apoiar seus cursos sobre leitura no Brasil. Traz estudos sobre língua e literatura e sobre a presença do livro no Brasil desde 1500. Todas as seções do site são importantes; sugerimos começar pela "A Linha do Tempo", uma cronologia que recupera passo a passo a formação de um público leitor no Brasil.

www.ipol.org.br é o site do Instituto de Desenvolvimento em Política Linguística. Fundado em 1999 como instituição sem fins lucrativos, esse Instituto tem como programa atuar em várias áreas em que a língua aparece como um fato político: a língua oficial do estado e sua gestão, a gestão das comunidades bilíngues e plurilíngues, o Estado e a questão das línguas estrangeiras, políticas linguísticas supraestatais e projetos de integração nacional.

Desenvolvido pelo pesquisador Jacques Leclerc como uma espécie de grande enciclopédia das línguas do mundo, o site www.tlfq.ulaval.ca/axl/ informa sobre as línguas faladas nos mais de duzentos países que hoje existem. As informações podem ser acessadas de várias maneiras (assunto, continente, língua, política linguística, povo...). O site trata de todos os países de língua portuguesa e tem um longo capítulo sobre o Brasil, que é descrito do ponto de vista das situações geodemolinguísticas encontradas, das políticas adotadas em relação ao português e das políticas adotadas em relação às línguas indígenas. Consta uma bibliografia que permite olhar para a realidade brasileira pelo ponto de vista de muitos autores estrangeiros.

www.alb.com.br é o site oficial da Associação de Leitura do Brasil, a mesma que publica a revista *Leitura, Teoria e Prática*, e que organiza periodicamente o COLE, Congresso de Leitura. O site traz informações preciosas sobre leitura e alfabetização e sobre outras questões relevantes para o ensino fundamental e médio.

Quem se interessa pelo português do Brasil e, mais particularmente, pelas vicissitudes por que passou a gramática da língua no continente americano pode navegar pelos sites de vários projetos de pesquisa dedicados ao assunto. Entre os endereços existentes, recomendamos particularmente dois: www.prohpor.ufba.br e www.letras.ufrj.br/phpb-rj. O primeiro identifica o "Programa para a História da Língua Portuguesa", que se desenvolve na Universidade Federal da Bahia sob a coordenação de Rosa Virgínia Mattos e Silva. O Prohpor realiza uma ampla investigação histórica que vai desde as origens da língua até o século XVI, "infletindo, a partir daí, para a história do português brasileiro". No site correspondente, o internauta encontra uma descrição detalhada das pesquisas realizadas. Por sua vez, o endereço www.letras.ufrj.br/phpb-rj permite conhecer os trabalhos que vêm sendo realizados na Universidade Federal do Rio de Janeiro, por uma equipe que atua sob a coordenação geral de Dinah Callou e Afrânio Gonçalves Barbosa. Aqui também é possível encontrar informações sobre as pesquisas realizadas, além de uma alentada coleção de documentos dos séculos XVIII e XIX tais como cartas, peças teatrais, anúncios e notícias. Os dois sites aqui identificados referem-se a grupos de pesquisa que se articulam com o "Projeto para uma História do Português Brasileiro", lançado há cerca de dez anos por Ataliba Castilho e Rosa Virgínia Mattos e Silva, com o objetivo de articular as iniciativas de pesquisa então existentes sobre a história do português brasileiro. São também sites que tiveram um papel pioneiro em dar visibilidade, através da internet, à pesquisa universitária sobre a língua. Essa iniciativa está sendo seguida por muitas outras equipes de pesquisa; para o internauta, a melhor forma de acompanhar todo esse processo é ficar atento aos links desses e de outros sites e às suas sucessivas atualizações.

www.ime.usp.br/~tycho é o site oficial do projeto "Prosódia, Sintaxe e Mudança Linguística: do Português Clássico ao Português Europeu Moderno". Coordenado por Charlotte Galves, esse projeto visa a reconstituir a relação entre prosódia e sintaxe no processo de mudança linguística que deu origem ao português moderno. Esse projeto disponibiliza aos estudiosos vários *corpora*, entre os quais o *Corpus Tycho Brahe de Português Histórico*, constituído por textos escritos entre 1550 e 1850.

O site www.alib.ufba.br tem como principal objetivo dar conta do desenvolvimento do "Projeto Atlas Linguístico do Brasil" (Projeto Alib), iniciativa de âmbito nacional, que envolve pesquisadores de várias universidades brasileiras e visa à elaboração de um atlas linguístico para o português do Brasil. Bem mais rico do que se poderia imaginar, esse site informa não só sobre o projeto Alib e os vários projetos de atlas regionais em andamento, mas também sobre as iniciativas e os acontecimentos que podem interessar a quem estuda o português e as outras línguas numa perspectiva geográfica. Duas características a ressaltar são, nesse sentido, a riqueza dos links e a facilidade de consulta.

O portal www.estacaodaluz.org.br é a entrada virtual para a "Estação da Luz de Nossa Língua", o grande espaço interativo criado em São Paulo sob a coordenação de Ataliba Teixeira de Castilho no prédio monumental que já abrigou a Estação da Luz, da Companhia de Estradas de Ferro Santos a Jundiaí. Tanto o espaço virtual a que o site dá acesso como o museu vivo da língua que funciona na antiga estação foram concebidos a partir da ideia de que "a língua está presente na arte, na ciência, na religião, no nosso cotidiano, enfim, em toda a cultura; sendo assim, a língua portuguesa expressa tudo o que chamamos de Brasil e também aquilo que entendemos como sendo a nossa brasilidade. O objetivo maior da Estação da Luz da Nossa Língua é fazer com que as pessoas se surpreendam e descubram aspectos do idioma que falam, leem e escrevem – bem como da cultura do país em que vivem". A lista dos caminhos abertos na página inicial – "Língua e Literatura", "Língua Falada", "Língua Escrita", "Glossário e Bibliografia" – dá uma ideia dos materiais que o internauta pode levantar neste site, inclusive através de uma coleção de textos escritos numa linguagem fácil e sem tecnicismos, para serem lidos por todos aqueles que gostam de refletir sobre língua e linguagem.

Iconografia

p. 20 Mapa adaptado de Teyssier, 1997. **p. 24** Instituto Camões. **p. 33** Carta de Pero Vaz de Caminha, Biblioteca Nacional de Lisboa. **p. 37** Instituto Camões. **pp. 40-41** Instituto Camões. **p. 56** "Retrato de D. João VI" (ca. 1810), imagem gentilmente cedida pelo CEDAE – Unicamp. **p. 61** R. Ohtake, 1989. **p. 63** Alfredo Norfini, "Representação de um cabano" (1867-1944). **p. 71** Johann Moritz Rugendas, "Preparação da raiz da mandioca", óleo sobre tela. **p. 72** Jean Baptiste Debret, "Negro de origem muçulmana", óleo sobre tela. **p. 131** Sabat, "Caricatura de Oswald de Andrade", imagem gentilmente cedida pelo CEDAE – Unicamp. **p. 143** "Jorge de Lima", imagem gentilmente cedida pelo CEDAE – Unicamp. **p. 162** S. Hecht e A. Cockburn, 1989. **p. 164** Imagem superior: Almeida Júnior, "Caipira picando fumo", óleo sobre tela. Imagem inferior: Almeida Júnior, "O violeiro", óleo sobre tela, 1899. **p. 166** Imagem superior: N. J. H. Smith, "Representação de Santarém", 1999. Imagem intermediária: Percy Lau "Vaqueiro de Marajó", Ibge, 1975. Imagem inferior: Percy Lau, "Embarcação típica da Amazônia, conhecida como vaticano", Ibge, 1975. **p. 171** Antenor Nascentes, "Variedades regionais do português brasileiro", 1953. **p. 174** Nélson Rossi, "Atlas prévio dos falares baianos", 1964, carta 65. **p. 202** Alfredo Margarido, "Representação de Fernando Pessoa", imagem gentilmente cedida pelo CEDAE – Unicamp. **p. 215** José Maria de Medeiros, "Iracema". **p. 222** Autor desconhecido, "Esboço de caricatura de Mário de Andrade", imagem gentilmente cedida pelo CEDAE – Unicamp.

Anexo

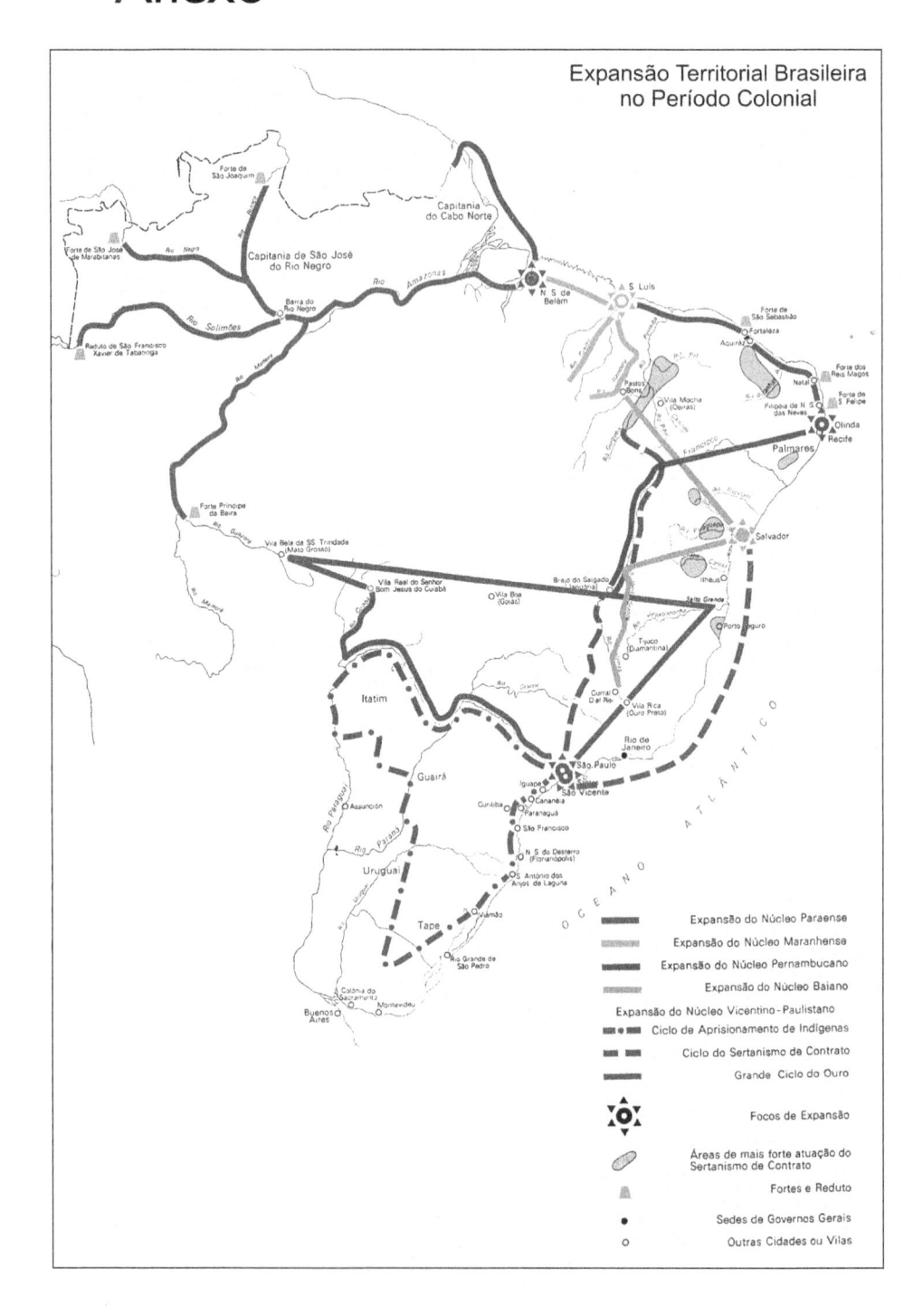

Expansão Territorial Brasileira no Período Colonial